A mio padre

RINGRAZIAMENTI

Vorrei ringraziare per la loro gentilezza e disponibilità: Hal e Lucia Horning, Robert e Rita Schmidt, Stan e Nancy Kluender, Mike e Sherry Bryson, Peter Dunn, Cynthia Mitchell, Nick Tosches, Paul Kingsbury e, soprattutto, mia madre, Mary Bryson che ha ancora le più belle gambe di Des Moines.

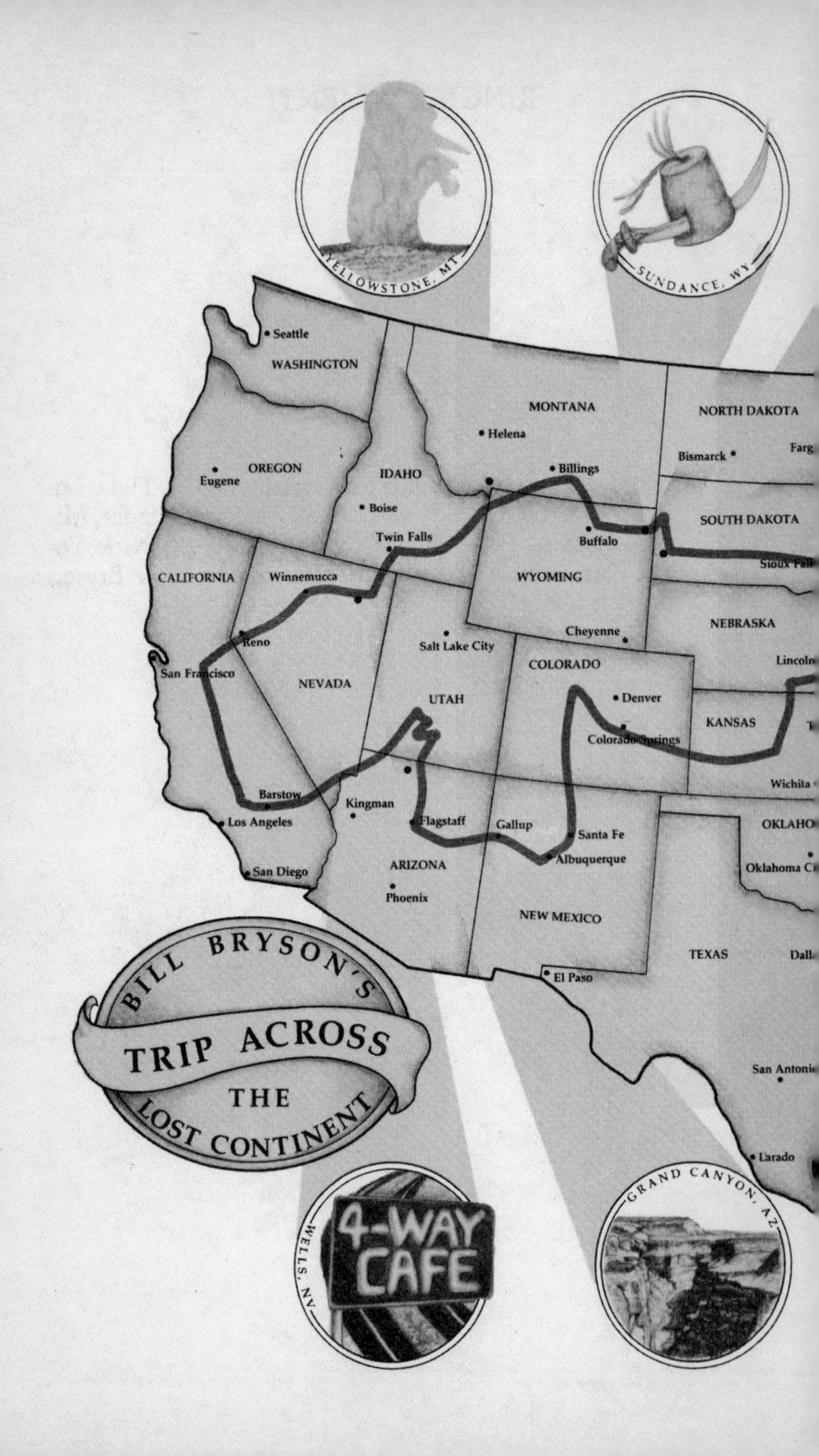
YELLOWSTONE, MT
SUNDANCE, WY
Seattle
WASHINGTON
MONTANA
NORTH DAKOTA
Helena
Bismarck
OREGON
Eugene
IDAHO
Billings
Boise
SOUTH DAKOTA
Twin Falls
Buffalo
CALIFORNIA
Winnemucca
WYOMING
NEBRASKA
Cheyenne
Reno
Salt Lake City
San Francisco
COLORADO
NEVADA
Denver
UTAH
KANSAS
Colorado Springs
Barstow
Kingman
Los Angeles
Flagstaff
Gallup
Santa Fe
Albuquerque
ARIZONA
San Diego
Phoenix
NEW MEXICO
TEXAS
El Paso
BILL BRYSON'S
TRIP ACROSS
THE
LOST CONTINENT
Larado
4-WAY
CAFE
WELLS, NV
GRAND CANYON, AZ

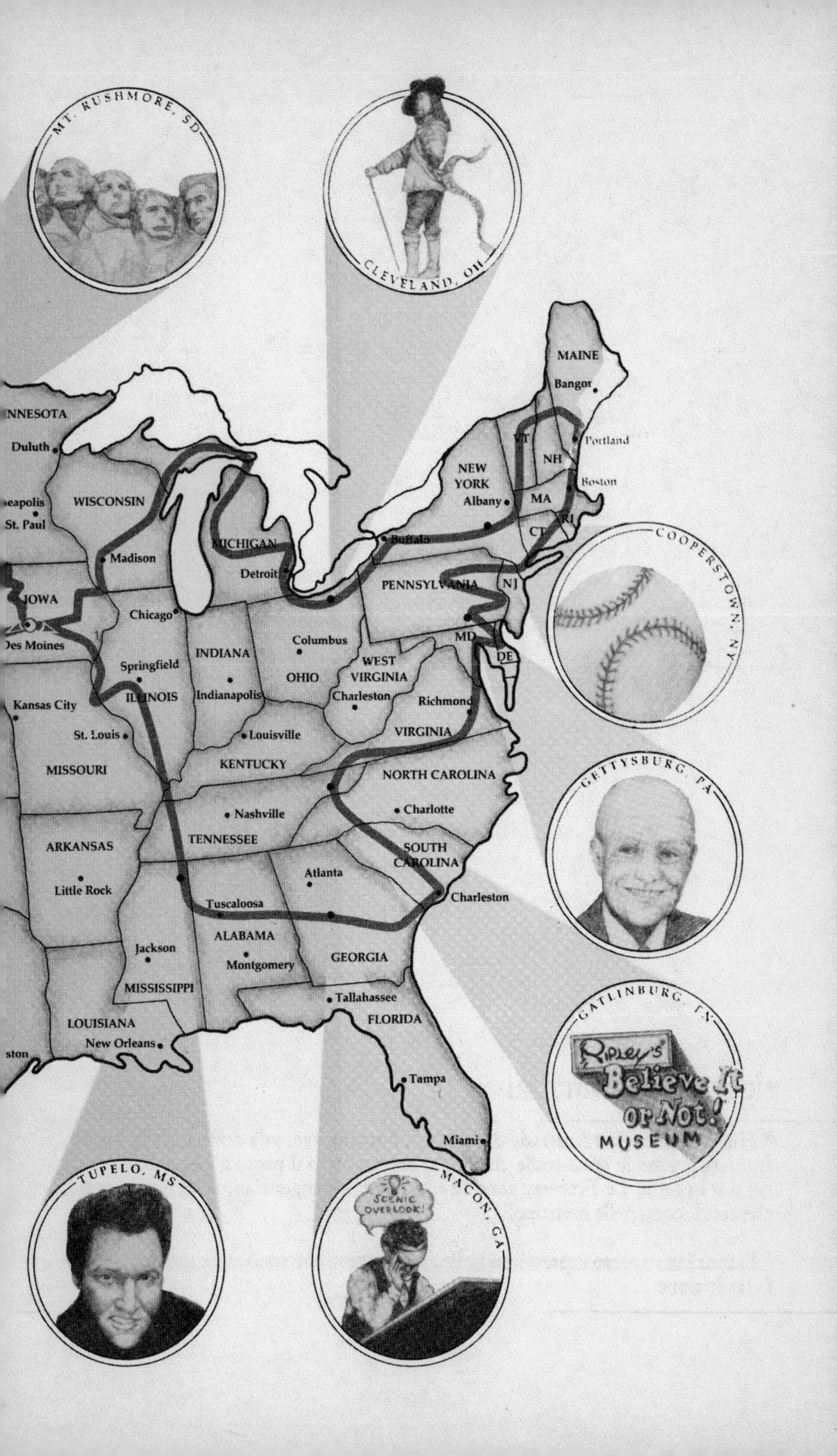

MT. RUSHMORE, SD
CLEVELAND, OH
MAINE
Bangor
Portland
VT
NH
Boston
MA
RI
CT
NEW YORK
Albany
Buffalo
COOPERSTOWN, NY
WISCONSIN
St. Paul
Duluth
Madison
MICHIGAN
Detroit
IOWA
Des Moines
Chicago
PENNSYLVANIA
NJ
MD
DE
Columbus
INDIANA
Springfield
ILLINOIS
Indianapolis
OHIO
WEST VIRGINIA
Charleston
Richmond
VIRGINIA
Kansas City
St. Louis
Louisville
KENTUCKY
MISSOURI
NORTH CAROLINA
GETTYSBURG, PA
Charlotte
Nashville
TENNESSEE
ARKANSAS
Little Rock
SOUTH CAROLINA
Atlanta
Charleston
Tuscaloosa
ALABAMA
Jackson
Montgomery
GEORGIA
MISSISSIPPI
Tallahassee
FLORIDA
LOUISIANA
New Orleans
GATLINBURG, TN
Ripley's
Believe
or Not!
MUSEUM
Tampa
Miami
TUPELO, MS
MACON, GA
SCENIC OVERLOOK!

NOTA DEI TRADUTTORI

* Highway sono le autostrade dello stato, possono avere da due a quattro corsie. Interstate sono le autostrade che attraversano tutto il paese e possono avere da tre a sei corsie. Le Freeway sono le bretelle e le tangenziali, a sei o più corsie, che conducono nelle metropoli.

* l'autore usa spesso espressioni in lingua francese che sono state mantenute nella traduzione.

PARTE PRIMA

EST

1

I

Sono nato a Des Moines. Capita.

Chi nasce a Des Moines o accetta la cosa pacificamente, si sposa con una ragazza del posto di nome Bobbi, va a lavorare alla Firestone e vive lì tutta la vita, oppure passa l'adolescenza a lagnarsi perché vive in un mortorio e non vede l'ora di andarsene; poi si sposa con una ragazza del posto di nome Bobbi, va a lavorare alla Firestone e vive lì tutta la vita.

Difficile che qualcuno se ne vada, perché Des Moines è capace di precipitare chiunque in un profondo stato di ipnosi. Prima di entrare in città, c'è un enorme cartello: BENVENUTI A DES MOINES QUESTO POSTO È UN MORTORIO. In realtà il cartello non esiste, è solo una mia fantasia. Eppure il posto ti avvince.

C'è gente che arriva a Des Moines per caso; esce dalla Interstate, solamente per far benzina o per mangiare qualche cosa, e ci rimane per sempre. Una coppia del New Jersey, vicini di casa dei miei genitori, la si vede continuamente in giro, con un'aria vagamente perplessa, ma stranamente serena. Tutti a Des Moines sono stranamente sereni.

L'unica persona non serena, che io abbia mai conosciuto a Des Moines, è stato Mr. Piper. Abitava vicino ai miei. Uno sfrontato idiota dal viso paonazzo, capace solo di ubriacarsi e sfasciare l'auto contro i pali del telefono. Dovunque si trovavano pali e cartelli stradali pericolosamente inclinati, a testimonianza delle abitudini di guida di Mr. Piper. Aveva marcato tutta la parte occidentale della città, come i cani che pisciano contro gli alberi per delimitare il territorio.

Ecco, immaginatevi un essere umano molto somigliante a Fred Flinstone, ma molto meno affascinante: Piper. Repubblicano conservatore, alla Nixon, sembrava convinto di avere una missione nella vita: offendere il prossimo. Il suo passatempo preferito, quando non era occupato a ubriacarsi e a sfasciare l'auto, era ubriacarsi e insultare i vicini, specialmente noi, in quanto democratici, ma, se noi non eravamo nei paraggi, gli andavano benone anche i repubblicani.

Finalmente adulto, me ne andai in Inghilterra e questo lo irritò oltre misura, ben più del fatto che fossi democratico. Quando mi trovavo in città, Mr. Piper mi avvicinava e cominciava a provocarmi: "Non so cosa tu abbia da spartire, laggiù, con tutti quegli inglesi. Non sono gente pulita".

"Mr. Piper, lei non sa quello che dice", ribattevo io, ostentando l'accento inglese. "Lei è un cretino." Potevo permettermi di parlargli così, primo perché *era effettivamente un cretino*, poi perché non ascoltava mai quello che gli si diceva.

Lui proseguiva: "Due anni fa sono stato a Londra con Bobbi, e non avevamo il bagno in camera. Se di notte ti veniva voglia di pisciare, dovevi girarti tutto l'albergo e scendere nell'atrio. Non è roba da gente pulita".

"Mr. Piper, gli inglesi sono di una pulizia esemplare, tutti sanno che il loro consumo di sapone pro-capite è il più alto d'Europa."

A questo punto sbuffava sarcastico: "Non mi freghi, ragazzo! Chiunque è capace di essere più pulito di un branco di crucchi o di mangiaspaghetti. Per Dio, persino un *cane* è più pulito di loro. E ti dirò di più: se il paparino non gli avesse comprato i voti dell'Illinois, J. F. Kennedy non sarebbe mai stato eletto Presidente".

Saltava di palo in frasca, ma ciò non mi sconcertava più di tanto: da quando lo conoscevo aveva sempre fatto così. Il furto della presidenza, nel 1960, era la sua spina nel fianco, una geremiade che, di qualunque cosa si stesse parlando, cacciava nel discorso all'incirca ogni dieci-dodici minuti. Nel 1963, durante i funerali di Kennedy, nella calca, qualcuno gli tirò un pugno sul naso per aver fatto questa osservazione. Mr. Piper si infuriò talmente, che schizzò via e andò a sfasciare l'auto contro un palo del telefono. Mr. Piper ora è passato a miglior vita. E Des Moines non lascia impreparati al trapasso.

Quando ero ragazzo, pensavo sempre che la cosa migliore dell'essere cittadini di Des Moines fosse di non essere nati in un altro posto dell'Iowa. Per gli standard dell'Iowa, Des Moines è una Mecca di mondanità internazionale, un faro di abbondanza e cultura, dove la gente indossa completi a tre pezzi e calzini scuri, spesso contemporaneamente. Durante l'annuale campionato di basket delle scuole superiori, quando i campagnoli dello stato invadevano la città per una settimana, avevamo l'abitudine di abbordarli e, con presunzione, ci vantavamo di mostrare loro come si sale una scala mobile e come si entra da una porta girevole. Non è del tutto vero, ma quasi.

Stan, un amico mio, a sedici anni dovette andare a vivere da suo cugino in un posto fuori mano, una frazione, dimenticata da Dio, di nome Pisciadicane o Pisquano-City[1], o un luogo assurdo comunque, uno di quei posti dove tutti, se per disgrazia un cane viene investito da un camion, si precipitano fuori a vedere. Stan, che già dalla seconda settimana era in uno stato di delirio comatoso, riuscì a convincere il cugino a percorrere gli 80 chilometri che li dividevano dalla capitale della contea, Hooterville, per divertirsi un po'. Andarono prima in un bowling scalcinato con corsie deformate e palle scheggiate, poi in un drug-store, a bere soda al cioccolato e a guardare *Playboy*. Sulla via del ritorno il cugino sospirò soddisfatto. "Per Dio, Stan, grazie. È stata la più bella serata della mia vita." Ed era vero!

Una volta andai a Minneapolis in auto, e decisi di fare la strada secondaria per godermi il paesaggio. Ma non c'era niente da vedere. Solamente una pianura bollente, campi di grano e soia, e una gran quantità di maiali. Di quando in quando si intravedeva una fattoria, o un paesino sonnolento, dove soltanto le mosche erano sveglie. Mi ricordo un rettilineo, di un paio di chilometri, tremolante nella calura, e in lontananza, sul ciglio della strada, un puntino scuro. Mi accorsi, avvicinandomi, che era un tale seduto su uno scatolone in un'aia di un paesino di quattro case, che poteva chiamarsi Letamaio o Pisciatoio[2]. Osservava il mio arrivo con gli occhi fuori dalle orbite. Gli sfrecciai davanti e nel retrovisore vidi che il suo sguardo mi seguiva, finché non sparii nella foschia. Fu questione di cinque minuti, ma non mi sorprenderebbe sapere che ogni tanto quell'uomo ripensa a me.

Portava un berretto da baseball. Quelli dell'Iowa sono facilmente individuabili, perché portano sempre un berretto da base-

[1] Dog Water e Dunceville nel testo [*N.d.T.*]

[2] Spigot e Urinal nel testo. Spigot è termine dispregiativo per indicare i messicani [*N.d.T.*].

ball con la pubblicità della John Deere o di qualche marca di mangime, e perché la loro nuca è incisa dai solchi profondi di anni e anni passati su un trattore John Deere, avanti e indietro sotto il sole che picchia (e questo certamente non migliora il cervello). Un'altra caratteristica tipica, davvero buffa, è che, quando si tolgono la camicia, hanno il torso bianco come la pancia di un pesce, mentre collo e braccia sono scuri come la cioccolata. Nello Iowa la chiamano l'*abbronzatura del contadino* e credo sia segno di distinzione.

Le donne dell'Iowa sono quasi sempre prosperose, in modo impressionante. Le si può vedere, sudaticce e polpose, in short e top striminziti, come elefanti strizzati dentro vestiti da neonato, al Merle Hay Mall di Des Moines, al sabato, mentre sgridano i figli, che si chiamano tutti Dwayne e Shauna. Solo Jack Kerouac pensava che le donne dell'Iowa fossero le più carine della nazione, ma io sono convinto che non sia mai andato al Merle Hay Mall di sabato. Devo aggiungere, però, paradossalmente, che le figlie adolescenti di queste ciccione sono sempre deliziose, sode, con rotondità desiderabili, profumate come pesche mature. Non capisco cosa capiti poi, ma deve essere terribile sposare una di queste fanciulle in fiore, sapendo che dentro di lei c'è qualche cosa, come una bomba a orologeria, che esploderà inaspettatamente trasformandola, dalla sera alla mattina, in una cosa enorme e grottesca, come un canotto autogonfiante senza più valvola di sicurezza.

Anche se non fosse stato così, penso che non sarei comunque rimasto nell'Iowa. Non mi ci sono mai sentito a mio agio. Fin da piccolo. Nel 1957, o giù di lì, i nonni mi regalarono per il mio compleanno un videorama e un pacchetto di dischi 3D con il titolo *Iowa – Il nostro glorioso stato*. Mi ricordo ancora che di glorie ce n'erano ben poche. Senza paesaggi pittoreschi, senza parchi nazionali, senza campi di battaglia e senza case natali illustri, gli autori del videorama dovevano aver sudato sette camicie. Se appoggiavi il videorama agli occhi e abbassavi la levetta bianca, per quel poco che mi ricordo, vedevi l'immagine della casa natale di Herbert Hoover, straordinaria immagine tridimensionale; seguita da un'altra grande meraviglia dell'Iowa: la Little Brown Church nel Vale (ispiratrice di una canzone nota a ben pochi); il ponte dell'autostrada sul Mississippi visto da Davenport (con tutte le macchine che sembravano in fuga verso l'Illinois); una distesa di spighe piegate al vento; il ponte sul Missouri visto da Council Bluffs e la Little Brown Church del Vale ripresa da un'altra angolatura. Mi ricordo che già allora pensavo che doveva esserci altro nella vita.

Poi, verso i dieci anni, in un grigio pomeriggio domenicale, vidi in tivù un documentario sul cinema europeo. Uno spezzone mostrava Anthony Perkins che, al tramonto, camminava in un vicolo in discesa. Non ricordo se fosse Roma o Parigi, ma la strada era acciottolata e luccicante di pioggia. Perkins era avvolto nel trench e pensai, "Ehi, *c'est moi*!". Cominciai a leggere, anzi a divorare, il *National Geographic*, con le sue fotografie di Lapponi smaglianti, di castelli avvolti nella nebbia e di antiche città dal fascino infinito. Da quel momento incominciai a desiderare di essere un ragazzo europeo. Avrei voluto vivere in un appartamento che si affacciava su un parco nel cuore di una metropoli, e vedere dalla mia stanza una miriade di colline e tetti. Avrei voluto prendere il tram e capire altre lingue. Avrei voluto che i miei amici si chiamassero Werner e Marco, che portassero pantaloni corti, giocassero a calcio per strada e avessero giocattoli di legno. Darei tutto l'oro del mondo per capire il perché. Avrei voluto che mia madre mi mandasse fuori a comprare filoni di pane in un negozio con un *pretzel* di legno sulla porta a mo' di insegna. Avrei voluto uscire dalla porta di casa ed *essere* da qualche altra parte.

Appena l'età me lo permise, me ne andai: da Des Moines, dall'Iowa, dagli USA, dalla guerra del Vietnam, dal Watergate, per stabilirmi dall'altra parte del mondo. E adesso, che sono tornato, mi sono ritrovato in un paese straniero, pieno di maniaci omicidi, di squadre sportive nelle città sbagliate (gli Indianapolis Colts, i Toronto Blue Jays?) e un vecchio scimunito imbellettato come Presidente. Mia madre se lo ricorda quando, col nome di Dutch Reagan, faceva il cronista sportivo alla W.H.O. Radio di Des Moines. Dice sempre: "Carino, cordiale, educato. Era proprio un bischero".

Che, in definitiva, è una descrizione piuttosto efficace della maggior parte di quelli dell'Iowa. Non fraintendetemi. Non sto affatto affermando che quelli dell'Iowa siano deficienti. Sono, in verità, persone sensibili e intelligenti che, nonostante il loro naturale conservatorismo, sono stati e sono sempre pronti a eleggere un diligente, coscienzioso e aperto liberale, invece di un conservatore imbecille (e questo faceva andare in bestia Mr. Piper). Nell'Iowa, e ne sono orgoglioso, c'è la più alta percentuale di alfabetizzazione della nazione: il 99,5 per cento della popolazione adulta sa leggere. Quando affermo che sono un po' bischeri, voglio dire che sono tranquilli, amabili e aperti. Un po' lenti, questo sì; quando raccontate una barzelletta vi accorgete che cervello e mimica non sono in sincronia, non perché siano incapaci di una veloce attività mentale, ma solamente perché non ci si può aspettare più di tanto. La prontezza è annebbiata da una semplice e profonda fede in Dio, nella terra e negli uomini.

Quelli dell'Iowa sono soprattutto dei grandi amiconi. Se vi capita, nel sud, di andare a cena fuori in un locale dove non vi conosce nessuno, troverete un'atmosfera cordiale, ma vi accorgerete che tutti vi osservano per valutare bene quali rischi correrebbero se vi uccidessero per derubarvi, abbandonando poi il vostro cadavere in un fosso. Nell'Iowa diventereste il centro dell'attenzione e un nuovo argomento di conversazione, degno di sostituire il vecchio Frank Sprinkel e il suo trattore, portati via da un tornado qualche mese prima. Chiunque vi cederebbe volentieri l'ultima birra e vi lascerebbe dormire con sua sorella. Tutti sono felici, amichevoli e stranamente sereni.

L'ultima volta che vi tornai, andai in centro da Kresge's e comprai un bel po' di cartoline da spedire in Inghilterra. Acquistai le più spiritose tipo *Tramonto su una mangiatoia*; alcuni contadini che coraggiosamente si aggrappano a una scala mobile con accanto la scritta: ABBIAMO PRESO LA SCALA MOBILE AL MERLE HAY MALL. La loro uniforme assurdità era così evidente che quando le portai alla cassa mi sentii in imbarazzo, come se avessi comprato delle riviste porno, e sperai di dare, in qualche modo, l'impressione che le avessi comprate per qualcun altro. Ma la cassiera, deliberatamente, guardò le cartoline, una per una, con interesse, proprio come succede quando compri riviste porno.

Quando alzò lo sguardo aveva quasi gli occhi appannati. Portava occhiali a forma di farfalla e capelli raccolti in una crocchia gigante. "Sono proprio carine", disse. "Sa, giovanotto, sono stata in tanti stati e ho visto tanti posti, ma posso assicurarle che questo è proprio il posto più *pertinente* che abbia mai visto." Disse davvero il più *pertinente*. E ne era convinta. La povera donna era in uno stato terminale di assopimento. Diedi uno sguardo alle cartoline e con stupore capii improvvisamente che cosa intendesse. Non potevo fare a meno d'essere d'accordo con lei. *Erano pertinenti*. Restammo, tutti e due, per qualche minuto in silenzio. Per un'interminabile frazione di secondo mi sentii io stesso sereno. Fu una sensazione inspiegabile, ma passò subito.

II

A mio padre, l'Iowa piaceva. È sempre vissuto in questo stato e, anche ora, si sta guadagnando il Paradiso nel cimitero di Glendale a Des Moines. Eppure ogni anno veniva preso da una sorta di *pacifica* follia: doveva uscire dallo stato e andare in vacanza. Ogni estate, senza tante ciance, caricava l'auto fino a squassarla, ci cacciava dentro con foga, e partiva *per qualche posto lontano*; immancabilmente tornava indietro quando oramai si era in un altro stato, perché aveva dimenticato il portafogli, dopo di che ripartiva *per qualche posto lontano*. Ogni anno la stessa storia. Ogni anno un incubo.

Quello che più ci uccideva era la noia. Lo stato dell'Iowa è situato proprio al centro della più grande pianura d'America. Da qualsiasi tetto dello stato si possono ammirare, a perdita d'occhio, insipide distese di grano. 1600 chilometri lo dividono dal mare, 700 chilometri lo separano dalle montagne più vicine, 500 chilometri dai grattacieli, dai delinquenti e dalla bella vita, 300 chilometri da coloro che, per rispondere a una domanda posta da uno sconosciuto, non hanno bisogno di infilarsi un dito nell'orecchio e trastullarsi la tromba di Eustachio per trovare la risposta giusta. Per riuscire ad arrivare in un luogo un po' più interessante di Des Moines, è necessario un viaggio in auto che altrove sarebbe considerato epico: giorni e giorni di centellinata noia, in una fornace d'acciaio rovente, che si trascina su un'interminabile autostrada.

Nei miei ricordi le vacanze sono legate a una grossa Rambler blu, station-wagon. Era un'auto tozza, – papà ha sempre comprato auto tozze – ma spaziosa. Solo quando raggiunse l'età dell'andropausa cominciò ad acquistarle rosse, scattanti e decappottabili. Mio fratello, mia sorella e io, sui sedili posteriori, eravamo lontanissimi dai nostri genitori, seduti davanti, ci sembrava di essere in un'altra stanza. Scoprimmo ben presto, dopo illecite scorrerie nel cestino da picnic, che se ficcavamo, a mo' di porcospino, un bel po' di fiammiferi (gli Ohio Blue Tip in particolare) nelle mele o nelle uova sode e poi le lasciavamo cadere dal deflettore posteriore, diventavano delle piccole bombe. Cadendo, esplodevano con un leggero sibilo, subito dopo si sprigionavano fiamme blu, sicché i veicoli che ci seguivano facevano divertenti manovre per scansarle.

Papà, là davanti, non sapeva mai che cosa accadesse nelle retrovie, e non riusciva a capire come mai le auto, prima di sorpassarci, ci affiancassero sempre, e i guidatori gesticolassero seccatissimi. "Cosa vuole da noi?", chiedeva alla mamma con tono ferito.

"Non so, caro", rispondeva tenera la mamma. Rispondeva sempre in due soli modi. "Non so, caro", oppure "Vuoi un sandwich, tesoro?".

Di quando in quando, nei nostri viaggi, sfoggiava altre arguzie del tipo "È possibile che la luce del cruscotto sia così forte, caro?" oppure "Credo che prima tu abbia tirato sotto un cane/un uomo/un cieco, caro". Saggiamente, però, non parlava per la maggior parte del viaggio, perché mio padre, durante le vacanze, diventava paranoico. La sua fissazione era il risparmio a oltranza: ci portava sempre negli alberghi e nei motel più scalcinati e in quei locali lungo la strada dove lavano i piatti solo una volta alla settimana. Si sapeva già, con la morte nel cuore, che, a un certo punto, proprio poco prima di finire, sarebbe riaffiorato o sul fondo del piatto, o tra un dente e l'altro della forchetta, il tuorlo irrancidito di un pasto precedente. Sembravamo proprio dei pitocchi, costretti a una lunga e dolorosa miseria.

Ma quello era ancora un lusso. La regola c'infliggeva il picnic ai bordi della strada. Papà aveva un istinto innato nello scegliere i posti peggiori: o una piazzola dove posteggiavano i T.I.R., o certe aree di parcheggio alberate che si rivelavano, in seguito, accampamenti di poveracci, per cui torme di bambini si ammassavano intorno alla nostra tavola e ci guardavano muti mentre mangiavamo Hostess Cupcakes e patatine fritte confezionate. Di solito nel luogo e nel momento scelto per la sosta si alzava un forte vento cosicché mia madre passava tutto il tempo a rincorrere, ad ampio raggio, i piatti di plastica.

Nel 1957 papà investì ben 19.98 dollari in una cucina da campo. Ci impiegavamo un'ora per montarla; ma poi, data la sua facilità a prendere fuoco, a noi ragazzi era proibito avvicinarci mentre era in funzione. Tutte queste precauzioni si rivelavano, alla fine, inutili, poiché la cucina da campo, dopo qualche secondo, irrimediabilmente si spegneva, e papà perdeva ore e ore a girarla e rigirarla nel vano tentativo di trovare il punto giusto senza vento. Mentre si dava da fare, papà parlava alla cucina da campo, con la voce bassa e agitata, tipica dei malati mentali cronici. Nel frattempo mio fratello, mia sorella e io chiedevamo, con aria implorante, di portarci in qualche posto dove ci fossero aria condizionata, tavoli con tovaglie di cotone, e bicchieri di acqua pieni di ghiaccio tintinnante. "Papà", supplicavamo, "sei un uomo arrivato. Guadagni bene. Portaci all'Howard Johnson's." Non ci dava retta. Figlio della Depressione, quando si trattava di tirar fuori dei soldi aveva sempre quell'aria da eterno fuggitivo braccato dai cani.

Quando finalmente arrivava il tramonto, ci allungava degli hamburger freddi, crudi e puzzolenti di butano. Dopo il primo morso, ci rifiutavamo di mangiare. Papà allora perdeva la pazienza, gettava tutto in auto e ci portava a gran velocità in uno di quei posti fuori mano, dove un cuoco sudaticcio, con un cappello floscio, lanciava sulla piastra del grill, unta e bisunta, del rifrittume, avanzato, che scoppiettava sfrigolando. Dopo di che, tutti immersi in una cappa di silenziosa amarezza e di insoddisfatti appetiti, inforcava l'uscita sbagliata dell'autostrada e si perdeva in qualche strano e sperduto paesino dal nome stravagante, tipo Draino, Indiana o Tapwater, Missouri; e si finiva per passare la notte nell'unico albergo del paese, una specie di stamberga dove, per vedere la tivù, devi sederti nel salotto su uno sconquassato divano di finta pelle, con l'immancabile vecchietto fornito di ascelle fetenti. Ci potevi scommettere che l'uomo aveva una gamba sola o un altro difetto fisico da film dell'orrore, del genere senza naso o con la fronte rientrante. Nonostante la ferma volontà di guardare *Laramie* o *La casa nella prateria*, eri irresistibilmente costretto a sbirciare quello che era rimasto del corpo seduto accanto. Era più forte di te. Talvolta poteva perfino non avere la lingua, eppure si ostinava a ingaggiare una vivace conversazione. Era tutto così deprimente!

Dopo circa una settimana di questo tormentoso travaglio, quasi sempre si arrivava sulle rive di uno splendido lago blu, immerso in una pineta di montagna. Un luogo pieno di vita, di divertimenti e di masnade di bambini vivaci che giocavano nell'acqua. Allora capivi che ne era valsa la pena. Papà diventava allegro e affettuoso tanto che, una o due volte, ci portava a cena in uno di quei ristoranti dove non dovevi fare attenzione al cibo che ti servivano, e dove sui bicchieri non c'erano segni di rossetto. Questa era vita! Sana opulenza.

A causa di questi ricordi un po' disturbati ed erratici, sono stato preso dalla smania di ritornare nei luoghi della mia giovinezza e fare quello che i pubblicitari chiamano un 'viaggio di scoperta'. A 6500 chilometri di distanza, in un altro continente, mi sono reso conto che, quando arrivi agli anta e il babbo è morto da poco, se ne è andata con lui una parte di te; è allora che ti prende la nostalgia. Volevo ritornare nei magici posti della mia fanciullezza – a Mackinac Island, alle Montagne Rocciose, a Gettysburg – e verificare se tutto era così magico, come me lo ricordavo. Volevo sentire di nuovo a Rock Island il sibilo lungo e sordo della locomotiva, che trafigge la notte calma e si dissolve in lontananza. Volevo vedere le lucciole, ascoltare il frinire delle cicale; essere irrimediabilmente immerso in quella calura d'agosto, che ti ottunde, ti appiccica la biancheria intima alla pelle e te la rende insopportabile, che trasforma i gentiluomini in esseri violenti, e li induce a tirar fuori il fucile e a sparare all'impazzata nella notte. Volevo cercare le insegne del Ne-Hi Pop e del Burma Shave, andare a una festa da ballo, sedermi al banco di quei bar con i distributori di seltz in marmo, e girare in auto in quelle piccole città che avevano fatto da sfondo ai film di Deanna Durbin e Mickey Rooney. Volevo viaggiare. Volevo vedere l'America. Volevo tornare a casa.

Così presi un volo per Des Moines, comperai un fascio di carte stradali, le sparpagliai sul pavimento del soggiorno, le studiai attentamente e stabilii un itinerario circolare che mi avrebbe permesso di vedere quella immensa e semisconosciuta nazione. Quando chiedevo alla mamma qualcosa sulle vacanze della mia infanzia, lei continuava a preparare sandwich e diceva, "Non so, caro". In un'alba settembrina, a trentasei anni, uscii di soppiatto dalla casa che mi aveva visto adolescente, mi sistemai al volante di una vecchissima Chevrolet Chevette, prestatami dalla mamma fiduciosa, e iniziai a guidare per le piatte, sonnolente strade della città. Percorsi la deserta arteria cittadina, unico cristiano, fra le 250.000 anime addormentate, ad avere una missione. Il sole, già alto, prometteva un'afosa, torrida giornata. Di fronte a me si estendevano chilometri e chilometri di grano maturo e frusciante. Appena fuori città, imboccai l'Iowa Highway 163 e col cuore pieno di attesa mi diressi verso il Missouri. E non capita molto spesso di sentirlo dire.

2

Quell'anno in Inghilterra non c'era stata estate. A una primavera piovigginosa era seguito un autunno freddo. Per mesi ero vissuto sotto un cielo plumbeo. Talvolta aveva piovuto, ma per lo più il tempo era stato grigio, il paesaggio uggioso. Era stato come vivere dentro un contenitore Tupperware. Qui, invece, l'intensità del sole ti abbagliava. L'Iowa era un'esplosione di colori e di luce: ai lati della strada, fienili di un brillante rosso cardinale; il cielo di un intenso blu elettrico; i campi, a vista d'occhio, di un denso senape e verde. Screziature di mica luccicavano sull'asfalto, divorato dai miei pneumatici. In lontananza, sparsi, silos giganteschi, cattedrali del Midwest, le navi delle praterie, attiravano i raggi del sole e li rifrangevano in un accecante sfavillio. Abbacinato da quell'incandescenza per me insolita, mi diressi verso Otley.

Intendevo ripercorrere il tragitto che papà faceva sempre quando andavamo dai nonni a Winfield, passando da Prairie City, Pella, Oskaloosa, Hedrick, Brighton, Coppock, Wayland e Olds. La successione dei luoghi era scolpita nella mia mente. Poiché in precedenza ero sempre stato un passeggero, non avevo mai fatto attenzione alla strada, ai bivi e agli incroci, che ora mi sorprendevano continuamente, costringendomi a girare a destra e fare qualche chilometro, poi girare a sinistra per qualche altro chilometro, poi di nuovo a destra, poi di nuovo a sinistra e così via. Sarebbe stato chiaramente più veloce se avessi preso la Highway 92 verso Ainsworth, per poi svoltare a sud per Mount Pleasant. Non riuscivo a capire come mai mio padre avesse sempre scelto questo tragitto, e non lo saprò mai... Peccato! Forse nulla ci avrebbe entusiasmato di più che distendere carte stradali sul tavolo da pranzo, e discutere per ore e ore sulle strade da percorrere. Questa sua passione per le carte stradali lo rendeva simile alla maggior parte degli abitanti del Midwest. Avere le coordinate è molto importante per loro; hanno un innato bisogno di sapere dove sono, persino quando raccontano degli aneddoti. Quando raccontano una storia, a un certo punto divagano in una sorta di monologo, della serie: "Eravamo in un albergo a otto isolati a nord-est del municipio. Aspetta un po', forse era nord-ovest; anzi, credo che fosse, con più probabilità, a nove isolati. E quella donna senza vestiti indosso, nuda come mamma l'ha fatta, tranne che per un cappellino stravagante, ci correva incontro da sud-ovest... o da sud-est?". Se sono presenti altri del Midwest, testimoni del fatto, puoi scordarti di sapere cosa sia successo in realtà, perché passerebbero tutto il pomeriggio a discutere sui punti cardinali senza riuscire più a riprendere il filo del racconto. Una coppia del Midwest, in visita in Europa, è facilmente riconoscibile perché starebbe sull'isola salvagente di un incrocio, nel bel mezzo di un traffico intenso, con una cartina svolazzante a discutere da quale parte sta l'ovest. Le città europee, con le loro strade a biscia e i vicoli disordinati, fanno diventare matto chiunque provenga dal Midwest.

Questo strano delirio per la rosa dei venti ha probabilmente origine dal fatto che non esistono punti di riferimento nella grande pianura americana; e Dio sa se mi ero dimenticato di quanto vasta e spoglia fosse! Se nell'Iowa, ovunque ti trovi, sali su due guide telefoniche, e ti guardi in giro, vedrai sempre le stesse cose. Dal punto in cui mi trovavo in quel momento vedevo una landa, grande quanto il Belgio, sulla quale si potevano, soltanto, distinguere alcune fattorie, ben distanti una dall'altra, qualche albero qua e là, due cisterne d'acqua a torre, e alcuni baluginii argentei che stavano a indicare cittadine troppo lontane per essere riconosciute. In lontananza una nuvola di polvere faceva supporre un'auto in corsa su di una strada sterrata. Le sole cose che si elevavano nel piatto paesaggio, erano i silos, ma anch'essi anonimi, nulla li distingueva l'uno dall'altro.

E un tale silenzio. A parte il fruscio incessante del grano, non si udiva alcun rumore. Se qualcuno avesse starnutito in una fattoria a cinque chilometri di distanza, lo si sarebbe sentito ("Salute!", "Grazie!"). Potrebbe portare alla follia vivere una vita così priva di sensazioni: nessun aeroplano attira mai il tuo sguardo verso il cielo, nessun clacson suona; il tempo scorre così lento, che non rimarresti meravigliato nello scoprire la gente davanti alla tivù mentre guarda *Ozzie and Harriet* e vota per Eisenhower ("Non so quanto tempo sia trascorso per voi, gente di Des Moines, ma, qui nella contea di Fisima, siamo rimasti al 1958").

Le città non presentano tratti tipici: solamente il nome le distingue. Tutte hanno una pompa di benzina, un droghiere, un silos, un negozio dove vendono attrezzature agricole e fertilizzanti, e, talvolta, un negozio di elettrodomestici o una tintoria, sicché mentre attraversi il paese ti domandi: "Che se ne fanno qui di una tintoria?". Ogni quattro o cinque paesi c'è una città, capoluogo di contea, costruita intorno alla piazza: bei palazzi di mattoni, un cannone che risale alla Guerra Civile, e un monumento ai caduti delle ultime due guerre, tutti sistemati su un lato della piazza. Sul lato opposto invece, la zona commerciale: un grande magazzino, una tavola-calda, due banche, un ferramenta, una libreria cristiana, un barbiere, un paio di parrucchieri, un negozio di abbigliamento da uomo, dove si vende quel tipo di abiti che solo le persone di una piccola città osano portare. E puoi scommetterci che due dei negozi si chiamano Vern's. La parte centrale della piazza è un parco con alberi ombrosi dai grossi tronchi, un'asta per la bandiera americana, qua e là panchine affollate di vecchi, con il berretto John Deere, che parlano dei giorni andati, quando avevano qualcosa da fare e non dovevano starsene lì seduti, a parlare di quando avevano qualcosa da fare. Il tempo in questi luoghi si trascina.

Il capoluogo di contea più notevole è Pella, 65 chilometri a sud-est di Des Moines. Fondata da emigranti olandesi, ogni anno a maggio ospita la tradizionale sagra del tulipano, e viene sempre invitata qualche personalità, per esempio il sindaco dell'Aja, per premiare i fiori più belli. Da bambino la trovavo interessante perché i suoi abitanti mettevano, nei giardini che si affacciavano sulla strada, dei piccoli mulini a vento. Niente di eccezionale, ma in un viaggio attraverso l'Iowa dovevi imparare fin da piccolo a valorizzare le piccole cose. Oltre tutto, all'entrata della città, c'era una cremeria dove mio padre qualche volta si fermava e ci comprava dei coni gelato ricoperti di cioccolato. Già questo basterebbe a giustificare la mia passione. Perciò ero contento di vedere, guidando verso il centro della città nella bella mattinata settembrina, che c'erano ancora, in molti giardini, dei mulini a vento con le pale che giravano. Mi fermai in piazza e scesi per sgranchirmi le gambe. Era domenica e anche i vecchietti della piazza facevano festa – unica occupazione era dormire davanti alla tivù tutto il sacrosanto giorno – ma per tutto il resto Pella era proprio come la ricordavo. Nella piazza molti alberi, aiuole di salvia odorosa e calendole a tinte forti; su un lato un mulino a vento, quasi a grandezza naturale, di un bel color verde con le pale bianche. I negozi, sempre di piccole dimensioni nel Midwest, sono architettonicamente simili a quelli che si trovano disegnati sulle scatole dei fiocchi d'avena, oltre agli stucchi di panpepato e ad altre allegre decorazioni. Tutti i negozi portano un nome olandese, che ispira solidità e fiducia: Perdekooper's Drug Store, Jaarsma Bakery, Van Gorp Insurers, Gosselink's Christian Book Store, Vander Ploeg Bakery. Tutti chiusi, naturalmente. La domenica è ancora sacra in posti come Pella. La città sembrava avvolta da una pace inquietante. Quel tipo di silenzio di tomba che induce i nevrotici a chiedersi se per caso, durante la notte, tutti gli abitanti non siano stati avvelenati da una fuga di gas inodore, trasformando Pella in una nuova Pompei; e se quello stesso gas, respirato il mattino successivo, non comprometta i centri nervosi dei malcapitati, facendoli sentire un po' strani. La mia immaginazione galoppava; vedevo frotte di persone, provenienti da tutti gli angoli dello stato, precipitarsi a Pella per dare un'occhiata alle vittime e rimanere a bocca aperta alla vista di un giovanotto, con gli occhiali e lo sguardo terrorizzato, costretto, per l'eternità, a tenersi la gola con una mano, e con l'altra a tentare invano di aprire la portiera dell'auto. Ma poi, in fondo alla piazza, vedendo un tizio che portava a passeggio il cane, mi resi conto che nulla di quanto avevo immaginato era accaduto.

Non volevo far tardi, ma la mattinata era così splendida che mi misi a vagare in una strada laterale e passai davanti a case di legno con cupolette e frontoni, e verande con altalene a due posti che cigolavano nella brezza. Nessun altro rumore: soltanto il calpestio dei miei piedi sulle foglie secche. Quando giunsi in fondo mi trovai di fronte al Central College, un'istituzione di piccole dimensioni gestita dalla Chiesa Riformata Olandese: un campus formato da costruzioni in mattoni rossi che si affacciano su un ruscello serpeggiante, e un ponte ad arco in legno. Il posto era molto rilassante, quasi quanto una doppia dose di valium. Faceva pensare a un ordinato, lindo, tradizionale college, come quello frequentato da Clark Kent. Attraversai il ponte e, proprio alla fine del campus, trovai la prova: non ero l'unico sopravvissuto. Da una finestra aperta, all'ultimo piano del dormitorio, usciva il suono assordante di uno stereo a tutto volume. Strombazzava qualcosa dei

Frankie Goes to Hollywood; poi, da un posto imprecisato, giunse il suono di una voce squillante che urlava: "SE NON SPEGNI IMMEDIATAMENTE QUELLA STRONZATA VENGO LÌ E TE LA SPACCO SULLA TESTA!". La voce doveva appartenere a una persona robusta – qualcuno soprannominato Roccia – e la musica cessò subito. Pella, allora, ripiombò nel suo torpore onirico.

Ripresi il percorso verso est, attraversai Oskaloosa, Fremont, Hedrick, Martinsburg: nomi familiari di città, che evocavano pochi ricordi. In genere, a questo punto del viaggio, da piccolo me ne stavo sdraiato sul fondo dell'auto in uno stato di catalessi da noia e ogni quindici secondi urlavo: "Quanto manca? Quando arriviamo? Non ne posso più. Sto male. Quanto manca? Quando arriviamo?". Riconobbi, vagamente, una curva vicino a Coppock, dove una volta, durante una tormenta di neve, passammo quattro ore prima che giungesse lo spazzaneve a tirarci fuori, e molti altri posti dove, di regola, ci fermavamo per far vomitare mia sorella. Mi ricordo di una stazione di servizio a Martinsburg, dove mia sorella si scaraventò fuori dall'auto, ma, non riuscendo a trattenere il malore, rigettò sui piedi dell'inserviente (ragazzi, come saltellava il tipo!); e di un altro posto, a Wayland, dove mio padre per poco non mi abbandonò sul ciglio della strada dopo aver scoperto che, per passare il tempo, avevo allentato le viti del pannello della portiera posteriore, mettendo a nudo tutti i marchingegni interni, e rotto tutti i meccanismi del finestrino oltre a quelli della maniglia. Era, comunque, appena superato Olds, quando si doveva svoltare per imboccare la strada per Winfield che papà annunciava, in un delirio gioioso, che eravamo quasi arrivati. E fu in quel punto che provai un improvviso senso di identificazione. Erano più o meno dodici anni che non passavo da quella strada eppure era come se i suoi dolci declivi e le fattorie isolate mi appartenessero. Sentii il cuore in gola. Ero tornato indietro nel tempo. Ero di nuovo un ragazzino.

L'arrivo a Winfield era sempre eccitante. Papà lasciava la Highway 78 e procedeva traballando sulla strada sterrata a velocità molto elevata, alzando nuvole di polvere bianca. Nonostante la puntuale paura della mamma, papà guidava spericolatamente verso un passaggio a livello incustodito dicendo con serietà: "Speriamo che non arrivino treni". Solo molti anni più tardi la mamma scoprì che passavano solamente due treni, e tutti e due nel cuore della notte. Oltre i binari, solitaria in mezzo a un campo incolto, si ergeva una villa vittoriana, simile a quella dei fumetti di Charles Addams sul *New Yorker*. Disabitata da decenni, ma ancora tutta arredata, essa custodiva ogni pezzo sepolto sotto un lenzuolo. Mio fratello, mia sorella e io entravamo da una finestra rotta, e frugavamo nelle cassapanche per curiosare tra vestiti ammuffiti, tra vecchie riviste *Collier's* e tra fotografie di sconosciuti dallo sguardo triste. Al piano di sopra c'era una stanza da letto dove, secondo mio fratello, giaceva il corpo avvizzito di una donna, l'ultima della stirpe, che – per essere stata abbandonata proprio sull'altare – era morta di crepacuore. Non entrammo mai in quella stanza, anche se una volta, quando all'incirca avevo quattro anni, mio fratello guardò dal buco della serratura e cacciò un urlo: "Eccola!". Si precipitò a rotta di collo giù dalle scale. Frignando anch'io lo imitai, feci la pipì addosso e ne lasciai traccia su ogni scalino. Dietro la casa, in un grande campo, pascolavano tantissime mucche pezzate. Al di là del campo c'era la casa dei nonni, bianca e linda, con un filare di alberi sul davanti, un grande fienile rosso, e molti acri di prati intorno. I nonni ci aspettavano sempre al cancello. Non so se, vedendoci arrivare, guadagnavano di corsa la loro posizione o se ci aspettavano lì da ore. Forse è più attendibile quest'ultima ipotesi, perché, a onor del vero, non avevano molto da fare. Per quattro o cinque giorni l'allegria era garantita. Il nonno possedeva una Ford modello T che ci lasciava guidare nell'aia, pur mettendo a repentaglio la vita delle galline e delle vecchie. In inverno attaccava una slitta e ci portava a fare lunghi giri sulla neve. La sera si giocava tutti a carte sulla tavola da pranzo e tutti restavamo alzati fino a tardi. Dai nonni si andava sempre per festeggiare il Natale o il giorno del Ringraziamento, o il 4 di luglio, o il compleanno di qualcuno: l'atmosfera era sempre allegra.

Appena arrivati, la nonna si ritirava in fretta e furia in cucina per togliere qualche delizioso manicaretto dal forno. Sempre ricette nuove. La nonna era la sola persona che io abbia conosciuto, forse l'unica al mondo, che cucinasse seguendo alla lettera le ricette che trovava sulle scatole dei prodotti. I piatti avevano tutti nomi strani: Torta di riso soffiato e tocchetti di banana, oppure Spuntino Del Monte di fagioli di Lima e pretzel. Di solito la ricetta implicava, spudoratamente, l'uso di una vasta gamma di prodotti di quella marca, il cui ardito amalgama poteva passarti per l'anticamera del cervello soltanto in caso di carestia. L'unica caratteristica di quei piatti era la totale novità. Quando la nonna serviva o una fetta di torta o qualcosa *in crosta*, potevamo trovarci di tutto – mais dolce, pezzetti di cioccolata, carne di maiale in scatola, rondelle di carote, burro di arachidi. Il riso soffiato non mancava mai; la nonna aveva un debole per tale ingrediente e così lo aggiungeva a palate in qualsiasi ricetta, anche se non necessario. Potrei aggiungere, senza rischio d'essere imparziale, che era davvero una pessima cuoca, ma non era pericolosa.

Tutto mi pareva lontanissimo. Già. Era passato così tanto tempo! Pensate che i nonni avevano un telefono antidiluviano, di quelli attaccati al muro, con una manovella che giravi e dicevi: "Salve Mabel, mettimi in contatto con Gladys Scribbage. Devo chiederle come si fanno i Salatini di sfoglia al formaggio". Immancabilmente Gladys Scribbage, oppure chiunque altro fosse in ascolto, se conosceva la ricetta, la spiegava. In realtà tutti erano all'apparecchio. La nonna, quando non aveva nulla da fare, prendeva il telefono, copriva il microfono con la mano e passava, a chi era nella stanza, dettagliate informazioni su clisteri e prolassi di vario genere, su mariti che avevano fatto una scappatella a Burlington con le cameriere della Vern's Uptown Tavern o del Supper Club e sulle varie crisi della vita quotidiana di provincia. Durante questi ascolti abusivi dovevamo conservare il più religioso dei silenzi. Non riuscii mai a capire, fino in fondo, il perché. Infatti, se la nonna sentiva un pettegolezzo fortemente piccante, s'intrometteva con osservazioni del genere, "Eh sì, Merle è proprio un serpente. Non c'è dubbio. Sono io, Maude Bryson, e voglio dire che quello è proprio un fetente se ha il coraggio di trattare la povera Pearl a quel modo. Senti, già che siamo in linea, Mabel, sai che le stecche di balena al Columbus Junction costano un dollaro in meno?". Nel 1962 la compagnia dei telefoni cambiò sistema di telecomunicazione, forse su richiesta di alcuni cittadini, e installò anche a casa della nonna un telefono normale, nel senso che non permetteva intromissioni nelle comunicazioni altrui. Per la nonna fu un trauma dal quale non si riprese più.

Dato che i nonni erano morti da tanti anni, era ovvio che non mi aspettavo di vederli al cancello in attesa del mio arrivo. Ma in cuor mio speravo vi abitasse un'altra coppia di nonni che mi avrebbe invitato a entrare in casa per rivivere i miei ricordi, e mi avrebbe adottato come nipote. Speravo, almeno, che la casa dei nonni fosse rimasta tale quale.

Fu una delusione: sì, la strada era ancora sterrata, con i suoi sassolini luccicanti e le nutrite nuvole di polvere, ma i binari della ferrovia erano spariti; non erano rimasti neppure i segni; e anche la villa vittoriana era stata rimpiazzata da una casa tipo ranch, con macchine e contenitori di propano sparsi sull'aia, come i giocattoli di un bambino. Un tempo la casa dei nonni si trovava fuori città: una fresca isola tra gli alberi e intorno un oceano di campi. Adesso tutto intorno vi erano casette popolari. Il fienile non c'era più. Rimasi stralunato. Quale pazzo aveva abbattuto il mio fienile? E la casa! Una rovina! La pittura si staccava. Arbusti sradicati. Alberi tagliati. L'erba incolta e alta era un ricettacolo di immondizia. Fermai l'auto proprio davanti alla casa. Ero impietrito. È difficile riuscire a descrivere il senso di smarrimento. Metà dei miei ricordi erano in quella casa. Subito una donna grassissima in short rosa, con in mano un telefono, forse uno di quelli senza filo, si piazzò sulla soglia e mi fissò con uno sguardo inquisitorio.

Andai in città. Quando ero piccolo, sulla strada principale di Winfield, c'erano due drogherie, un grande magazzino, una taverna, una sala biliardo, un giornale, una banca, un barbiere, un ufficio postale, due stazioni di servizio – tutto quello che si deve trovare in una piccola città fiorente. Tutti facevano i loro acquisti lì, tutti conoscevano tutti. Ora rimaneva solo la taverna e un locale dove vendevano attrezzature agricole. Proprio dove un tempo c'erano delle case, abbattute e mai ricostruite, apparivano soltanto buchi colmi di erbacce. Le case ancora in piedi avevano le porte e le finestre sigillate, bloccate da assi di legno. Era come passare su un set cinematografico in disuso da decenni.

Non capivo che cosa fosse successo. La gente ora doveva fare 50 chilometri per comperare il pane. Davanti alla taverna un gruppo di ragazzi in motocicletta bighellonava, sembravano teppisti. Volevo fermarmi per chiedere qualcosa sulla città, ma quando mi videro rallentare, uno mostrò il dito medio, tipico gesto volgare per mandare a quel paese. Perché? Il giovane aveva all'incirca quattordici anni. Accelerai bruscamente, riguadagnai la Highway 78, lasciai alle spalle le fattorie sparse e i dolci declivi che conoscevo come le mie tasche. Per la prima volta in vita mia abbandonai un luogo pur sapendo che non ci avrei mai più rimesso piede. Era tutto tanto triste. Ma in fondo avrei dovuto aspettarmelo. Come dicevo sempre a Thomas Wolfe: "Ci sono tre cose che non ti riusciranno mai nella vita: vincere in tribunale contro la compagnia dei telefoni, farti ascoltare da un cameriere che vuole ignorarti, ritrovare i luoghi così come erano nella tua gioventù".

3

Guidai, con la radio spenta e comunque molto preso dai miei pensieri, verso Mount Pleasant, dove mi fermai per un caffè. Presi il *Sunday New York Times*. Da quando mi sono trasferito, anche nell'Iowa si sono evoluti per cui, oggigiorno, si può comprare, da una macchinetta automatica, il *Sunday New York Times* il giorno stesso della pubblicazione; una brillante operazione di distribuzione. Mi sedetti in un posto appartato e spiegai il giornale. Cribbio!, quanto mi piace il *Sunday New York Times*! Al di là delle virtù proprie del quotidiano, ha un che di rassicurante: forse sono le tante pagine e quindi il suo peso. Quell'edizione domenicale pesava come minimo cinque chili; poteva bloccare un proiettile a venti metri di distanza. Una volta lessi che occorrono 75.000 alberi per l'edizione domenicale – e vivaddio non se ne deve rimpiangere neppure una foglia. E se i nostri nipoti non avranno più ossigeno? Vadano al diavolo!

Le mie parti preferite sono quelle meno importanti, quelle cioè che proprio perché sono noiose e poco invitanti, esercitano un fascino ipnotico, tipo gli articoli che parlano di come fare certi lavoretti di casa (Tutto quello che dovete sapere sul FAI DA TE) o la colonna del Filatelico (Il Ministero delle Poste ha emesso un francobollo a commemorazione dei 25 anni dell'Aeronautica). Soprattutto adoro i supplementi della piccola pubblicità. Se per esempio un bulgaro mi chiedesse com'è la vita americana, gli direi, senza ombra di dubbio, di consultare le pagine degli annunci economici del *New York Times*. Esse lasciano intravedere, agli occhi ingenui e sognanti di uno straniero, una vita opulenta e variegata. Tanto per farvi un esempio, l'edizione che stavo sfogliando conteneva un catalogo, omaggio della Zwingle Company[1] di New York, che offriva oggetti della serie *Mai-più-senza*: una scarpa musicale, un ombrello con radio transistor nel manico, un pennello elettrico per darsi lo smalto sulle unghie. Che paese magnifico! Il prodotto che preferivo era un piccolo scaldavivande da tavolo, per non far raffreddare la tazza di caffè: una manna per chi ha il cervello un po' bacato o per lo squinternato che esce di casa dimenticando di bere il caffè; senza contare poi la riconoscenza di tutti gli epilettici d'America! ("Cara Zwingle Company: non sai quante volte, dopo essermi ripreso da un attacco del *grand mal*, sfinito sul pavimento, ho pensato: 'Oh porca miseria, mi si è raffreddato di nuovo il caffè'.") In verità mi chiedo chi è che compra roba del genere – stuzzicadenti in argento, mutande con le iniziali stampate e specchi che dicono: 'Sei il più bello del reame'. A volte ho pensato che, se fossi un dirigente di una di queste società, metterei in commercio delle placche di mogano lucido con targhetta d'ottone sulla quale sia scritto, EHI, GUARDA UN PO'! QUESTA PORCHERIA INUTILE MI È COSTATA 22.95 DOLLARI. Sono sicuro che si venderebbero come noccioline.

Una volta, in un momento di smarrimento, ho fatto un'ordinazione da uno di questi cataloghi, ben sapendo che sarebbe stata una fregatura; si trattava di una piccola lampadina per leggere, di quelle con la molla che attacchi al libro per non disturbare chi sta dormendo accanto a te. La cosa incredibile era che funzionava, ma la luce che emanava era talmente debole (sul catalogo sembrava invece un faro che, in caso di naufragio, poteva essere usato per fare segnalazioni alle navi) che illuminava solo le prime due righe, e lasciava il resto della pagina nel buio più completo. Ho visto lucciole di gran lunga più luminose. Dopo alcuni minuti, la luce diventava intermittente, poi si affievoliva sempre più, fino a morire del tutto. Dopo quella volta, nessuno si azzardò a usarla. Il bello era che sapevo perfettamente che sarebbe andata a finire così, e che sarei stato oltremodo deluso. Se, ripeto, dirigessi una di queste società, spedirei ai clienti una scatola vuota con un biglietto: ABBIAMO RITENUTO OPPORTUNO NON INVIARVI L'ARTICOLO DA VOI RICHIESTO, NON FUNZIONEREBBE MAI A DOVERE, E VOI NE RIMARRESTE DELUSI. UOMO AVVISATO MEZZO SALVATO.

Dal catalogo Zwingle passai agli annunci riservati ai prodotti per la casa e le vivande. C'è, in genere, una serie di brillanti e in-

[1] Società che vende solo per corrispondenza [*N.d.T.*].

vitanti elementi di persuasione per illustrare nuovi prodotti – cose con nomi tipo Superbo-manzo-brasato-con-sughetto (con bei pezzi di carne teneri) o Acchiappagola (spuntino dal profumo invitante che ti prende per la gola) o Genuina-colazione-campagnola-mais-soffiato-miele-noccioline-tostate-melassa (ora arricchito con vitamine e uvetta ricoperta di surrogato di cioccolata). Sono sempre straordinariamente affascinato da questi nuovi prodotti. Nei tempi andati i produttori e i consumatori di queste porcherie, nella ricerca spasmodica di nuovi sensazionali sapori, avevano perso il senso della misura. Ma oggigiorno assomigliano a quei tossici disperati che, avendo provato ogni sorta di sostanza, nel tentativo di trovare qualcosa che li sballi ancor di più, si attaccano alla canna del gas. Nei supermercati di tutta l'America si vedono miriadi di coppie con le teste infilate negli scaffali alla ricerca di nuovi sapori, nella speranza di trovare un prodotto sconosciuto, che solletichi il loro palato ed eccíti, seppure per qualche secondo, le loro maltrattate papille gustative.

La concorrenza in quest'ambito è spietata. Gli inserti propagandistici non soltanto offrono buoni sconto o altro, ma, se spedite due o tre tagliandi di controllo, i produttori vi omaggeranno con un asciugamano Superbo-brasato o un grembiale Genuina-campagnola, abbinato, è sottinteso, al guanto-forno o a uno scaldavivande da tavolo Acchiappagola, per tenervi il caffè in caldo tra uno svenimento e l'altro nelle crisi ipoglicemiche. Significativa era la pubblicità del cibo per cani: simile a quella dei cibi per umani che in più hanno solo la cioccolata. Infatti ogni prodotto – dal disinfettante per gabinetti al limone ai sacchetti dell'immondizia al profumo di pino – vi promette cose da farvi girare la testa. Nessuna meraviglia, quindi, che così tanti americani abbiano lo sguardo perso: sono completamente fuori di testa!

Ripresi il viaggio verso sud, imboccando la Highway 218, verso Keokuk. Sulle carte stradali era segnata come strada panoramica, anche se queste indicazioni non sono sempre del tutto attendibili. Le strade contrassegnate come panoramiche, nel sud-est dell'Iowa, sono un po' come le spiagge del Polo Nord. Bisogna essere un po' elastici. Se le si paragona a un intero pomeriggio passato in un stanza buia e chiusa, non sono male. Ma se le si paragona, invece, alla costiera amalfitana, beh, allora risultano un po' scialbe. In realtà quella che stavo facendo in quel momento non mi impressionò né più né meno delle altre percorse quel giorno. Keokuk è una cittadina sul fiume Mississippi, proprio dove l'Iowa, l'Illinois e il Missouri sono dirimpettai, divisi da un'ampia ansa del fiume. Stavo viaggiando verso Hannibal, Missouri, nella speranza di vedere un po' della città *en route* dal ponte sud. Ma prima che me ne rendessi conto mi ritrovai a viaggiare verso est, in direzione Illinois. Ero così perplesso che riuscii a vedere solamente uno scorcio del fiume, una chiazza marrone luccicante verso due direzioni. Dispiaciuto mi trovai appunto nell'Illinois. Avevo atteso con tanta ansia il momento di vedere il Mississippi! Quando lo attraversavo da bambino era sempre un'avventura. Papà diceva: "Eccolo qui il Mississippi, ragazzi". E noi ci incollavamo ai finestrini e vedevamo solo un ponte immerso nelle nuvole, così alto da farci trattenere il fiato, e sotto, molto in giù, il fiume argenteo, ampio, maestoso, lento, che fluiva tranquillo, incessante. Riuscivi a vedere le sue acque scorrere per chilometri – una novità per l'Iowa. Vedevi chiatte, isole, città. Sembrava magnifico. Poi improvvisamente ti ritrovavi nell'Illinois, con i suoi piatti campi di grano, e ti rendevi conto, con la morte nel cuore, che non c'era altro. Quella era la visione stimolante della giornata. Ora non mi rimanevano che centinaia e centinaia di chilometri di semplici campi di grano da superare, prima di poter trovare qualcosa di eccitante.

Eccomi dunque nell'Illinois, terra piatta, coltivata solo a grano. Tediosa. Una vocina infantile mi urlava nella testa: "Quando arriviamo? Non ne posso più. Torniamo a casa. Quando arriviamo?". Siccome avevo pensato che sarei stato nel Missouri, le carte stradali erano aperte sul Missouri; così un po' stizzito accostai al lato della strada per aggiustare il tiro topografico. Un cartello davanti a me diceva: RIGA DRITTO: E LA LEGGE DELL'ILLINOIS. Nell'Illinois non è reato ignorare l'ortografia. In cagnesco studiai le carte stradali. Se giravo a Hamilton e poi costeggiavo il fiume, sarei riuscito ad attraversarlo a Quincy ed entrare in Missouri. Nella cartina la strada era segnata come percorso panoramico, forse la mia stupidaggine mi avrebbe regalato qualcosa di decente. Attraversai Warsaw, sonnolento paese sul fiume. Dopo di che la strada virò nell'entroterra per via di una collina scoscesa. Così riuscii, ancora una volta, a vedere solo uno scorcio del fiume. Poi, all'improvviso, si aprì davanti a me un'ampia pianura alluvionale. Il sole stava per calare. Sulla sinistra, colline punteggiate di alberi stavano cominciando ad assumere il rossore tipico dell'autunno; sulla destra, una landa piatta come un tavolo da biliardo. Squadre di contadini lavoravano freneticamente nei campi, sfruttando l'ultima luce per mietere. In lontananza i silos attiravano gli ultimi deboli raggi di sole, assumendo un color bianco opalescente, come se fossero stati illuminati dall'interno. Lontano, non visibile, scorreva il fiume.

Continuai a guidare. Sulla strada non vi era alcuna indicazione. Succede spesso in America, specialmente su quelle strade di campagna che non conducono in un luogo particolare. Puoi solamente contare sul tuo senso dell'orientamento – ma io non lo potevo fare, visto che poco prima mi aveva portato fuori strada. Calcolai che se avessi viaggiato verso sud, il sole avrebbe dovuto essere alla mia destra (conclusione alla quale arrivai facendo finta di essere in un'auto minuscola che viaggiava su una cartina dell'America), ma la strada era tutta curve per cui a volte avevo il sole davanti a me, a volte da una parte e a volte dall'altra. Per la prima volta ebbi la sensazione di essere rimasto per tutta la giornata nel cuore di un immenso continente, al centro del nulla.

Di colpo la strada divenne sterrata. Sassolini bianchi, acuminati come punte di freccia, picchiavano saltellando sul fondo dell'auto, con un rumore infernale. Già vedevo i manicotti rotti, la coppa dell'olio che perdeva, e io, col motore fumante, costretto a fermarmi qui, in questa landa desolata. Il sole, stanco, scendeva sull'orizzonte lasciando pennellate di rosa nel cielo. Proseguii un po' inquieto preparandomi all'idea di passare una notte sotto le stelle, accanto ad animali simili a cani che mi annusavano i piedi e a serpenti che si infilavano su per i calzoni in cerca di tepore. Davanti a me si alzò una nube di polvere; poi man mano che questa si avvicinava, riconobbi un camioncino che mi sfiorò, mitragliandomi una raffica di sassolini sulla carrozzeria e sui finestrini con un rumore terrificante, per poi lasciarmi alla deriva in un mare di polvere. Guidai a fatica, cercando di distinguere la strada in quella tormenta che si schiarì giusto in tempo per vedere che ero a venti metri da un bivio dove, miracolosamente, c'era un cartello. Andavo a 80 chilometri l'ora, dimenticando che su una strada sterrata sono necessari almeno cinque chilometri per frenare. Per questo schiacciai il pedale del freno con tutt'e due i piedi producendo un ululato alla Tarzan, e riuscii a schivare un vitigno mentre l'auto slittava. Sbandai oltre il cartello e lo stop, poi l'auto si fermò, rollando, in mezzo a una strada asfaltata. Proprio in quel momento un camion semi-snodato – tutto pieno di lucette e di trombe argentate – strombazzò violentemente mentre mi passava accanto, facendomi rollare nuovamente. Avrebbe ridotto l'auto a un cubetto di lamiere se fosse passato di lì qualche secondo prima. Mi ripresi e scesi a controllare i danni. Sembrava che l'auto fosse stata bombardata con sacchi di farina. Sul tettuccio alcuni pezzi di vernice si staccavano mettendo a nudo il metallo. Ringraziai il cielo: per fortuna la mamma è più bassa di me. Sospirai, sentendomi all'improvviso perso, così lontano da casa. Davanti a me un cartello indicava la strada per Quincy. Ero salvo per miracolo, e persino nella direzione giusta. Almeno qualcosa di positivo!

Era ora di fermarsi. Proprio in fondo alla strada c'era un paese che chiamerò Tedio-City affinché le persone non si riconoscano, e pertanto non mi citino, oppure non mi spacchino la faccia con una mazza da baseball. Ai limiti del paese c'è un vecchio motel alquanto squallido, ma, a giudicare dall'assenza di mobili bruciacchiati nel cortile, era certamente di un tono un poco superiore a quelli che avrebbe scelto mio padre. Parcheggiai sulla ghiaia ed entrai. Dietro il banco, una donna di circa 75 anni: portava occhiali a forma di farfalla e capelli raccolti in una crocchia gigante. Stava facendo le parole crociate, forse le parole mascherate, su una rivista presumibilmente intitolata Enigmistica per Deficienti.

"Desidera?", biascicò senza alzare lo sguardo.

"Vorrei una camera per stanotte, per favore."

"38.50 dollari", rispose, mentre con la biro cerchiava una parola.

Ero sconcertato. Una stanza in un motel, di questo genere, non costa più di dodici dollari. "Non voglio comprare la stanza", spiegai. "Voglio solo affittarla per una notte."

Mi guardò con occhio truce, da sopra gli occhiali. "La stanza fa 38.50 dollari. Per notte. Escluse le tasse. La vuole o no?" Aveva una parlata stonata, aggiungeva sempre una vocale a tutte le parole.

Eravamo consci entrambi che non c'erano altri motel nei dintorni. "Va bene la prendo", risposi rassegnato. Firmai e, scarpinando rumorosamente sulla ghiaia, mi avviai verso la mia *suite du nuit*. Mi sembrava di essere l'unico ospite. In camera detti un'occhiata in giro, come si fa di solito. C'era un vecchio televisore in bianco e nero, probabilmente con un solo canale, e tre appendiabiti scalcagnati. Lo specchio del bagno era rotto e la tenda della doccia scompagnata. Sulla tazza la fascetta in carta 'Garanzia d'igiene', ma nell'acqua navigava, naufrago in un alone di nicotina, un mozzicone. A papà il posto sarebbe piaciuto, pensai.

Mi feci una doccia – o meglio un po' d'acqua gocciolò da un boccaglio appeso al muro – poi feci un giro per la città. Cenai a base di stufato e patatine in un posto chiamato – in modo azzeccato – Chuck's. Pensavo che fosse impossibile fare un pessimo pasto nel Midwest, ma Chuck ce la mise tutta per dimostrami che evidentemente mi sbagliavo. Il peggior pasto della mia vita – e notare che abito in Inghilterra. Sembrava gomma da masticare, tranne che per il sapore. Ancor oggi mi rinviene.

Dopo di che feci un giretto in città. Non offriva molto, un'unica arteria, un deposito di grano e le rotaie della ferrovia da un capo, il motel dall'altro. Nel bel mezzo un paio di pompe di benzina e un emporio. Tutti mi studiavano. Anni fa, proprio nel pieno della mia fantasiosa e impressionabile fanciullezza, lessi un racconto, i romanzi neri di Richard Matheson: in uno sperduto paesino ogni anno gli abitanti aspettavano con ansia che uno sconosciuto solitario giungesse in città, per prenderlo e arrostirlo alla grigliata annuale. Tutti mi guardavano con occhi famelici.

Imbarazzato entrai nel buio Vern's Tap e mi sedetti al bar. Ero l'unico avventore, a parte il tipico vecchietto con una gamba sola che stava in un angolo. La barista era simpatica. Portava occhiali a forma di farfalla e capelli raccolti in una crocchia gigante. Era evidente che fin dal lontano 1931 se li era passati tutti. Sulla faccia portava scritto 'Scopami subito', sul corpo invece 'Vomito garantito'. In un qualche modo era riuscita a far entrare l'abbondanza delle proprie chiappe in un paio di calzoni rossi da torero, e, in una camicetta striminzita, il seno; come se si fosse messa, per sbaglio, i vestiti di sua nipote: in realtà doveva avere circa sessant'anni. Faceva ridere i polli. Ora capivo perché il vecchietto con una gamba sola si era messo nell'angolo più lontano.

Le chiesi cosa facessero gli abitanti per divertirsi. "Cosa ti frulla nella mente di preciso, carino?", disse facendo roteare gli occhi. L'insegna 'Scopami subito' cominciò a lampeggiare. Il fatto mi parve sconcertante. Non era mia abitudine essere abbordato da una donna, ma sapevo, comunque, che, se doveva succedere sarebbe capitato nell'Illinois con una nonna di sessant'anni. "Che so, una rappresentazione teatrale, o un congresso internazionale di scacchi", bofonchiai roco. A ogni modo, nel momento in cui stabilimmo che io l'amavo solo per il suo intelletto, si trasformò in una persona amabile e oserei dire quasi affascinante. Mi raccontò per filo e per segno la sua vita, scandita da una vertiginosa successione di mariti, alcuni in prigione, altri morti in sparatorie, e intercalava spesso con sbalorditive quanto ingenue osservazioni: "Oh, Jimmy ha ucciso sua madre, non ho mai capito il perché, mentre Curt non ha mai ucciso nessuno tranne quella volta quando assaltò la pompa di benzina e, per sbaglio, gli partì un colpo. Floyd, poi – il mio quarto marito – non ha mai ucciso nessuno neppure lui, aveva solo l'abitudine di rompere le braccia a chi lo faceva andare in bestia".

"Chissà come sono movimentate le riunioni di famiglia!", azzardai educatamente.

"Ah, non so che fine abbia fatto Floyd", continuò. "Aveva una fossetta *lì*, sul mento", – mi ci vollero alcuni secondi per capire che nell'Illinois lì voleva dire *dov'è il mio dito*. – "Assomigliava tutto a Kirk Douglas. Intelligente, sa, ma un po' violento. Ho ancora il segno di una ferita, lunga cinquanta centimetri, sulla schiena; me l'ha fatta con un uncino per il ghiaccio. Vuole vederla?" Cominciò a sbottonarsi la camicetta, ma la fermai in tempo. Continuò su questo tono all'infinito. Di quando in quando il tipo nell'angolo, che origliava, ghignava mettendo in mostra i denti gialli. Non mi sarei stupito se fosse stato Floyd a fargli fuori la gamba in un momento di follia. Alla fine la barista mi lanciò un'occhiata di traverso, come se pensasse che stavo prendendola per il naso, e chiese: "Ehi, bello, da dove vieni?".

Siccome non volevo raccontarle tutta la mia vita, risposi solamente: "Gran Bretagna".

"Sai una cosa, bello?", aggiunse. "Parli bene l'inglese, per essere uno straniero."

Rientrai al motel con una confezione da sei di birra, e scoprii che il letto, a giudicare dalla fragranza e dall'avvallamento nel mezzo, era stato da poco abbandonato da un cavallo. Il buco nel materasso era così profondo, che, se volevo vedere la tivù, dovevo sedermi a capo del letto con le gambe divaricate, per non caderci dentro. Era come stare seduti su un biroccino. La notte era afosa e il vecchio condizionatore a finestra emetteva ogni tanto zaffate d'aria fresca. Sdraiato, con le lattine sul torace, in effetti immobilizzato, mi bevvi, una dopo l'altra, tutte le birre. Alla tivù davano uno talk-show presentato da un bischero col blazer, di cui non afferrai il nome. Era il tipo di persona che ritiene prioritaria la cura dei propri capelli. Scambiò qualche battuta, oscena, con il direttore d'orchestra, dal fatidico pizzetto bianco. Poi, giratosi verso la telecamera, annunciò con voce solenne: "E ora, cari telespettatori, passiamo alle cose serie. Se per caso avete dei problemi personali, o di lavoro, oppure pensate di non essere riusciti nella vita, allora questo è il vostro momento. Ascoltate quello che vi dirà il primo ospite di questa serata. Signore e signori ecco a voi la Dottoressa Joyce Brothers".

Appena l'orchestra intonò un motivetto allegro per l'entrata della Dottoressa Joyce Brothers in palcoscenico, saltai nel letto, per quanto il buco me lo permettesse, e urlai: "Joyce! Joyce Brothers!", come se avessi incontrato una vecchia amica. Incredibile! Non vedevo Joyce Brothers da anni, ed era tale quale. Non aveva cambiato pettinatura dall'ultima volta che l'avevo vista, quando aveva parlato di dismenorrea, nel 1962. Era come se l'avessero tirata fuori dalla naftalina dopo 25 anni. Questa era una delle cose che volevo che mi accadessero nel mio viaggio. Guardai impaziente, mentre parlava, con Mr. Smoothie, dell'invidia del pene e delle tube di Falloppio. Mi aspettavo che, da un momento all'altro, lui cominciasse col dire: "Ora, Joyce, parliamo di cose serie, delle domande che tutti gli americani ti vorrebbero porre: che cure fai per mantenerti così in forma? Quando ti deciderai a consultare un bravo parrucchiere? Ultima domanda, perché in tutta l'America i presentatori cretini come me continuano a invitarti?". Perché, non nascondiamoci dietro un filo d'erba, Joyce Brothers è una pizza. Cioè, se accendi il televisore e guardi il Johnny Carson Show e scopri che lei è tra gli ospiti, stai certo che nessuno la guarda perché tutti trovano qualcosa di meglio da fare. È il tedio dell'Illinois personificato.

Eppure, come tutte le cose più noiose, la dottoressa emana un che di confortante. La serenità del suo viso, dentro la scatola che si trovava in fondo ai miei piedi, mi faceva star bene e sentire tranquillo, in pace con il mondo. Quaggiù, in un albergo fatiscente in mezzo a una pianura sconfinata, per la prima volta mi sentivo a casa. Una volta sveglio ero sicuro di guardare questa terra aliena sotto una luce nuova, ma stranamente familiare. Mi addormentai con il cuore pieno di gioia e feci dei bei sogni sull'Illinois e sul Mississippi e sulla Dottoressa Joyce Brothers. E non capita molto spesso di sentirlo dire.

4

La mattina successiva attraversai il Mississippi a Quincy. Non mi parve grande e maestoso, come lo ricordavo. Solenne. Imponente. Mi ci vollero parecchi minuti per attraversarlo. Mi sembrò scialbo e insignificante. Forse a causa del tempo uggioso. Il Missouri sembrava la fotocopia dell'Illinois, che sembrava la fotocopia dell'Iowa. L'unica differenza stava nel diverso colore delle targhe.

Vicino a Palmyra, mi fermai in una cafeteria lungo la strada. Mi sedetti al banco. A quell'ora, poco dopo le otto del mattino, era piena di contadini. Se c'è una cosa che i contadini amano fare è quella di andare in città, passarci metà della giornata (intera, in inverno) seduti al banco, assieme ad altri contadini, a bere caffè e a stuzzicare la cameriera con frasi sboccate di ogni genere. Avrei giurato che questo era il periodo dell'anno più denso di lavoro, ma all'apparenza non avevano alcuna fretta. Ogni tanto uno di loro metteva un quarto di dollaro sul banco, si alzava con l'aria di quello che si è appena ingollato trenta litri di caffè, invitava Tammy a non fare quello che lui non avrebbe mai fatto, e poi se la filava. Un minuto più tardi si sentiva il rombo del motore di un camioncino, il rumore delle ruote sulla ghiaia; qualcuno faceva una battuta su di lui, battuta che provocava grasse risate e poi la conversazione lentamente ritornava sui maiali, la politica dello stato, le partite di football e – quando Tammy non sentiva – anche qualche gustosa fantasia sessuale; neppure Tammy veniva risparmiata.

Il contadino di fianco a me aveva solo tre dita, nella mano destra. È noto come molti contadini non siano fisicamente integri. Quando ero piccolo il fatto mi turbava. Per lungo tempo avevo creduto che fosse per via della pericolosità della vita nei campi. Tutto sommato i contadini hanno a che fare con attrezzature pericolose. Ma, a pensarci bene, moltissimi al mondo usano macchinari pericolosi e solo pochissimi sono invalidi. Nonostante ciò è raro trovare nel Midwest un contadino, che abbia più di vent'anni, cui non sia stato, prima o poi, tranciato un arto o un dito da un infernale attrezzo agricolo. A onor del vero penso che lo facciano di proposito. Credo che passare tutta la vita, giorno dopo giorno, accanto a enormi trebbiatrici e imballatrici, piene di meccanismi dentati, pulegge, nastri trasportatori, congegni complicati, lavorando nel rumore più assordante, li renda un po' strambi. Mentre controllano il marchingegno che fa un baccano infernale, pensano, "Chissà cosa succede se ficco un dito lì, per un momento?". Capisco che ciò rasenti la follia. Ma bisogna tener conto del fatto che i contadini non usano molto il buon senso se si tratta di queste faccende, anche perché non sentono dolore.

E lo posso dimostrare. Sfogliando il Des Moines Register si trovano ogni giorno storie di contadini che, inavvertitamente, si sono tranciati un braccio e poi, allegramente, hanno percorso dieci chilometri per arrivare alla città più vicina e farselo ricucire. Il rapporto è, più o meno, sempre uguale: «Jones, tenendo in mano l'arto tranciato, ha detto al medico: "Mi sembra di essermi tagliato via il braccio, doc".» Mai che venga riportato: «Jones, grondante di sangue e in preda al panico, ha saltellato a destra e a manca per venti minuti, poi, incapace di sopportare i forti dolori, per poco non ha sbattuto la testa contro il muro», che è quello che farebbe chiunque. I contadini, dunque, sono insensibili al dolore. Né più né meno. Quella vocina che si sente prima del pericolo, che ci mette in guardia e ci sconsiglia di agire perché è da sciocchi, – e per di più procurerà soltanto dolore e un'invalidità permanente, tanto che anche tagliare il pane può diventare un dramma – beh, con loro non funziona! Anche con il nonno non funzionava. Spesso mentre riparava l'auto gli scivolava il cric; allora ci chiamava a gran voce, perché lo rimettessimo a posto altrimenti sarebbe rimasto schiacciato; oppure si passava il tagliaerba sul piede; oppure prendeva una scossa tale che causava un corto circuito per tutta Winfield, ma lui rimaneva illeso, solo con un persistente ronzio nelle orecchie e un odorino di carne bruciacchiata. Come la maggior parte delle persone del Midwest rurale era praticamente indistruttibile. Ci sono solo tre cose che possono uccidere i contadini: i fulmini, i trattori e la vecchiaia. E per mio nonno fu la vecchiaia.

Percorsi 70 chilometri verso sud, diretto a Hannibal, e andai a visitare la casa dove Mark Twain visse da ragazzo. Linda, ben tenuta, bianca con le persiane verdi, era situata, un po' fuori luogo, nel centro della città. Con disappunto scoprii che il biglietto d'entrata costava due dollari. Ti facevano credere che fosse una riproduzione fedele dell'originale, ma c'erano fili della luce e valvole antincendio sul soffitto tutti disposti in modo maldestro in ogni stanza. Mi venne il sacrosanto dubbio che la camera del giovane Samuel Clemens avesse il pavimento in linoleum (notai con interesse che era lo stesso disegno della cucina di mia madre), oppure che quella della sorella fosse stata divisa da un tramezzo in compensato. La casa non è aperta al pubblico, la visita viene organizzata con un percorso esterno obbligato; si guarda ogni stanza dalla finestra e un messaggio registrato, per bambini deficienti, fornisce dettagli del genere: "Questa è la cucina. Qui la Signora Clemens preparava i pasti per la famiglia...". Il tutto mi sembra abbastanza insulso. Non sarebbe così ignobile se la gestione fosse nelle mani di una piccola società letteraria che, non fruendo di finanziamenti, si arrangia alla meno peggio. In realtà, la gestione dipende dal comune di Hannibal e attira 135.000 visitatori l'anno. Una piccola miniera d'oro.

Seguii l'itinerario, finestra dopo finestra, dietro un tizio pelato e adiposo. I rotoli di grasso sotto la camicia lo facevano assomigliare all'omino della Michelin. "Che ne pensa?", gli domandai. Mi fissò subito con il tipico sguardo amichevole che tutti gli americani assumono alla presenza di stranieri. È il tratto più distintivo dell'americano. "Beh, mi sembra fantastico. La visito tutte le volte che capito a Hannibal – due tre volte l'anno. E qualche volta ci vengo di proposito."

"Davvero?", cercai di non apparire stupito.

"Oh sì. Devo esserci venuto una trentina di volte oramai. È un santuario, sa?"

"Crede che sia ricostruito fedelmente?"

"Può scommetterci!"

"Per cui, secondo lei, la casa è proprio come l'ha descritta Mark Twain nei suoi libri?"

"Non saprei", rispose pensieroso l'uomo. "Non ne ho mai letto uno."

Accanto alla casa, un piccolo museo si rivelò più interessante. C'erano teche con oggetti di Mark Twain – le sue prime edizioni, una macchina da scrivere, delle fotografie, alcune lettere. Con la città e con la casa quel museo c'entrava come i cavoli a merenda. Sarà il caso di ricordare che Mark Twain fuggì da Hannibal, e dal Missouri, appena fu in grado di farlo, e non si sognò mai di ritornarci. Uscii e detti un'occhiata in giro. A fianco della casa stava uno steccato bianco con una placca: LO STECCATO DI TOM SAWYER. QUI TOM SAWYER, ASTUTAMENTE, SI FECE PAGARE DAI RAGAZZI DELLA BANDA CHE VOLEVANO AVERE L'ONORE DI DIPINGERE DI BIANCO QUESTO STECCATO. TOM, SEDUTO IN DISPARTE, CONTROLLAVA CHE IL LAVORO VENISSE ESEGUITO A REGOLA D'ARTE. Questa didascalia scatena uno sviscerato interesse per la letteratura, non vi pare? Accanto alla casa e al museo – proprio attaccato – ecco la tavola-calda Mark Twain Drive-in, dove le auto, parcheggiate in piccole isole, avevano attaccati ai finestrini i vassoi sui quali si pascevano le persone. Che tocco di classe! A quel punto mi si accese una scintilla: capii non solo perché Clemens fosse fuggito dalla città, ma anche perché avesse cambiato nome.

Passeggiai nella zona commerciale. L'insieme era un'accozzaglia scoraggiante: negozi di accessori e ricambi per auto, caseggiati vuoti e negozi sfitti. Ho sempre pensato che le città sui fiumi, anche le più modeste, posseggano un certo fascino – una sorta di sfumata eleganza, un qualcosa di conturbante – che le rende più affascinanti, e che il fiume sia il cordone ombelicale che le tiene in comunicazione con il resto del mondo e le arricchisce di frammenti di vita sofisticata e ricercata. L'assunto non si confaceva a Hannibal. Aveva avuto, certo, giorni migliori, ma non favolosi. L'hotel Mark Twain era fallito. Che triste visione! Un palazzo a più piani con tutte le finestre sbarrate dal compensato. Ogni attività in città pareva connessa a Twain e ai suoi romanzi – la Mark Twain Tetti e Associati, la Mark Twain Depositi e Prestiti, il motel Tom 'n' Huck, l'Injun Joe Campeggio e Go-Kart, il centro acquisti Huck Finn. C'era anche il Centro di Igiene Mentale Mark Twain dove ci si può far ricoverare in caso di pazzia – possibilità non lontana e direttamente proporzionale al numero di giorni trascorsi a Hannibal. Tutto era mostruoso e turpe. Avevo pensato di fermarmi per la seconda colazione, ma l'idea di dover affrontare un hamburger Tom Sawyer o una bibita Injun Joe tolse qualsiasi attrattiva, sia al cibo, sia a Hannibal.

Ritornai all'auto. Ogni auto parcheggiata aveva sulla targa la dicitura: MISSOURI – LO STATO CHE TI INVOGLIA. Mi chiesi, un po' passivo, se non fosse la forma abbreviata di: MISSOURI – LO STATO CHE TI INVOGLIA... A FUGGIRE VERSO UN ALTRO STATO. Fu il mio caso. Attraversai il ponte lungo e alto sul Mississippi – ancora fangoso, ancora stranamente dimesso – e mi lasciai il Missouri alle spalle senza rimpianti. Oltrepassato il fiume un cartello diceva: RIGA DRITTO: E LA LEGGE DELL'ILLINOIS. E dietro un altro: L'ORTOGRAFIA NON E PROPRIO IL NOSTRO FORTE.

Mi diressi a est nel profondo Illinois, verso Springfield, capitale dello stato, e verso New Salem, un paese riportato alla forma originaria, dove Abraham Lincoln aveva abitato da giovane. Nostro padre ci aveva portati quando avevo circa cinque anni e lo avevo trovato bellissimo. Chissà se lo era ancora! Volevo inoltre verificare se Springfield poteva essere considerata, secondo me, come città ideale. Uno degli obiettivi del mio viaggio era, infatti, trovare la città perfetta. Ho sempre nutrito la certezza che da qualche parte in America doveva esistere. Quando ero piccolo, ogni pomeriggio, all'ora del rientro da scuola, la W.H.O., canale televisivo di Des Moines, trasmetteva vecchi film. Mentre gli altri bambini erano fuori a tirar calci a una lattina di birra, oppure a caccia di rane o ancora a persuadere Bobby Birnbaum a mangiare vermi (il che, peraltro, gli riusciva anche bene), io rimanevo in casa, in una stanza semibuia, davanti alla tivù, perso nelle mie fantasie, con un piatto di biscotti Oreo sulle ginocchia e quelle magiche scene, girate a Hollywood, dritte negli occhi. Allora non me ne rendevo conto, ma i film programmati erano dei classici – *Gli anni migliori della nostra vita, Il Sig. Smith va a Washington, Accadde una notte.* L'elemento costante di questi film era lo sfondo. Sempre lo stesso scenario, una linda e soleggiata città: la strada principale alberata piena di negozianti simpatici ("Buongiorno, Signora Smith!"), il suo bravo palazzo di giustizia, i dintorni boscosi, tante casette linde nascoste da filari di olmi. Ogni mattina il ragazzo dei giornali fa il giro in bicicletta per consegnare i quotidiani che getta sulla veranda; un simpatico vecchietto con un grembiale bianco spazza il marciapiede di fronte alla propria bottega e due uomini, gagliardi, passano a piedi. Portano sempre giacca e cravatta, camminano sempre con eleganza, senza strascicare i piedi o senza avere un'andatura scomposta, no: sono davvero impeccabili. Lo scenario ideale. Qualunque fosse la trama principale – Humphrey Bogart faceva fuori un buonoanulla con una calibro 45, Jimmy Stewart spiegava a Donna Reed le sue oneste ambizioni, oppure W.C. Fields si accendeva un sigaro ancora incartato – era sempre ambientata in un luogo senza tempo e tranquillo. Anche nel bel mezzo di crisi drammatiche – mostruose formiche giganti, non ancora debellate, invadevano le strade, oppure crollavano delle case a causa di qualche sconsiderato esperimento scientifico – si vedeva sempre il ragazzo dei giornali che distribuiva il quotidiano gettandolo sulla veranda e i due signori in giacca e cravatta che camminavano armoniosamente appaiati come gemelli siamesi. Imperturbabili.

Ma non solo nei film. In tutti i telefilm i protagonisti vivevano in una Delizia-City della piccola borghesia. Lo stesso accadeva nella pubblicità, negli spot televisivi e nelle illustrazioni di Norman Rockwell sulla copertina del *Saturday Evening Post.* Non bisogna tralasciare i romanzi. Allora divoravo regolarmente i racconti del mistero della serie Hardy Boys, non certo per la trama, che, nonostante i miei otto anni, trovavo ridicolmente assurda ("Ehi, Frank, potresti giurarlo che quei due che abbiamo visto ieri al lago Moose fossero veramente pescatori e non spie tedesche? e che la ragazza, sdraiata sul fondo della canoa con la bocca bendata, non soffrisse di piorrea, ma fosse la figlia del dottor Rorshack? Qualcosa mi dice che quei due sappiano parecchie cosette sulla sparizione del carburante del missile!"). No! No! Li leggevo solo per le descrizioni, evocative nonché incidentali, di Franklin W. Dixon che dipingeva Bayport, città natale degli Hardy Boys, un luogo indescrivibilmente bello dove le verande, con i dondoli cigolanti, e i paletti delle staccionate, si stagliavano sul blu intenso della baia piena di barche a vela e di lance veloci. Un luogo dove non finiva mai né l'avventura né l'estate. Mi ero un po' seccato di non riuscire a trovare una città come quella. Ogni anno durante le vacanze facevamo centinaia e centinaia di chilometri per tutta l'America nella malsana ricerca della vacanza felice. Si arrancava faticosamente su e giù per le colline, si percorrevano praterie bruciate, si attraversavano innumerevoli città e paesi, mai una volta che fossimo riusciti a vedere, anche lontanamente, la fantastica città dei film. Tutti i luoghi erano afosi e polverosi, pieni di cani randagi, di sale cinematografiche andate in fallimento, di malandate tavole calde e stazioni di servizio che urlavano: "Benvenuto! Sei il secondo cliente della settimana". Ma ero certo: da qualche parte esisteva. Era inconcepibile che in un paese dove prosperava un ideale così profondamente radicato e una fantasia così sfrenata per le piccole città, non ci fosse, in un punto imprecisato, la città ideale – luogo di lavoro e di pace, senza mastodontici centri commerciali e oceanici parcheggi, senza industrie e chiese drive-in, senza Kwik-Krap e Jiffi-Shit[1] e senza l'obbrobrio del consumismo sfrenato. Nel luogo ideale, non segnato dal tempo, Bing Crosby faceva il prete, Jimmy Stewart il sindaco, Fred Macmurray il preside della scuola, Henry Fonda il contadino quacchero, Walter Brennan il benzinaio, un infantile Mickey Rooney il garzone del droghiere, e Deanna Durbin cantava affacciata alla finestra. Naturalmente, sullo sfondo, il ragazzo dei giornali e i due che camminavano. La mia città ideale era un amalgama di tutte le città che avevo visto nei film, nei giornali e che avevo letto nei libri. Si poteva chiamare Amalgama-City dell'Ohio o Amalgama-City del North Dakota. Poteva essere ovunque, ma c'era. E in questo viaggio la volevo trovare.

Guidai, a lungo, attraverso un piatto paesaggio rurale e passando per città prive di vita: Hull, Pittsfield, Barry, Oxville. Sulla carta stradale Springfield era a circa cinque centimetri a destra di Hannibal, ma pareva ci volesse un'eternità per raggiungerla. In realtà si deve guidare per ore e ore. Mi stavo, solo allora, adattando alle distanze americane, dove gli stati sono grandi come nazioni. L'Illinois è grande due volte l'Austria e quattro la Svizzera. C'è un impressionante vuoto, una impressionante distanza fra una città e l'altra. Attraversi un paese, vedi la cafeteria affollata e pensi: "Meglio arrivare a Fisima-City per bere il caffè", illudendoti che sia lì svoltato l'angolo. Poi, però, arrivi al bivio e un cartello annuncia: FISIMA-CITY 165 CHILOMETRI. È allora che ti rendi conto che le distanze in America hanno una scala differente. Senza contare che le carte stradali americane non sono fra le più dettagliate. Quelle britanniche, per esempio, riportano fedelmente ogni chiesa e ogni edificio pubblico. Fiumi ridicolmente piccoli – quelli che puoi attraversare bagnandoti solo fino alle caviglie – sono punti di riferimento e sono conosciuti per chilometri e chilometri. In America si perdono intere città – luoghi con scuole, attività, centinaia di tranquille esistenze svaniscono, come se in effetti evaporassero.

Per di più il sistema viario è appena abbozzato. Guardi la car-

[1] Gioco di parole tra Kwik e Jiffi (svelto-veloce) e Krap e Shit (stronzate e cagate) per indicare mini-market di infimo ordine dove si possono acquistare alcolici, bibite e cianfrusaglie [*N.d.T.*].

ta stradale, ti sembra di aver notato una scorciatoia – per esempio da Brubru-City a Grullo-City – una traccia grigia, una strada secondaria che ti fa intravedere la possibilità di risparmiare trenta minuti sulla tabella di marcia. Ma quando lasci la Highway ti ritrovi in una intersezione di strade non segnate sulla mappa che si dipanano nella campagna come stelle filanti.

Come sbrogliarsela diventa allora una tragedia, una frustrazione. Vicino a Jacksonville non ho visto la deviazione per Springfield e ho dovuto percorrere miglia e miglia per riuscire a immettermi nella strada che cercavo. Non è inconsueto in America. Le autorità preposte alla rete stradale pare, assurdamente, che abbiano qualche difficoltà a dare delle informazioni più dettagliate, tipo dove ti trovi oppure quale strada stai percorrendo. Il tutto appare ancora più strano se si pensa che invece offrono tutta una serie di corollari: SIETE NELLA CONTEA BRUBRU, AREA PROTETTA, ALLEVAMENTO NAZIONALE DEL PESCE SPATTO 8 CHILOMETRI, VIETATO IL PARCHEGGIO IL MERCOLEDÌ DALLE 3 ALLE 6 DEL MATTINO, ATTENZIONE: OCHE A BASSA QUOTA, STATE LASCIANDO LA CONTEA BRUBRU, AREA PROTETTA. Spesso nelle strade di campagna, quando arrivi a un incrocio, non trovi alcun cartello e devi guidare alla cieca per 30 o più chilometri. Poi all'improvviso, dietro una curva, senza che ti venga segnalato, ti trovi in mezzo a un rondò con tante strade, con tanti semafori e con uno sconcertante numero di cartelli stradali. Parco Nazionale del Lago Grullo da questa parte. Superstrada Monumento al Bavaglino di Curtis laggiù. US Highway 41 Sud. US Highway 53 Nord. US Highway 11/78. Area degli Affari da quella parte. College Provinciale delle Maestre Destrorse di qui. Incrocio 17 Ovest. Incrocio 17 Non Ovest. Vietata l'inversione di marcia. Strada Sinistra a sinistra. Usate le cinture di sicurezza. Stai seduto dritto. Ti lavi i denti la mattina?

Proprio nel momento in cui capisci da che parte devi andare il semaforo diventa verde, sei intrappolato dalla scia del traffico, e sbagli strada. A mio padre capitava sempre. Papà raramente ha fatto un rondò senza sbagliare strada – un groviglio di strade a senso unico, una superstrada per il deserto, un ponte lunghissimo con un pedaggio carissimo, sia all'andata sia al ritorno. ("Ehi, signore, ma non è passato dall'altra parte solo qualche minuto fa?") Una caratteristica peculiare di papà era quella di perdersi, senza però perdere di vista il suo obiettivo. Non è mai riuscito ad arrivare in un parco o in un luna-park, senza esserci passato vicino almeno una decina di volte nel tentativo disperato di riuscire a imboccare la strada giusta. Mia sorella, mio fratello e io, sobbalzando sui sedili posteriori, vedevamo l'entrata dall'altra parte dell'autostrada e urlavamo: "Eccola lì! Eccola lì!". Poco dopo la si scorgeva da un'altra angolatura, dietro un muretto di cemento. Poi di nuovo dall'altra parte della strada. Talvolta eravamo separati unicamente da una cancellata. Vedevamo auto che parcheggiavano senza problemi e intere famiglie che si avviavano verso il parco dei divertimenti, sicure di trascorrere una giornata da sogno. "Come avranno fatto ad arrivarci?", gridava papà. E le vene della fronte gli si ingrossavano. "Cristo! Perché non mettono dei cartelli decenti? Come diavolo si fa a trovare l'entrata in queste condizioni?", aggiungeva, opportunamente sorvolando sul fatto che diciottomila altre persone, molte delle quali con un'acutezza mentale limitata, erano riusciti a imboccare la strada giusta senza difficoltà.

Springfield fu una delusione. Ma non rimasi neppure troppo sorpreso. Se fosse stato un luogo gradevole qualcuno mi avrebbe detto: "Ehi, vai a Springfield. È un bel posto". Ci avevo riposto qualche speranza perché il nome mi è sempre sembrato promettente. In questa parte del mondo i nomi dei luoghi hanno una pronuncia dura e straniera perché sono pieni di consonanti, – De Kalb, Du Quoin, Keokuk, Kankakee. Springfield, invece, sembra melodico, suggerisce prati verdi e acque fresche. In realtà niente del genere. Come tutte le città americane aveva in centro solo un mucchio di parcheggi, palazzoni circondati da una miriade di centri commerciali, stazioni di servizio, fast-food e tavole-calde. Senza infamia e senza lode. Feci un giro in auto quindi, non trovando niente di interessante, proseguii per New Salem, 20 chilometri a nord.

New Salem è una città recente la cui storia non è particolarmente avvincente. I primi residenti pensavano di trarre guadagno dal traffico fluviale, ma a nessuno venne mai in mente di fermarsi. Così la città non prosperò. Abbandonata nel 1837, sarebbe stata completamente dimenticata dalla storia se, dal 1831 al 1837, uno dei suoi residenti non fosse stato il giovane Abraham Lincoln. Così New Salem fu ricostruita su un'area di 620 acri, così com'era ai tempi di Abraham Lincoln. Durante la visita ci si domanda perché tutti se ne siano andati via di corsa. Invero è piuttosto bellina. Sono state ricostruite, nella radura frondosa, circa trenta quaranta capanne con i tronchi degli alberi. Era uno splendido autunno, la brezza tiepida e i raggi tardivi del sole trafiggevano gli alberi. L'insieme era pittoresco e invitante. È vietato entrare nelle capanne, ci si può solo avvicinare, guardare dalla finestra o dalla porta aperta e farsi un'idea di com'era la vita a quel tempo. Doveva essere molto dura. Davanti a ogni capanna un cartello riporta qualche informazione sui proprietari. Una ricerca storica molto approfondita. Unico problema: è tutto incredibilmente ripetitivo! Se hai sbirciato dentro quattordici capanne, quando arrivi alla quindicesima l'entusiasmo è già smorzato così quando giungi alla ventesima, il solo stimolo a proseguire è l'educazione. Poiché qualcuno si è preso la briga di costruire tutte queste abitazioni e di ritrovare vecchie sedie a dondolo o vasi da notte, mi pare che il minimo da fare sia visitarle tutte fingendo un briciolo d'interesse. Ma, fra te e te, preghi i santi perché non te ne facciano mai più vedere una. Sono certo che questo era quanto frullava nella mente di Abraham Lincoln mentre faceva i bagagli e decideva di non fare più il commerciante di legname, ma di darsi a una carriera più gratificante: emancipare i Negri e diventare Presidente.

In un punto estremo dell'area trovai una coppia di vecchietti, dall'aspetto stanco, che arrancava verso di me. Lui mi lanciò uno sguardo solidale e nel passarmi a fianco disse: "Ancora due". Lungo il sentiero, appena percorso dalla coppia, notai due capanne che apparivano piccole e distanti. Aspettai che i due sparissero dietro la curva, poi mi sedetti sotto un albero, una superba quercia, sulle cui fronde si abbozzavano, come delicate pennellate, le prime tracce dorate dell'autunno. Mi pareva di togliermi un peso di dosso. Mi chiedevo cosa mai mi avesse incantato tanto in questo luogo, quando avevo cinque anni. Era stata così noiosa la fanciullezza? Di sicuro mio figlio, se portato in questo posto, si lascerebbe cadere a terra, si farebbe venire un attacco d'asma rendendosi conto di aver trascorso un'intera giornata chiuso in un'auto, per vedere, alla fin fine, quattro capanne in croce. E, guardandomi in giro, non potei non essere solidale con lui. Meditai un po', chiedendomi se era peggio una vita noiosa a tal punto da rimanere affascinato da un nonnulla oppure una vita così piena di stimoli che tutto ti viene a noia.

Poi meditai sul fatto che avanzare ipotesi è una perdita di tempo per chiunque; così mi alzai e decisi che sarebbe stato più utile andare a cercare un lecca-lecca Baby Ruth.

Lasciata New Salem imboccai l'Interstate 55 Sud e guidai per circa un'ora e mezza verso St Louis. Monotonia garantita. Guidare a 90 chilometri l'ora su una strada diritta e larga quanto lo sono le Interstate significa viaggiare a passo di lumaca. Tanto vale andare a piedi. Sembra quasi che le auto e i camion, che viaggiano sulla corsia opposta, siano su uno di quei lenti nastri trasportapersone degli aeroporti (incrociando gli altri passeggeri uno ha il tempo di sapere tutto sulla loro vita). Si perde il piacere della guida. Ogni tanto si deve mettere la mano sul volante per raddrizzare le ruote, ma in compenso c'è tutto il tempo per fare le cose più complicate – contare i soldi, spazzolarsi i capelli, mettere in ordine l'auto, usare il retrovisore per schiacciarsi i punti neri, guardare le carte stradali, leggere le guide e cambiarsi d'abito. Se poi l'auto possiede il regolatore di crociera, ci si può sdraiare sui sedili posteriori e fare un sonnellino. Una cosa è certa: ci si dimentica subito che si è responsabili di un paio di tonnellate di latta viaggiante; solamente quando si vedono i coni dei lavori in corso oppure quando un T.I.R. strombazza perché occupi la sua corsia, uno è catapultato, nuovamente, nella realtà, e si rende conto che sarebbe il caso di non abbandonare la guida e di rinunciare a prepararsi uno spuntino proprio in quel momento.

La sola cosa positiva di questo ritmo è che ti lascia il tempo di pensare e prendere in considerazione alcune circostanze, per esempio come mai gli alberi non crescono lungo le Interstate. Alcuni alberi, di quella autostrada, dovevano essere stati piantati quarant'anni prima, eppure erano alti soltanto un paio di metri, e su ognuno solamente quattordici foglie. Non è che per caso li trascurano? Oppure perché non fanno le scatole dei cereali con un beccuccio di uscita? Possibile che a nessuno alla General Foods sia mai venuto in mente di scoprire come mai al mattino, quando si tenta di versare i cereali nella tazza, immancabilmente li si sparpaglia sul pavimento? E come mai, quando si pulisce il lavandino, nonostante si faccia scorrere l'acqua a lungo e abbondantemente e si risciacqui bene lo strofinaccio, rimane sempre sul fondo qualche capello e della porcheria? E ancora che ci troveranno mai gli spagnoli nel flamenco?

Nel bizzarro tentativo di non perdere la testa accesi la radio, poi mi ricordai che i programmi radiofonici americani sono per chi la testa l'ha già persa. Appena accesa, sentii la pubblicità del caffè Folger's. Un voce maschile bisbigliava: "Nel ristorante Napa Valley in California, famoso in tutto il mondo, abbiamo nascosto dei microfoni, quindi abbiamo servito ai clienti il caffè istantaneo Folger's invece del caffè della casa. Ascoltiamo cosa ne pensano". Seguiva una serie di affermazioni sensazionali. "Ehi! Non ho mai assaggiato un caffè così buono!", "Mai bevuto un caffè così caffè prima d'ora!", "È così buono che ne prenderei un altro!" E via con frasi del genere. A quel punto l'uomo usciva dall'incognito e annunciava che avevano bevuto il caffè Folger's. Tutti in coro battevano le mani. Seguiva un piccolo pistolotto sui benefici effetti di un caffè istantaneo di qualità. Cercai un'altra stazione. "Riprenderemo la nostra conferenza sulla virilità fra qualche secondo." Cambiai stazione. La voce di una cantante country gorgheggiava:

"Ha le mani piccole
le braccia corte
ma dipendo da lui
per via del bambino."

Cambiai stazione. Una voce diceva: "Questo giornale radio viene offerto dal negozio di barbiere dell'aeroporto di Biloxi". Seguiva una frase pubblicitaria sul negozio e poi le notizie. Tutte parlavano di morti per incidenti stradali, per incendio o durante una sparatoria a Biloxi nelle ultime ventiquattro ore. Niente suggeriva che, oltre i confini di Biloxi, potesse esistere un altro mondo, forse anche più violento. Seguiva un'altra frase pubblicitaria sul negozio di barbiere dell'aeroporto, nel caso in cui i radioascoltatori, affetti da cretinaggine acuta, nei trenta secondi del notiziario se ne fossero dimenticati. Spensi la radio.

A Litchfield lasciai l'Interstate, augurandomi di non doverla mai più riprendere se ne avessi potuto fare a meno, e imboccai la Highway Illinois 127 che conduce a sud, verso Murphysboro e Carbondale. Lo scenario si fece subito più interessante. Si potevano ammirare fattorie, case e città. Andavo ancora a 90 km all'ora, ma in confronto mi sembrava di volare. Il panorama sfilava dinanzi più attraente di prima, ondulato, collinare con pennellate di verde intenso. Le insegne si susseguivano: MINIMARKET INDIANO, ALIMENTARI DI PRIMA SCELTA, DA BETTY PER LA TUA BELLEZZA, AL GRAN RISPARMIO, PARCHEGGIO PER CALVI. Tra templi del consumimo, pieni di dislessia e di imprenditorialità, si vedevano, sulle colline, alcune radure con fattorie. Quasi tutte avevano nel cortile una antenna parabolica rivolta verso il cielo, quasi volessero carpire energia cosmica. Forse non ero lontano dal vero. Tra le colline la giornata si rabbuia prima. Notai con sorpresa che erano soltanto le sei passate e così decisi di trovarmi una camera. Come per magia mi apparve Carbondale.

In genere, un tempo, nei sobborghi di una città si trovava sempre una pompa di benzina, una cremeria, un motel e talvolta due, se la strada era particolarmente trafficata o esisteva anche un college. Ogni città o paese, anche il più misero, ha, per circa un miglio, una successione di cafeterie, fast-food, taverne, magazzini all'ingrosso, centri acquisti – tutti con le loro brave insegne ruotanti, aree di parcheggio grandi come lo Shropshire[2]. Carbondale sembrava possedere solo questo. Guidai per un paio di chilometri su un'arteria dove c'erano solamente centri acquisti, stazioni di servizio, K-Marts, J.C. Penneys, Hardees e McDonald's. All'improvviso, mi ritrovai in aperta campagna. Feci inversione di marcia e ritornai in città su una strada parallela, che offriva più o meno lo stesso spettacolo, ma alla fine mi ritrovai di nuovo in aperta campagna. La città dunque non aveva un centro. Era stato fagocitato dai centri commerciali.

Presi una stanza al Heritage Motor Inn, poi uscii per dare un'occhiata nel tentativo di ritrovare Carbondale. Ma non c'era. Mi sentii perplesso e disilluso. Mentre ero ancora in Inghilterra, prima di partire per questo giro, non avevo chiuso occhio tutta la notte e, disteso sul letto, fantasticavo di fermarmi ogni sera in una piccola città o paese, di passeggiare per il centro, di cenare in un posto tipico, ristorantini caratteristici a conduzione familiare, sulla piazza del paese; poi, con uno stuzzicadenti profumato a penzoloni tra le labbra, pensavo di farmi un giro della città, magari una capatina al Vern's Midnite Tavern per un paio di cicchetti e una partitina a biliardo con i giovani locali, vedermi un filmetto al Regal oppure intrufolarmi al Val-Hi Bowling Alley per dare un'occhiata alle partite della Associazione Infrasettimanale delle Pettinatrici, e poi chiudere la serata con un paio di partite a ping-pong e un sandwich caldo al formaggio. Qui non c'era nessuna piazza dove passeggiare, nessun ristorante tipico raccomandabile,

[2] Contea dell'Inghilterra [*N.d.T.*].

nessuna Vern's Midnite Tavern, nessuna sala cinematografica, nessun bowling. Nessuna città. Soltanto una strada a sei corsie e qualche centro commerciale. Non c'erano neppure i marciapiedi. Fare una passeggiata era un'impresa ridicola e impossibile. Non potevo fare altro che attraversare pachidermici parcheggi e stazioni di servizio, continuando a incocciare in bassi muretti bianchi che segnavano il confine tra un negozio di alimentari e un fast-food. Per andare da uno all'altro dovevi infatti scavalcare il muretto, scendere dalla parte opposta, trascinarti su un terrapieno erboso e poi zigzagare tra le auto del parcheggio, se avevi voglia di fartela a piedi. Ma, dalle occhiatacce delle persone che percepii mentre ansimavo sul terrapieno, capii che nessuno mai si era preso la briga di andare da un posto all'altro usando le proprie forze motorie. Si partiva dal presupposto che uno dovrebbe montare in auto per arrivare lì, a cinque metri di distanza, al parcheggio accanto, parcheggiare e scendere dall'auto. Malinconicamente e faticosamente arrivai al Pizza Hut, entrai, e una cameriera mi fece accomodare a un tavolo con vista sul parcheggio.

Tutti mangiavano delle pizze grandi come ruote di un pullman. Proprio davanti a me – non c'era via di scampo – un uomo super-obeso, sui trent'anni, si ficcava in bocca intere fette di pizza, come un mangiatore di spade. C'era una tale gamma di tipi e dimensioni di pizze, tali varietà che mi sentii quasi perso. La cameriera si avvicinò. "Ha scelto?"

"Ancora un momento", replicai. "Per favore."

"Non si preoccupi", aggiunse. "Ritorno più tardi." Sparì, uscì dal mio raggio visivo, contò fino a quattro e poi riapparve. "Vuole ordinare?", chiese.

"Se non le dispiace", dissi, "vorrei aspettare ancora un po'."

"OK", disse seccata andandosene. Questa volta contò forse fino a venti, ma, quando si rifece viva, io ancora vagavo nel mare magnum di possibilità e opzioni che il Pizza Hut offriva.

"È un po' lentino Lei, vero?", asserì vivace.

Ero imbarazzato. "Mi dispiace. Sono un po' stordito. Sa... sono appena uscito di prigione."

Stralunò gli occhi. "Non dirà sul serio?"

"Eh, sì. Ho ucciso una cameriera che mi metteva fretta."

Abbozzando un sorriso indietreggiò, e mi lasciò tutto il tempo di cui avevo bisogno per decidere. Alla fine optai per una pizza media, ai peperoni, con doppia porzione di cipolle e funghi. Una pizza che vi consiglio vivamente di assaggiare.

Dopo di che, per finire in bellezza la serata, mi scapicollai a dare un'occhiatina al K-Mart. I K-Marts sono una catena di grandi magazzini a buon mercato, veramente deprimenti. Sarebbe depressa anche Madre Teresa, se ci andasse. Nulla da ridire sui K-Marts, ma sui clienti sì. Sono quelli che danno ai loro figli nomi cantilenanti: Lonnie, Ronnie, Donnie, Connie, Bonnie. Sono quelli che non escono per non perdersi *The Munsters* in tivù. Sono quelle che hanno almeno quattro bambini che sembrano figli di padri differenti. Sono quelle che pesano 150 chili. Sono quelle che scuotono i figli e strillano: "Se non la smetti, Ronnie, non ti porto più qui!". Come se a Ronnie gliene importasse un fico secco di andare ancora al K-Mart. Sono quelli che vogliono comprare un Hi-fi che costi meno di 35 dollari, e non gliene importa nulla se, quando lo fanno andare, il suono emesso assomiglia a quello di una banda che suona in una cassetta postale situata sul fondo di un lago lontano mille miglia. Se si sceglie di far spese al K-Mart, allora significa che si è toccato il fondo. A papà piaceva il K-Mart.

Entrai e diedi un'occhiata in giro. Comperai dei rasoi usa-e-getta, un notes tascabile e poi, per festeggiare l'evento, un sacchetto di dolcetti Reese's Peanut Butter Cups all'affascinante prezzo di 1.29 dollari. Erano le sette e mezza di sera. Le stelle cominciavano a luccicare sul parcheggio. Ero solo con un patetico sacchetto di leccornie nella più noiosa città dell'America e sinceramente mi facevo pena. Riscavalcai il muretto, attraversai zigzagando la statale, mi infilai in un mini market Kwik-Krap, comperai una confezione da sei di birra Pabst Blue Ribbon, ritornai in camera, accesi la tivù via cavo, tracannai la birra, ingurgitai imbrattandomi (e pulendomi le mani sul lenzuolo) i dolcetti Reese's Peanut Butter Cups e cercai di farmi forza pensando che ero a Carbondale, Illinois, e che mi stavo divertendo come un matto.

5

Ripresi la Highway 127 Sud la mattina successiva. Sulla carta stradale era contrassegnata come strada panoramica e finalmente ciò corrispondeva a verità. Decisamente un bel paesaggio, di gran lunga meglio di quanto potessi immaginarmi nell'Illinois: colline dolci di un denso color verde bottiglia, floride fattorie e folti boschetti di querce e faggi. Stranamente, se consideriamo che mi muovevo verso sud, il fogliame si tingeva di colori più autunnali che mai – sui fianchi delle colline si dilatavano macchie giallo-senape, arancione chiaro, verde pallido – e l'aria tiepida e tersa era piacevolmente frizzante. Avrei potuto stabilirmi lì, su quelle colline, pensai.

Mi ci volle un po' per rendermi conto che mi mancava qualcosa. Non c'erano cartelloni pubblicitari. Quando ero piccolo, esistevano cartelloni dalle dimensioni di dieci metri per quattro, posti ai lati delle strade. Negli stati come l'Iowa e il Kansas risultavano essere le sole attrattive disponibili. Negli anni Sessanta la First Lady Johnson (Lady Bird Johnson), in una di quelle insulse campagne presidenziali che le mogli dei presidenti devono svolgere, fece rimuovere i cartelloni dai cigli delle strade, poiché ciò faceva parte di un programma di abbellimento della rete statale. Sicuramente nella zona delle Montagne Rocciose fu una benedizione, ma qui, nella desolata pianura, i cartelloni svolgevano un servizio sociale. Vederne uno in distanza ti faceva venire voglia di sapere cosa c'era scritto sopra; quindi lo osservavi con attenzione mentre si avvicinava, per poi lasciarlo alle spalle. Man mano che quegli eccitanti diversivi sfilavano lungo la strada, mi veniva in mente, senza passione, l'affinità con i mulini a vento di Pella. Se non altro, meglio di niente.

I cartelloni più sofisticati possedevano sempre un elemento tridimensionale – la testa sporgente di una mucca se si trattava di un'industria di latticini, o uno spaccato in altorilievo di una palla e di qualche birillo se si trattava di un centro di bowling. Talvolta i cartelloni segnalavano attrattive turistiche lungo il percorso. Poteva trattarsi di un'immagine di un fantasma con sotto la dicitura: VISITATE LE GROTTE DEGLI SPETTRI! LA MERAVIGLIOSA ATTRATTIVA DELL'OKLAHOMA PER TUTTI! SOLO A 110 CHILOMETRI! E dopo un paio di chilometri un altro cartellone segnalava: LE GROTTE DEGLI SPETTRI OFFRONO UN AMPIO PARCHEGGIO. MANCANO SOLO 107 CHILOMETRI!

E così via, cartellone dopo cartellone. Le promesse più elettrizzanti, i pomeriggi più istruttivi, tutti i divertimenti desiderabili, almeno in Oklahoma. Il tutto corredato da illustrazioni di paurose caverne, grandi come cattedrali, con stalattiti e stalagmiti che magicamente assomigliavano alle case delle streghe, con ribollenti calderoni, con pipistrelli e con Casper, il Fantasma Amico. Tutto era molto invitante. Così noi bambini nella parte posteriore dell'auto, cominciavamo a chiedere di fermarsi per andare a visitarle, e, a turno, dicevamo in tono sincero e implorante: "Papààà per *favooore*, feeermati. Daiii!".

Per tutti i cento chilometri, che ci separavano dalla *terra promessa*, l'atteggiamento di papà su tale questione rimaneva composto; si rivelava da una tipica sequenza di frasi: prima un netto rifiuto partendo dal presupposto che doveva essere costoso e che, essendoci comportati male fin dal primo mattino, non meritavamo alcun premio, poi egli ignorava intenzionalmente le nostre suppliche (sequenza che durava all'incirca undici minuti), poi domandava alla mamma a bassa voce che cosa ne pensasse, e otteneva sempre una risposta equivoca; poi ci ignorava nuovamente, nella segreta speranza che lasciassimo cadere l'argomento e la smettessimo di mugugnare (da un minuto a dodici secondi). Poi riprendeva ripetendo che *avremmo potuto* andarci se avessimo cominciato a comportarci da persone responsabili, poi diceva che non ci saremmo assolutamente andati, perché, guarda caso, stavamo già ricominciando a comportarci male e non eravamo ancora arrivati sul posto; e alla fine – emettendo a volte un muggito esasperato, a volte un rantolo – ci diceva che, ok, si sarebbe andati. Era chiaro a tutti quando stava arrivando la sequenza del cedimento perché il collo di papà diventava tutto rosso. Succedeva sempre così. Cedeva.

Non ho mai capito perché non cedesse subito alle nostre richieste, evitando mezz'ora di agonia. Alla fine, aggiungeva con un piglio serrato: "Guardate che ci si sta solo per mezz'ora – e non si compera nulla, intesi?". Quest'ultima sequenza pareva rappacificarlo con se stesso e col suo ruolo di *pater familias*.

Negli ultimi cinque chilometri i cartelloni s'infittivano, uno ogni duecento metri, noi eravamo ormai in delirio, l'ultimo era enorme con una freccia di svolta a destra e l'indicazione 30 chilometri. "Trenta chilometri!", diceva papà con voce strozzata, le vene delle tempie tese all'inverosimile in attesa dell'inevitabile scoperta che dopo trenta chilometri di sballonzolamenti su una strada accidentata con dei solchi profondi come canyon non ci sarebbe stata alcuna indicazione delle grotte e che, invece, dopo 32 chilometri, la strada sarebbe terminata in un desolante bivio, senza l'ombra di un cartello direzionale, e papà avrebbe sbagliato strada.

Quando alla fine si arrivava, le grotte erano una grossa delusione – in effetti i proprietari davano l'impressione di essere sull'orlo del fallimento. Le grotte, umide, male illuminate e con un puzzo di carogna che si sentiva lontano un miglio, erano grandi poco più di un garage, le stalattiti e le stalagmiti neppure lontanamente rassomigliavano alla casa delle streghe o a Casper, il Fantasma Amico. Rassomigliavano piuttosto – eh sì – a stalattiti e a stalagmiti. Una immensa fregatura. L'unico modo per lenire la nostra frustrazione, scoprivamo, era ottenere che papà ci comprasse un coltello Bowie in gomma e un sacchetto di dinosauri di plastica nell'adiacente negozio di articoli da regalo. Mia sorella e io ci buttavamo per terra e cominciavamo a piagnucolare ricordando al babbo quale trauma può riportare un bambino non gratificato.

Così, con il sole che s'inabissava dietro la piana piatta e marrone dell'Oklahoma e con papà che ormai aveva supertradito la sua tabella di marcia, impantanati in quello che era il compito più difficile, cioè trovare una stanza per la notte (abilmente assistiti in questo dalla mamma che sbagliava a leggere le carte stradali e credeva di trovare in ogni caseggiato che si intravedeva un motel), noi bambini passavamo il tempo nella parte posteriore dell'auto a ingaggiare rumorosi e violenti combattimenti con i coltelli di gomma, intervallati da momenti di pianto, resoconti di ferite, mentre ci lamentavamo per la fame, la noia e il bisogno impellente di un gabinetto. Un inferno. Ora sembrava che non ci fossero più cartelloni sulla strada. Che triste perdita!

Ero diretto a Cairo, si pronuncia Keii-rou. Non so perché. Ma negli stati del sud e nel Midwest è quasi abituale. Nel Kentucky, Athens è pronunciata Ai-thens e Versailles Var-sailes. Bolivar, Missouri, Boo-liv-er. Madrid, Iowa, diventa Mad-rid. Non so se gli abitanti di queste città pronuncino in questo modo perché sono dei cafoni ignoranti che non sanno bene come si pronuncia, oppure se sanno come si pronuncia correttamente ma a loro non importa un fico secco che la gente pensi che siano cafoni ignoranti. Certo non è possibile risolvere il dilemma con una domanda diretta, vero? Mi fermai per fare benzina a Cairo e chiesi all'inserviente, che con mano insicura mi faceva il pieno, come mai pronunciassero Cairo in quel modo.

"Perché si dice *così*", mi rispose, come se stesse parlando con un cerebroleso.

"Ma quando si dice Cairo, quella in Egitto, la si pronuncia Kai-ro."

"Lo so", confermò l'uomo.

"Com'è allora che quando si vede scritto quel nome tutti pensano si pronunci Kai-ro?"

"Qui non è così", disse un po' seccato.

Siccome non riuscivo a cavare un ragno dal buco lasciai cadere l'argomento, ma ancora continuo a non sapere perché pronunciano Keii-rou. Lo stesso dicasi del perché ti viene voglia, in una nazione così libera, di vivere in un posto così rozzo, qualunque sia la sua pronuncia.

Cairo si trova dove il fiume Ohio, un gran bell'affluente, si getta nel Mississippi raddoppiandone così la magnificenza. Si è portati a pensare che, essendo posta alla confluenza di due fiumi grandiosi, debba essere una grande città, in verità Cairo è una piccola povera città, di seimila persone. Sulla strada principale si allineano case malconce, e casamenti popolari che avrebbero bisogno di una mano di vernice.

Vecchi neri siedono nelle verande e sotto i portici su vecchi divani e sedie a dondolo, in attesa della morte o della cena, quella che arriva prima, in ogni caso. Ero sorpreso. È insolito nel Midwest vedere verande e case popolari piene di neri – almeno non al di fuori delle grandi metropoli come Chicago o Detroit. Poi mi sono accorto che non ero più veramente nel Midwest. L'accento del sud dell'Illinois è più vicino a quello del sud che non a quello del Midwest. Ero sullo stesso parallelo di Nashville. Il Mississippi era a sole 260 chilometri. Il Kentuky proprio al di là del fiume. Attraversai il ponte lungo e alto.

Da qui fino alla Louisiana, il Mississippi è decisamente molto ampio. Appare sicuro e pigro, in realtà è pericolosissimo. Centinaia di persone vi lasciano la pelle ogni anno. I contadini ci vanno a pesca e guardando l'acqua pensano: "Chissà cosa succede se ci puccio un po' di più l'alluce?", e l'unica cosa che si sa, dopo, è il ritrovamento dei loro cadaveri nel golfo del Messico, gonfi, ma stranamente sereni. Il fiume è ingannevolmente spietato. Nel 1927, quando il Mississippi straripò, coprì un'area grande quanto la Scozia. È dunque un signor fiume.

Sulla sponda del Kentucky trovai ovunque cartelloni con la scritta FUOCHI D'ARTIFICIO! Nell'Illinois i fuochi d'artificio sono illegali; nel Kentucky no. Così se vivi nell'Illinois e vuoi spappolarti una mano, ti basta attraversare il fiume e approdare nel Kentucky. In passato cartelli del genere prolificavano. Se uno stato applicava alle sigarette una tassa più bassa dello stato confinante, in tutte le stazioni di servizio o in tutte le tavole-calde lungo il confine sui tetti apparivano scritte a caratteri cubitali: SIGARETTE ESENTI DA TASSE! 40 CENTESIMI IL PACCHETTO! ZONA FRANCA! Tutti gli abitanti degli stati confinanti si precipitavano a comprare stecche di sigarette a un prezzo ridotto fino a far scoppiare l'auto. Una volta nel Wisconsin era vietata la vendita di margarina come misura protezionistica per i produttori di latticini; allora tutti, compresi questi ultimi, andavano nell'Iowa dove trovavano enormi cartelli: SI VENDE MARGARINA! Quelli dell'Iowa, nel frattempo, se ne andavano nell'Illinois che non applicava tasse sulla vendita al dettaglio, oppure nel Missouri dove la tassa sulla benzina era dimezzata.

Un'altra trovata degli stati era l'adozione dell'ora legale, per cui in estate l'Illinois era due ore avanti rispetto all'Iowa e un'ora indietro rispetto all'Indiana. Era pazzesco, ma questo dà un'idea di quanto negli Stati Uniti i 50 Stati (48 a quei tempi) siano davvero indipendenti. Tutto ciò appartiene al passato, cancellato. Che triste perdita!

Guidavo attraverso il Kentucky pensando a queste tristi perdite quando improvvisamente ripensai alla perdita più triste di tutte – la pubblicità del BURMA SHAVE. Il Burma Shave era una crema da barba in tubetto. Non so se la producono ancora. In realtà non ho mai conosciuto nessuno che la usasse; ma la Burma Shave aveva l'abitudine di mettere dei cartelli lungo le strade.

Erano sempre posti a gruppi di cinque, a oculata distanza uno dall'altro, in modo che, man mano che avanzavi, si potesse comporre un piccolo poema:

SE RICERCHI L'ARMONIA
CORRI IN DROGHERIA
COMPRA BURMA SHAVE IN TUBETTO
SE VUOI UN VISO PERFETTO.

Oppure

BEN E ANNA SI GUARDANO
SUBITO SI AMANO
MA BEN È MAL RASATO
E SUBITO SI È SEPARATO.

Fantastico, no? Ma già negli anni Cinquanta i cartelloni del Burma Shave erano superati. Mi ricordo di averne visti, nelle migliaia di chilometri che abbiamo percorso, soltanto una mezza dozzina. Mi parevano meravigliosi man mano che le distrazioni stradali sfilavano, diecimila volte meglio dei cartelloni o dei mulini a vento di Pella. Le sole cose che li superavano, come diversivo, erano le macchine coinvolte nei tamponamenti a catena quando rimanevano sparpagliate lungo tutta la strada.

Il Kentucky era molto simile al sud dell'Illinois – collinare, soleggiato, interessante – ma le case, più rade, erano meno linde e opulente. C'erano parecchie piccole vallate boschive, ponti in ferro su torrenti tortuosi, e una gran quantità di animali morti, spiaccicati sull'asfalto. In ogni vallata si vedeva una chiesa Battista bianca, e ovunque i cartelli mi ricordavano che ero nella Cintura Biblica: GESÙ TI SALVA, PREGA NOSTRO SIGNORE, CRISTO RE.

Avevo attraversato tutto il Kentucky, senza quasi accorgermene. Lo stato si assottiglia nell'angolo occidentale e lo attraversai proprio dove è ampio solo 65 chilometri. In un batter d'occhio, sempre tenuto conto dei tempi di trasferimento negli Stati Uniti, ero nel Tennessee. Non è tanto facile traversare uno stato in meno di quaranta minuti, ma per il Tennessee non volevo spendere un minuto di più.

È uno stato strano; ha la forma di un mattone, lungo più di 800 chilometri da est a ovest, ma largo solo cento da nord a sud. Il paesaggio è più o meno come quello del Kentucky e dell'Illinois – infinite distese di campi coltivati, ricamati da fiumi, colline e fanatici religiosi. Ma rimasi sorpreso quando mi fermai al Burger King di Jackson. C'erano 29 gradi, secondo il termometro che era fuori dalla banca drive-in, sulla parte opposta della strada: esattamente 12 gradi in più che al mattino a Carbondale. Ero ancora, ovviamente, nel cuore della Cintura Biblica.

Un cartello sul sagrato della chiesa adiacente diceva CRISTO È LA RISPOSTA. (Viene naturale una domanda: "Cosa dici quando ti martelli un dito?") Entrai al Burger King. Una ragazza al banco disse: "Cosa desidera?". Aveva un accento incomprensibile. Ero in un altro mondo.

6

Proprio appena a sud di Grand Juction, Tennessee, passai il confine ed entrai nel Mississippi. Un cartello al lato della strada diceva BENVENUTO NEL MISSISSIPPI. SPARIAMO PER UCCIDERE. Non è vero. Me lo sono inventato. Era solamente la seconda volta che andavo nel *Profondo Sud*, quindi ho attraversato il confine con un senso di presentimento. Non a caso tutti i film che abbiamo visto sul sud – *Easy Rider, La calda notte dell'ispettore Tibbs, Nick mano fredda, Brubaker, Un tranquillo weekend di paura* – dipingono i sudisti come assassini, incestuosi, cafoni patentati. È veramente un altro mondo. Anni fa, nell'era del Vietnam, andai in auto in Florida, con due amici durante le vacanze primaverili. Avevamo i capelli lunghi. *En route* facemmo una scorciatoia, una strada secondaria che passava per la Georgia e ci fermammo, il pomeriggio tardi, per un hamburger in una tavola-calda di uno squallido e sudicio paese. Quando ci sedemmo al banco il locale piombò in un silenzio di tomba. Quattordici persone smisero di mangiare e ci fissarono col boccone ancora in gola. C'era un tale silenzio! Si sarebbe sentita volare una mosca. Il locale era pieno di tizi dai pomelli rossi, in tuta da lavoro; ci guardavano in silenzio chiedendosi se avevano l'artiglieria a portata di mano. Sconcertante. Diventammo subito per loro, sperduti in capo al mondo, una curiosità, indicibilmente nauseabonda – alcuni non avevano mai visto in carne e ossa un individuo coi capelli lunghi, antirazzista, nordista, universitario e hippy-comunista. Fu una strana sensazione quella di sentirsi profondamente odiati da persone che in realtà non avevano avuto la possibilità di conoscerti nemmeno superficialmente. Mi ricordo di aver pensato che i nostri genitori non sapevano neppure lontanamente dove eravamo, se non da qualche parte in quell'immenso continente che divide Des Moines da Florida Keys, e che, nel caso fossimo spariti, non saremmo mai stati ritrovati. Mi immaginavo la mia famiglia, dopo qualche anno, seduta in soggiorno con la mamma che diceva: "Chissà cosa è successo a Billy e ai suoi amici. Avremmo già dovuto ricevere una cartolina, vero? Qualcuno vuole un panino?".

Una cosa simile, sappiate, è davvero successa. Accadde cinque anni fa quando tre motociclisti, alla *Easy Rider*, furono assassinati nel Mississippi. Uno era un nero di ventun anni del Mississippi, tale James Chaney, gli altri, entrambi bianchi e di vent'anni, dello stato di New York, Andrew Goodman e Michael Schwerner. Li cito perché meritano di essere ricordati. Furono arrestati per eccesso di velocità, portati alla prigione della contea di Neshoba a Philadelphia, Mississippi, e mai più rivisti, almeno fino alla settimana successiva quando i loro cadaveri furono ripescati in una palude. Erano ragazzi, non dimentichiamolo. La polizia li aveva dati in pasto a una folla tumultuante che li aveva presi e portati chissà dove, e fatto loro quello che un ragazzino non oserebbe fare neppure a un insetto. Lo sceriffo in carica, un masticatabacco grassone e un furbastro di tre cotte, tale Lawrence Rainy, fu prosciolto dall'accusa di negligenza. Nessuno fu accusato di omicidio. Questo vi dà l'idea di cosa sia stato, e cosa sia ancora, il sud per me.

Imboccai la Highway 7 Sud, verso Oxford. La strada costeggia la parte occidentale del Holly Spring National Forest, che pare per lo più un insieme di acquitrini e macchia. Ero un po' deluso. In un certo senso mi ero creato l'aspettativa che, passato il Mississippi, ci sarebbero state delle bromeliacee che scendevano dai rami degli alberi, e delle donne con vestiti ondeggianti che facevano ruotare i parasole, e colonnelli con capelli bianchi e con favoriti smisurati che bevevano julep[1] nel prato mentre gli schiavi raccoglievano cotone nei campi e cantavano gospel. Questo posto era invece squallido, afoso e indefinito. Ogni tanto si incontrava un ammasso di mattoni con un vecchio nero su una sedia a dondolo sotto il porticato, unico segno di vita e di movimento.

Nella città di Holly Springs c'era l'indicazione per Senatobia. Sobbalzai. Senatobia! Che nome altisonante per una città del Mississippi! Tutta la stupidità e la pomposità del Vecchio Sud mi sembrò racchiusa in quelle quattro dorate sillabe. Forse le cose

[1] Bevanda alcolica alla menta tipica del sud [*N.d.T.*].

stavano migliorando. Forse avrei visto file di uomini forzati che si trascinavano incatenati nella calura; un prigioniero con pesanti catene ai piedi che attraversava i campi correndo come un ubriaco inseguito dai segugi; torme di folle tumultuose e pronte al linciaggio, che invadevano le strade; croci in fiamme sui prati. La prospettiva mi diede entusiasmo, ma dovetti subito calmarmi perché un poliziotto mi aveva affiancato al semaforo e continuava a fissarmi con quell'aria di disprezzo tipica di quei cretini da cui bisogna tenersi alla larga, e che vengono equipaggiati con una pistola e un'auto di pattuglia. Sudato e grassoccio, se ne stava ben piantato sul sedile. Presumo che come tutti noi discendesse dalle scimmie, ma chiaramente, nel suo caso, il processo evolutivo si era arrestato. Fissavo attentamente la strada, nella speranza di dare l'impressione di sapere dove andavo, e di essere un tipo affidabile e non sospetto. Sentivo che i suoi occhi mi trafiggevano. Come minimo mi aspettavo che mi lanciasse in faccia uno sputo pieno di tabacco masticato. Invece, con una parlata quasi incomprensibile, disse: "Come va?".

Ero talmente sorpreso che risposi con voce tremula: "Scusi?".

"Ho chiesto come va."

"Bene." Poi avendo vissuto qualche anno in Gran Bretagna aggiunsi: "Grazie".

"In vacanza?"

"Mm Mm."

"Le piace Miss Hippy?"

"Scusi?"

"Ho detto, le piace Miss Hippy?"

Mi sentivo perso. L'uomo era sudista e per di più armato e io non capivo una parola di quello che diceva. "Mi scusi, sa", ribattei, "sono un po' lento e non capisco bene cosa mi chiede."

"Ho chiesto", scandì bene le parole "le piace il Mississippi?"

Mi illuminai. "Oh, sì! mi piace molto. Proprio tanto! Penso che sia stupendo. E le persone... sono così gentili e premurose." Volevo aggiungere che, pur essendo lì da un'ora, non mi avevano ancora sparato, ma il semaforo divenne verde e se n'era già andato. Sospirai e pensai, "Gesù, ti ringrazio".

Arrivai a Oxford, sede dell'Università del Mississippi o *Ole Miss*, come viene chiamata. I primi abitanti chiamarono la città Oxford, a imitazione della città inglese, nella speranza che vi fosse costruita l'Università dello stato, e così fu. Questo la dice lunga su come funzionino i cervelli nel sud. Oxford era una bella cittadina. Costruita intorno a una piazza. Nel mezzo, il tribunale della contea dedicato a Lafayette, con un'alta torre dell'orologio e colonne doriche, si crogiolava bellamente al sole dell'estate indiana[2]. Tutt'intorno alla piazza c'erano dei bei negozi e l'ufficio delle Informazioni Turistiche. Vi entrai per sapere come si arrivava a Rowan Oak, la casa di William Faulkner. Faulkner visse a Oxford tutta la vita; la sua casa, ora trasformata in museo, è rimasta tale quale il giorno della sua morte avvenuta nel 1962. Deve essere snervante essere così famosi e sapere che, nel momento in cui tiri le cuoia, la tua casa sarà invasa, metteranno le bardature viola alla porta, e tutto sarà trattato con rispetto. Pensate che situazione imbarazzante se sul comodino ci fosse una copia di romanzi condensati Reader's Digest!

Dietro il banco sedeva una signora nera, eccezionalmente ben vestita e ben in carne. Rimasi un po' sorpreso dato che ero nel Mississippi. Portava un tailleur scuro che doveva tenerle maledettamente caldo, data la temperatura. Le chiesi la strada per Rowan Oak.

"Ha parcheggiato nella piazza?", chiese. In realtà disse: "Tu parcheggiare in piazza?".

"Sì."

"Ok, carino, tu ritornare auto, tu fare piazza. Tu andare altra parte, verso università, percorrere tre caseggiati, girare destra semaforo, giù collina, tu là, capito?"

"No."

Sospirò e ricominciò. "Tu ritornare auto, tu fare piazza..."

"Cosa? Devo fare il giro della piazza?"

"Proprio, carino. *Fai* piazza." Mi parlava come io parlerei a un francese. Mi rifilò il resto delle istruzioni e feci finta di capire, anche se per me era arabo. La mia mente era occupata a chiedersi come potevano, dei suoni così stravaganti, essere emessi da una persona così elegante. Mentre uscivo mi urlò "Comunque non è importanza perché esseri chiuso ora". Disse veramente *è*; e disse veramente *esseri*.

Rincalzai: "Scusi?".

"Esseri chiuso ora. Tu può vedere il posto se vuole, ma non può entrare."

Andai fuori pensando che Miss Hippy sarebbe stato vacche

[2] *Indian summer* è il periodo dell'autunno caratterizzato da una temperatura molto mite [*N.d.T*].

magre. Feci due passi in piazza guardando i negozi, la maggior parte vendeva quegli articoli che vanno a ruba nella provincia ricca. C'era un gran via vai di donne belle e ben vestite. Tutte abbronzate, e tutte con l'aria di essere piene di soldi. Su un angolo c'era una libreria dove vendevano anche giornali. Entrai. Nel reparto riviste presi *Playboy* e lo sfogliai. Come si fa di solito. Mi innervosì il fatto che ora *Playboy* è stampato su carta lucida, quella che, quando giri una pagina, se ne voltano altre tre. Non puoi più farlo scorrere con il pollice. Devi voltare le pagine una per una. Finalmente riuscii a raggiungere il paginone centrale. Avevano fotografato nuda una ragazza paraplegica. Lo giuro su Dio! Era stravaccata – forse è la parola più inadatta in questo contesto – in varie posizioni, su letti e divani, pareva tutta presa dal suo ruolo e attraente, ma con del raso drappeggiato ad hoc sulle gambe, presumibilmente vizze. Ora, sono io o è l'immagine a essere un po' strana?

Chiaramente *Playboy* non è più quello di una volta, e questo mi fece sentire vecchio, triste e straniero, perché *Playboy* è stato una pietra miliare nella vita americana, per quel che ricordo. Tutti gli uomini e i ragazzi che conoscevo leggevano *Playboy*. Alcuni, come mio padre, lo negavano. Si metteva in agitazione, quando scoprivo che lo sfogliava al supermercato e cercava di farmi credere che stava cercando *Case e Giardini* o qualcos'altro di quel genere. Ma lo leggeva anche lui. Aveva anche una piccola riserva di riviste maschili che teneva in una cappelliera in fondo all'armadio. Sono certo che tutti i papà hanno avuto una riserva segreta di riviste per uomini nascosta da qualche parte e i figli ne erano perfettamente a conoscenza. Di quando in quando, da bambini, ci scambiavamo le riviste dei papà e cercavamo di immaginarci che faccia avrebbero fatto nel vedere che al posto dell'ultimo numero di *Uomini*[3] adesso si trovavano un numero stravecchio di *Maschio*[3] e un libro intitolato *Lussuria al Ranch*[3] in sovrappiù. Lo facevamo perché eravamo sicuri che i papà non avrebbero potuto dir nulla. Tutto quello che poteva succedere era che quando andavi di nuovo a cercare il malloppo delle riviste, questo era in un posto diverso. Non so se le donne degli anni Cinquanta dormissero o meno con i loro mariti, so solo che in quegli anni era una pratica abituale avere riviste con pin-up. Forse c'entrava in qualche modo la guerra.

[3] *Gent, Nugget, Ranchhouse Lust*, nel testo [*N.d.T.*].

Le riviste che leggevano i nostri padri avevano titoli tipo *Zerbinotto* e *Gigolo*[4] e le donne fotografate non erano molto invitanti, seni come palloni da football sgonfi e fianchi con rotoli di grasso. Le donne di *Playboy* erano invece giovani e belle. Certo non avevano l'aspetto di quelle che i marinai incontrano in libera uscita. Oltre all'incalcolabile servizio sociale che offriva pubblicando foto di belle ragazze nude, *Playboy* indicava un vero e proprio stile di vita al quale ispirarsi. Un manuale che tutti i mesi ti suggeriva come vivere, come giocare in borsa, quale hi-fi comperare, che tipo di cocktail preparare e tutte le strategie per incantare le donne con stile sottile e intrigante. Un ragazzo dell'Iowa può trarre giovamento da queste ricette. Io me lo assaporavo ogni mese dalla prima all'ultima pagina, comprese le informazioni redazionali in fondo all'indice. Lo facevamo tutti. Hugh Hefner era il nostro eroe. Adesso mi sembra quasi impossibile perché, siamo sinceri, Hugh Hefner mi è sempre sembrato un po' idiota. Insomma, se uno ha tutti quei soldi, davvero si comprerebbe un enorme letto tondo e passerebbe la vita in vestaglia di seta e pantofole di pelo? Davvero riempirebbe una parte della casa di ragazze che ti fanno venire voglia di portartele a letto, per poi fotografarle, in tutte le posizioni, e sbatterle su una rivista a tiratura nazionale? Davvero scenderebbe le scale per trovarsi intorno al piano, la sera, Buddy Hackett, Sammy Davis Jr e Joey Bishop? "No, neanche per sogno!", si alza un coro unanime. Eppure l'ho sempre comperato. Come tutti. *Playboy* per la mia generazione è stato un fratello maggiore, e con gli anni è cambiato, proprio come un fratello maggiore. Ha avuto qualche problema finanziario e legale, e alla fine si è trasferito sulla costa, proprio come i fratelli veri. Non l'ho più comperato, e per anni non mi è più venuto in mente. E adesso qui, inaspettatamente, a Oxford, Mississippi, fra tutti i posti del mondo, in chi vado a imbattermi, se non in *Playboy*? Era come rivedere l'eroe del liceo e accorgersi che è calvo e noioso, sempre vestito con un lurido maglione a V e quelle scarpe di vernice nera con borchie dorate che nel 1961 mi facevano impazzire. È stato davvero un trauma accorgersi che *Playboy* e io eravamo di gran lunga più vecchi di quanto non pensassi e che non avevamo più nulla da dirci. Rimisi a posto mestamente *Playboy* e sentii che ci sarebbe voluto un bel po' di tempo – almeno trenta giorni, comunque – prima che ne sfogliassi un altro.

[4] *Dude* e *Swell*, nel testo [*N.d.T.*].

Diedi un'occhiata alle altre riviste, ce n'erano almeno duecento, ma tutte del tipo *Il collezionista di mitragliette, La casalinga obesa, Il falegname cristiano, Prontuario di pronto soccorso domestico*[5]. Non c'era niente di adatto a una persona normale, così me ne andai. Guidai lungo Lamar Street verso Rowan Oak, non prima di aver attraversato la piazza, per seguire il più esattamente possibile le indicazioni della signora dell'ufficio turistico, ma non riuscii a raggiungere la mia meta, a nessun costo. A dire il vero, il fatto non mi turbò più di tanto, perché sapevo che era chiuso, e del resto non sono mai riuscito a leggere un romanzo di William Faulkner oltre pagina tre (cioè, più o meno a metà della prima frase), per cui non ero poi così interessato a verificare l'aspetto della sua casa. Continuando a guidare, mi ritrovai nel campus dell'Università del Mississippi, che invece si rivelò assai più interessante. Era un bel campus, pieno di edifici imponenti, che ti facevano pensare alle banche e ai tribunali. Lunghe ombre si adagiavano sui prati. I ragazzi, che davano l'idea di essere tutti casa e famiglia, passeggiavano con pacchi di libri sotto il braccio oppure erano seduti intenti a fare i compiti. In un gruppo di ragazzi bianchi c'era uno studente nero. Evidentemente qualche cosa era cambiato. Solo 25 anni prima, per un'intera settimana, c'erano state alcune rivolte in questo campus, quando un ragazzo nero di nome James Meredith, scortato da cinquecento federali, si era iscritto alla *Ole Miss*; gli abitanti di Oxford si erano così inviperiti al pensiero di dovere accettare nel proprio campus un 'Muso Nero', che avevano ferito trenta federali e ucciso due giornalisti. Probabilmente molti genitori di questi ragazzi dall'aspetto sereno avevano partecipato alle sommosse, disselciando strade e incendiando auto. Possibile che tutto quell'odio fosse svanito nel giro di una sola generazione? Non mi pareva verosimile. Eppure era difficile immaginare questi tranquilli studenti sulle barricate per una questione razziale. In realtà, era impossibile immaginare questi bravi ragazzi, dalla faccia pulita, salire sulle barricate per qualunque cosa – eccetto forse la quantità di cioccolato nei dolcetti della mensa universitaria.

All'improvviso presi la decisione di andare a Tupelo, la città natale di Elvis Presley, 60 chilometri a est. Il viaggio fu piacevole, il sole era basso e l'aria tiepida. Boschi scuri costeggiavano la stra-

[5] *Machine Gun Collector, Obese Bride, Christian Woodworker, Home Surgery Digest* nel testo [*N.d.T.*].

da. Qua e là si apriva uno spiazzo, dove in genere sorgeva una stamberga, con un nugolo di giovani neri nel cortile che giocavano al pallone o andavano in bicicletta. C'erano anche, più raramente, case meglio tenute – quelle dei bianchi – con grandi station-wagon nei vialetti d'accesso, il cestino del basket appeso al muro del garage e prati ampi e ben tosati. Talvolta erano molto vicine – quasi attaccate – a una baracca. Questo è un po' insolito nel nord. Mi colpisce il fatto che i sudisti nutrano un totale disprezzo per quelli di colore e tuttavia possano vivere fianco a fianco senza farsi dei problemi; mentre nel nord le persone più aperte e democratiche non provano avversione, anzi rispettano i neri come esseri umani e augurano loro ogni tipo di successo, fintanto che se ne stanno nel loro brodo.

Quando arrivai a Tupelo era buio. Tupelo era assai più grande di quanto immaginassi. Ormai ero giunto al punto che incominciavo ad aspettarmi che le cose non fossero come me le ero aspettate. Spero mi capiate. C'era una lunga e piacevole sequenza di centri commerciali, motel e stazioni di servizio. Affamato e stanco capii per la prima volta l'utilità di questa combinazione. Era tutto a misura del turista – una luccicante serie di servizi che offrivano ogni sorta di comodità, erano puliti, affidabili, confortevoli, tutto a prezzi accessibili sia negli alberghi, sia nei ristoranti e soprattutto nei negozi dove chiunque poteva rimettersi a nuovo spendendo pochissime energie fisiche e mentali. In aggiunta vi offrivano sempre un bicchierone di acqua fresca con dentro il ghiaccio e un secondo giro di caffè gratis, per non parlare delle scatole di fiammiferi e degli stuzzicadenti profumati igienicamente incartati. Che paese meraviglioso, pensai, mentre, grato, affondavo nel grembo protettivo di Tupelo.

7

La mattina mi recai nella casa dove era nato Elvis Presley. Era presto e credevo fosse chiusa, e invece era aperta. C'erano già delle persone, alcune fotografavano la casa, altre erano in fila davanti all'entrata. La casa, bianca e linda, era situata in un luogo ombroso in mezzo a un parco. Era sorprendentemente compatta, a forma di scatola da scarpe, con due sole stanze: in quella davanti un letto, un comò, e in quella sul retro una cucina semplice. Era accogliente e ci si sentiva come a casa propria.

Di gran lunga meglio delle baracche che avevo visto lungo la strada. Una donna, gradevole, con braccia grassocce, seduta su una sedia, rispondeva alle domande. Probabilmente migliaia di volte in una giornata si sentiva chiedere le stesse cose, ma sembrava non farci caso. Ero l'unico tra i visitatori, una dozzina circa, ad avere meno di sessant'anni. Non sono sicuro se questo sia dovuto al fatto che Elvis Presley, alla fine della sua carriera, era così malconcio da avere solo fan anziani, oppure se è una caratteristica degli anziani avere voglia di visitare le case delle star passate a miglior vita.

Dietro la casa un sentiero conduceva a un negozio di souvenir di Elvis – LP, distintivi, stampe, poster. Ovunque si girassero gli occhi imperava il suo viso, bello e infantile. Comprai due cartoline e sei scatole di fiammiferi che, in seguito, mi accorsi di aver perso e per questo avrei tirato un profondo sospiro di sollievo. All'entrata c'era un grosso quaderno per le firme. I turisti venivano da città dai nomi più strampalati: Coleslaw[1], Indiana; Dead

[1] Verza in salsa [*N.d.T.*].

Squaw[2], Oklahoma; Frigid[3], Minnesota; Dray Heaves[4], New Mexico; Colostomy[5], Montana. La pagina era divisa in modo che ci fosse una colonna per i commenti. Li lessi: 'Carino', 'Molto carino', 'Veramente carino', 'Carino'. Quanta espressiva eloquenza! Girai qualche pagina indietro. Probabilmente mal interpretando il significato della colonna qualcuno nella prima riga di una pagina aveva scritto 'Visita'. Così tutti quelli che avevano firmato sotto avevano scritto 'Visita', 'Ri-visita', 'Visita', 'Visita', fino in fondo alla pagina. Meno male che nella nuova pagina si erano rimessi in carreggiata.

La casa di Elvis Presley si trova nel parco Elvis Presley, in via Elvis Presley, girato l'angolo del viale Commemorazione di Elvis Presley. Si deduce da questo che Tupelo è orgogliosa del suo celeberrimo figlio. Ma il suo nome non è stato sfruttato in modo volgare e turpe, ed è già un merito. Non c'erano negozi di souvenir né museo delle cere né empori che cercassero di approfittare della fama, ancor viva, di Presley; c'era solo una piccola casa carina in un parco ombroso. Ero contento di essermi fermato.

Lasciata Tupelo mi diressi, sotto un sole caldo e ancora basso, a sud verso Columbus. Vidi i primi campi di cotone, scuri e rachitici, ma con dei veri e propri fiocchi sui rami. I campi erano sorprendentemente piccoli. Nel Midwest si è abituati a vedere campi che si perdono a vista d'occhio nell'orizzonte, qui sono poco più grandi di un orto.

C'erano ovviamente delle baracche, più o meno simili a quelle che avevo visto in precedenza. Pareva di guidare nella più estesa bidonville del mondo. Non potevo sbagliarmi, erano davvero stamberghe. Alcune parevano inabitabili: tetti sfondati e mura che pareva fossero state cannoneggiate. Eppure qualcuno sbirciava, seminascosto dietro la porta. Lungo la strada molti empori, più di quanto si potesse immaginare data la povertà e la scarsezza di popolazione; tutti avevano grandi insegne che propagandavano una valanga di prodotti: BENZINA, FUOCHI ARTIFICIALI, POLLO FRITTO, ESCHE VIVE. Avrei dovuto avere una fame bestia per riuscire a mangiare un pollo fritto cucinato da uno che prepara anche le esche vive, pensai. Tutti gli empori avevano un distributore di Coca Cola e la pompa di benzina sul davanti, e macchine arrugginite e scarti assortiti sparsi un po' ovunque. Era impossibile

[2] Squaw morta [*N.d.T.*].
[3] Frigida [*N.d.T.*].
[4] Conati di vomito/bolsaggine [*N.d.T.*].
[5] Colostomia [*N.d.T.*].

capire se gli affari andavano bene oppure se l'emporio era sull'orlo del fallimento.

Ogni tanto incontravo paesotti, piccoli e polverosi, e c'erano gruppi di neri sfaccendati fuori dai negozi o attorno alle pompe di benzina. Ecco la caratteristica più eclatante del sud – la quantità di neri, ovunque. Non avrei dovuto meravigliarmi. Il trentacinque per cento della popolazione nel Mississippi è nera, la percentuale varia poco in Alabama, in Georgia e nel South Carolina. In alcune contee del sud la proporzione è di un bianco ogni quattro neri. Nonostante ciò, fino a 25 anni fa in molte di queste contee nessun nero poteva votare.

Era tale la povertà che mi circondava, che Columbus mi fu di conforto. È una splendida cittadina di trentamila abitanti dove era vissuto Tennessee Williams. Durante la Guerra Civile era stata, per un breve periodo, capitale dello Stato. Situate, appena fuori della Highway, affacciate su strade alberate poco frequentate si possono ancora ammirare alcune grandi case *ante bellum*. Ma la chicca era il centro, che dal 1955 non aveva subìto, per quanto potevo vedere, alcun mutamento. Il negozio di barbiere Crenshaw aveva una di quelle insegne a cilindro ruotante e proprio davanti c'era un genuino grande magazzino popolare il McCrory's; mentre all'angolo la filiale della Banca del Mississippi occupava un imponente edificio con un enorme orologio che sovrastava il marciapiede.

Il tribunale della contea, il municipio e l'ufficio postale erano situati in edifici imponenti e belli ma a misura di cittadina; il che sprigionava una sensazione di benessere. La prima persona che vidi fu naturalmente un nero, istruito: portava un vestito con gilè e aveva il *Wall Street Journal*. Rassicurante e incoraggiante: una perla di città. Amalgamandola con la bella piazza di Pella avrei quasi ottenuto la mia agognata Amalgama-City. A tratti cominciavo a pensare che non l'avrei trovata tutta intera da nessuna parte. Avrei dovuto raccogliere, per comporre il mio mosaico, una serie di tessere – un tribunale qui, una stazione di pompieri là – e, comunque, qui ne avrei trovate parecchie.

Andai a prendermi un caffè in un albergo sulla strada principale e mi comprai il giornale locale, il *Commercial Dispatch* ('Il quotidiano più progressista del Mississippi'). Un giornale vecchio stile. Sulla prima pagina un titolo prendeva otto colonne: GRUPPO DI UOMINI D'AFFARI DA TAIWAN IN VISITA NELLA ZONA DEL TRIANGOLO D'ORO; e sotto, in ogni singola colonna, dei sottotitoli, tutti con diversi corpi tipografici, occhielli e livelli di coerenza:

Visitatori cercano
opportunità
per investimenti

FA PARTE DELLA
MISSIONE
COMMERCIALE

Il gruppo arriva nel
Triangolo d'oro
giovedì

LE AUTORITÀ STATALI
COORDINANO LA VISITA

Tutti gli articoli, all'interno, davano l'idea di una città dominata dalla calma e dalla compassione: 'I costruttori del Trinity Place Home offrono un aiuto agli anziani', 'Si discute sulla proprietà di Lamar', 'Approvato il budget della Pickens School'. Lessi il resoconto della polizia: 'Nelle ultime ventiquattro ore il dipartimento di polizia di Columbus ha fatto trentaquattro operazioni'. Che luogo magnifico – la polizia qui non deve vedersela con i criminali, compie solamente delle operazioni. Secondo il bollettino, la più pericolosa delle attività svolte era stata l'arresto di un tizio pescato a guidare nonostante la sospensione della patente. In un'altra pagina scoprii che nelle ultime ventiquattro ore erano decedute sei persone – ovvero rientravano in un'operazione di decesso, se fosse stato riportato nel bollettino della polizia – mentre ne erano nate tre. Sviluppai un istantaneo affetto per il *Commercial Dispatch*, che naturalmente ribattezzai *Amalgama Commercial Dispatch*, e per la città che lo pubblicava.

Potrei vivere qui, pensai. Ma, poi, arrivò la cameriera e mi resi conto che l'idea non era neppure da prendere in considerazione, infatti la cameriera mi parlò in modo tale che non capii un accidenti. Sembrava parlasse ostrogoto. Impiegai un bel po', gesticolando con il coltello e la forchetta, prima di riuscire a comprendere il suo messaggio, che tradotto era: "Vuoi fare colazione, bello?". Avevo sperato di avere un menù ma per evitare di passare tutto il pomeriggio nel vano tentativo di spiegarle questo mio desiderio, chiesi una Coca Cola e fui al settimo cielo quando scoprii che ciò non implicava nessun'altra domanda.

Non è solo la cantilena indecifrabile della parlata del sud che rende difficile la comprensione; è soprattutto la lentezza. Dopo un po' dà sui nervi. Il sudista medio parla come uno che entra ed esce da stati di semincoscienza. Mentre uno del Mississippi dice una frase, non solo riesco a cambiarmi le scarpe, ma anche i pedalini. Vivere qui mi porterebbe alla pazzia. Lentamente.

Columbus si trova ai confini dello stato per cui, dopo solo venti minuti di guida, mi ritrovai in Alabama, meta Tuscaloosa, via Ethelsville, Coal Fire e Reform. Un cartello sulla strada diceva: NON INSUDICIATE. TENETE PULITA L'ALABAMA IL BELLA. "OK, io *lo* farò", replicai allegramente.

Accesi la radio. Negli ultimi due giorni l'avevo sentita molto, nella speranza che fossero trasmesse, da stazioni-radio gracchianti e ritardate, delle musiche cantate da artisti di nome Hank Wanker[6] e Brenda Buns[7]. È sempre stato così. Mio fratello, una sorta di genietto della tecnica, una volta costruì una radio a onde corte con una vecchia lattina di fagioli o qualcosa di simile, e la notte, quando tutti credevano che dormissimo, sdraiati a letto, smanettavamo con la manopola (si fa per dire) cercando di captare stazioni lontane. Spesso riuscivamo a sintonizzarci su stazioni del sud. Trasmettevano sempre una valanga di cantanti: montanari fatti e finiti, dalla voce stridula. La ricezione era lontana e gracidante, come se le onde provenissero da un altro pianeta. Oramai è raro udire voci di ritardati. In realtà non c'è quasi più l'ombra dell'accento del sud. Tutti i disc-jockey parlano come se venissero dall'Ohio.

Appena fuori Tuscaloosa mi fermai a fare benzina. Meraviglia delle meraviglie! Il giovane inserviente aveva l'accento dell'Ohio. Infatti veniva proprio da quello stato. La sua ragazza frequentava l'università dell'Alabama. Odiava il sud per la lentezza e l'arretratezza. Visto che mi pareva un ragazzo con la testa sulle spalle gli chiesi qualcosa riguardo alle voci della radio. Mi spiegò che nel sud, risentiti per la pessima fama di cafoni, tutti i presentatori avevano fatto in modo di acquisire l'accento del nord, come se non avessero mai cantato la nanna a un bambino o sentito una voce da gallina strozzata. Era il solo modo per ottenere un lavoro. Peraltro le cadenze serrate del nord permettevano, nel lasso di

[6] Testa di cazzo [*N.d.T.*].
[7] Sederona [*N.d.T.*].

tempo impiegato da uno del sud a schiarirsi la gola, di trasmettere almeno da tre a quattro consigli per gli acquisti. Era proprio così, perciò diedi al giovanotto una mancia di trentacinque centesimi per l'analisi esauriente.

Da Tuscaloosa seguii la Highway 69 Sud, verso Selma. Selma mi riportò alla mente vaghi ricordi sulle campagne degli anni Sessanta per i diritti civili, quando Martin Luther King, alla testa di centinaia di neri, marciò per 70 chilometri fino alla capitale dello stato, Montgomery, onde iscriverli nelle liste elettorali. Di sorpresa in sorpresa: trovai una cittadina attraente – questo angolo dello stato sembrava abbondarne. Era grande più o meno come Columbus, altrettanto ombrosa e intrigante. In centro erano stati piantati molti alberi, i marciapiedi ripavimentati da poco, sistemate nuove panchine e ripulito il lungofiume sull'Alabama. Si respirava aria di opulenza.

All'ufficio turistico presi alcuni opuscoli esplicativi sulla città, persino uno che illustrava le magnificenze delle tradizioni nere. Mi intenerii. Non avevo visto, neppure lontanamente, nulla di così encomiabile nei riguardi dei neri, nel Mississippi. Inoltre, in quest'area, pareva che le relazioni tra bianchi e neri fossero splendide. Chiacchieravano alla fermata dell'autobus, un'infermiera bianca e una nera viaggiavano sulla stessa auto come delle vecchie amiche. Insomma, un'atmosfera rilassata, non come nel Mississippi.

Guidai attraverso una campagna aperta e dolce: ancora campi di cotone, ma per lo più pascoli, distese verdi e luminose. Nel tardo pomeriggio, quasi sera, raggiunsi Tuskegee, sede dell'istituto Tuskegee. Fondato da Booker T. Washington e ingrandito da George Washington Carver, è considerato il migliore college per neri ed è situato anche nella contea più povera degli Stati Uniti. L'ottantadue per cento della popolazione è nera. Più della metà della popolazione ha un reddito inferiore a quello che è considerato il livello di povertà. Quasi un terzo delle case non è dotato di acqua corrente. È un'area veramente depressa. Io provengo da una zona dove si è poveri se non si può comperare il frigorifero con il dispositivo per il ghiaccio tritato o se l'auto non ha i vetri automatici. Non avere l'acqua in casa è al di là della realtà immaginabile per la maggioranza degli americani.

La caratteristica più sorprendente di Tuskegee è che si vedono solo neri. Topograficamente parlando, ha l'aspetto di tutte le cittadine americane. Ma è povera. Un mucchio di negozi con le vetrine sbarrate, un'aria di generale abbandono. Tutte le persone nelle macchine, tutti i passanti, tutti gli esercenti, tutti i vigili del fuoco, tutti i postini, tutti, insomma, erano neri. Eccetto io. Non me ne ero mai reso conto in modo così lapalissiano. Riuscii di colpo a capire come doveva sentirsi un nero nel North Dakota. Mi fermai in un Burger King per una tazza di caffè. C'erano circa cinquanta persone. Ero l'unico a non essere nero, ma nessuno sembrava farci caso. Fu una sensazione strana e fui preso da una sorta di sollievo, devo dire, quando uscii per ritornare all'auto.

Mi diressi verso Auburn, 35 chilometri a nord-est. Anche Auburn è una città universitaria, più o meno delle stesse dimensioni di Tuskegee, ma di uno stridente contrasto. Gli studenti a Auburn sono bianchi e ricchi. Appena giunto, scorsi una bionda che sfrecciava in una copia di una Duesenberg, scherzo che doveva essere costato al suo paparino almeno 25.000 dollari. Un presentino per la maturità. Se la mia auto fosse stata sufficientemente veloce da stare al passo con quella, le avrei fatto volentieri la pipì sulla portiera. Pensando alla povertà di Tuskegee, a un tiro di schioppo, provai uno strano senso di vergogna.

Comunque Auburn ha l'aria di una città carina. Le città universitarie mi sono sempre piaciute. Sono luoghi che riescono a coniugare i benefici della vita tranquilla di una piccola città con il tocco sofisticato delle metropoli. Bei ristoranti, bei bar, bei negozi, per lo più alla moda, nell'insieme un'aria mondana. Senza tralasciare la frizzante sensazione di essere circondati da ventimila giovani che stanno vivendo gli anni migliori della loro vita.

Ai miei tempi le aspirazioni erano: sesso, canne, bagordi e studio. Quando le prime tre venivano a mancare allora, se non altro, si studiava. Oggigiorno le principali preoccupazioni dei giovani universitari americani sembrano essere il sesso e l'abbigliamento: lo studio non rientra più di tanto nelle loro prospettive. Proprio in quei giorni l'America lanciava un grido di allarme sull'ignoranza che sembrava aver contagiato la maggior parte dei giovani americani. Un'indagine condotta dalla National Endowment for the Humanities[8] aveva come principale obiettivo quello di verificare le conoscenze di cultura generale nelle classi terminali della scuola superiore.

[8] Fondazione Nazionale degli Studi Umanistici [*N.d.T.*].

A ottomila studenti fu somministrata una serie di test; risultò che avevano un cervello di gallina. Oltre i due terzi non sapeva quando aveva avuto luogo la Guerra Civile, neppure chi fosse Stalin o Churchill, e neppure l'autore dei *Racconti di Canterbury*. La metà pensava che la Prima Guerra Mondiale fosse iniziata prima del 1900. Un terzo credeva che Roosevelt fosse Presidente mentre era in corso la guerra del Vietnam, e che Colombo fosse approdato in America dopo il 1750. Il quarantadue per cento – questa è la chicca che preferisco – non era in grado di nominare neppure una delle nazioni asiatiche.

Non avrei mai creduto ai dati se l'estate precedente non avessi accompagnato due ragazze americane a fare un giro nel Dorset – ragazze intelligenti, oggi entrambe iscritte in una delle università più prestigiose – e nessuna delle due aveva la più pallida idea di chi fosse Thomas Hardy. Come è possibile arrivare alla tenera età di diciotto anni e non aver sentito, neppure una volta, nominare Thomas Hardy?

Non riuscivo a capacitarmene, e mi venne il sospetto che, se avessi passato un'intera settimana a Auburn a baciare le chiappe di chi ha sentito parlare di Thomas Hardy, avrei potuto avere le labbra ancora vergini. Forse è un commento un po' spinto e ingiustificato. Per quanto ne so, Auburn potrebbe essere il Centro Mondiale di Studi su Thomas Hardy. Ma, quello che so, è che non ho trovato una sola libreria decente! Come è possibile una città universitaria senza una libreria passabile? Veramente una libreria c'era, ma vendeva solo manuali, un vasto assortimento di felpe con scritte per analfabeti, animali di peluche e una valanga di accessori con il marchio dell'università di Auburn.

La maggior parte delle università americane come Auburn hanno oltre ventimila studenti, con un numero di cattedratici e aggregati che va da ottocento a mille. Come è possibile che una comunità, con un numero così elevato di persone erudite, non sia in grado di organizzare una libreria decorosa? Se io fossi la National Endowment for the Humanities mi chiederei come mai studenti della scuola superiore abbiano così miseramente fallito un test di cultura generale.

Per inciso, ve lo dico io il perché! Rispondono alle domande troppo velocemente, senza pensare, per poter dormire tra un test e l'altro. Noi lo facevamo sempre. Una volta all'anno, nella scuola superiore, il preside, Mr. Toerag, ci metteva tutti nell'aula magna e ci faceva passare la giornata a rispondere a una serie di test, quelli a scelta multipla (test chiusi), con domande pedanti, simili a quelle dell'esame nazionale finale. Era lampante che se mettevi a caso le crocette nei quadratini, potevi finire il test in un lampo, chiudere gli occhi e, in attesa del secondo test, lasciarti andare a erotismi onirici. Fintanto che lasciavi la penna sul banco e non russavi Mr. Toerag, il cui compito era quello di passeggiare avanti e indietro affinché non si scopiazzasse, ti lasciava in pace. Ecco cosa faceva Mr. Toerag per guadagnarsi il pane; andava tutto il giorno avanti e indietro per beccare chi si comportava male. Me lo immaginavo tra le quattro mura domestiche, la sera, alle spalle della moglie, mentre la batteva con un righello sulle dita ogniqualvolta stava scomposta. Vivere con lui doveva essere un inferno. Il suo nome non era, in verità, Mr. Toerag, naturalmente. Era Mr. Testadicazzo.

8

Guidai, la mattina presto di una giornata soleggiata. La strada di quando in quando si immergeva in una densa foresta di pini e si srotolava attraverso una serie di villette da vacanza sparse nei boschi. Atlanta distava solamente un'ora d'auto sulla Highway, verso nord, e le persone che guidavano chiaramente cercavano di arrivarvi il più presto possibile. Passai attraverso una piccola città chiamata Pine Mountain, che sembrava possedere tutte le caratteristiche necessarie per essere ritenuta una vera e propria località turistica. Attraente, aveva dei bei negozi. La sola cosa che mancava era la montagna. Naturalmente questo creava qualche problema, considerato il nome. Di proposito avevo scelto questo itinerario, perché Pine Mountain suggeriva, a una mentalità sempliciotta come la mia, la visione di un posto con l'aria tersa, crepacci profondi, foreste profumate e ruscelli serpeggianti. Il tipo di luogo dove si potrebbe incocciare in John-Boy Walton. Eppure, chi può biasimare i nativi se edulcorano un poco la verità per riuscire ad accaparrarsi qualche dollaro? Ci si può aspettare che delle persone guidino per miglia e miglia per visitare un posto chiamato Pine-Piatta?

Il paesaggio rurale divenne gradualmente più collinoso, ma di crepacci nemmeno l'ombra, prima che la strada scendesse dolcemente verso Warm Springs. Per anni avevo sentito la voglia pazza di andarci. Non so neppure io il perché. Non sapevo niente del posto, eccetto che vi era morto Franklin Roosevelt. Nel Palazzo del *Tribune* a Des Moines, nel corridoio principale, erano esposte le prime storiche testate, che avevo trovato straordinariamente affascinanti quando ero piccolo. Una di queste riportava: 'Il Presidente Roosevelt si è spento a Warm Springs', e pensai anche che poteva essere un luogo carino per morire.

Come prevedevo, Warm Springs era un bel posto. C'era solo una strada principale con un vecchio hotel da una parte e una fila di negozi dirimpetto, ma erano stati restaurati e trasformati in boutique costose e in negozi di souvenir per i turisti che venivano da Atlanta. Si vedeva lontano un miglio che era tutto artificioso – ovunque, anche all'aperto, filodiffusione, vi piace? – A me molto.

Mi recai a Little White House, tre chilometri fuori città. Il parcheggio era quasi vuoto a eccezione di un vecchio autobus, che stava sbarcando un gruppo di anziani della Chiesa Battista Calvary che venivano da un posto tipo Firecracker[1], Georgia; o Bareassed[2], Alabama.

I vecchietti erano rumorosi ed eccitati come scolaretti, e mi passarono avanti alla biglietteria, non accorgendosi che non avrei esitato a prenderli a gomitate, specialmente perché Battisti. Sorrisi, invece, benignamente e mi trattenni, confortato dal pensiero che ben presto sarebbero passati a miglior vita.

Comprato il biglietto, in men che non si dica sorpassai i vecchietti sul sentiero che portava alla collinetta dove riposava Roosevelt. Il sentiero passava attraverso un bosco di alti alberi di pino che sembravano toccare il cielo così da impedire ai raggi del sole di filtrare, per cui sotto i pini non cresceva nulla, proprio come se fosse stato appena spazzato. Lungo il sentiero vi erano allineati dei grossi massi: ognuno proveniva da uno stato diverso. A ogni governatore era stato, evidentemente, chiesto di dare il proprio contributo con un masso originario dello stato, ed eccoli lì, allineati come guardie d'onore. E non è facile che un'idea così stupida porti dei vantaggi.

Molti erano stati tagliati in modo da assumere la forma dello stato di provenienza; quindi passati con una mano di vernice lucida, e infine incisi. Altri, non conformi allo spirito dell'iniziativa, erano semplicemente grezzi, con una semplice placca del tipo DELAWARE. GRANITO. Il contributo dell'Iowa, che non deluse le mie aspettative, era stato accuratamente molato. La pietra era stata tagliata in modo da assumere la forma dello stato; il lavoro, ovviamente, doveva essere stato eseguito da qualcuno che non aveva mai tentato, prima, un lavoro del genere. Immagino che, avendo presentato l'offerta più bassa, costui si sarà ritrovato, con sua grande sorpresa, a vincere l'appalto. Se non altro, lo stato aveva

[1] Petardo [*N.d.T.*].
[2] Culonudo [*N.d.T.*].

trovato un sasso da mandare! Mi venne, persino, il sospetto che fosse stato inviato un ammasso compresso di immondizia.

Oltre a questa inusitata distrazione c'era un bungalow bianco, che, prima, era stato una casa e in seguito venne trasformato in museo. Per non tradire la tradizione americana in questo genere di iniziative era ben tenuto e interessante. Fotografie di Roosevelt a Warm Springs decoravano i muri e molti dei suoi effetti personali erano disposti in teche – la sua sedia a rotelle, le grucce, alcuni apparecchi ortopedici e altri oggetti del genere. Alcuni erano molto sofisticati e potevano far sorgere un certo interesse morboso, anche perché Roosevelt era sempre stato molto attento affinché non si vedesse mai quanto fosse handicappato. Qui invece lo si vedeva messo a nudo, per modo di dire. Fui particolarmente attratto da una stanza dove erano esposti i regali, tutti eseguiti a mano, che gli erano stati donati quando era Presidente e che, probabilmente, erano stati tutti accumulati in un armadio. Si possono ammirare una valanga di bastoni da passeggio intagliati, mappe dell'America fatte con la scorza degli alberi, ritratti di Roosevelt su zanne di tricheco. Ma ciò che lasciava di stucco era la fattura dei lavori. Ognuno era il frutto di centinaia di ore di delicati intarsi e di levigature faticosissime, e tutto ciò in dono a un estraneo per il quale sarebbe stato solamente un oggetto in più, in quell'enorme quantità di regali personalizzati. Fui talmente assorbito da questi regali che a mala pena notai quando i vecchietti cominciarono a entrare. Ansimanti, ma non per questo meno vivaci. Una signora, con i capelli d'una tinta bluette, si spinse davanti a me per osservare più da vicino una di queste vetrine. Mi guardò di sottecchi e disse: "Sono una persona anziana. Posso andare dove voglio". Poi, mi scaricò dalla sua mente, e urlò: "Senti Hazel, lo sai che sei nata lo stesso giorno in cui è nata Eleonor Roosevelt?".

"Davvero?", rispose una voce grata, dalla stanza accanto.

"Io, invece, sono nata il medesimo giorno in cui è nato Eisenhower", continuò la signora con i capelli bluette, ancora ad alta voce, consolidando la sua posizione davanti a me spintonandomi con i suoi fianchi prosperosi. "Un mio cugino è nato lo stesso giorno di Harry Truman."

Per un momento mi brillò l'idea di prendere la signora per le orecchie e darle una ginocchiata, ma invece passai nella stanza accanto dove trovai l'entrata a una piccola sala cinematografica:

proiettavano una serie di gracchianti pellicole in bianco e nero che facevano rivivere i sacrifici di Roosevelt per superare la distrofia provocata dalla polio e i suoi lunghi soggiorni a Warm Springs per ridare vita ai suoi arti paralitici che egli trattava come anchilosati. Anche questo era straordinario. Scritto e narrato da un corrispondente dell' U.P.I.[3], il filmato era commovente senza peraltro essere compassionevole e pietistico. Film muti con i loro movimenti veloci e a scatti, come se tutti i protagonisti stessero seguendo le indicazioni di un regista nascosto che intima loro di muoversi in fretta. Questi film muti mi procurarono la stessa curiosità morbosa delle stampelle. Poi, si passava alla visita della Little White House. Mi precipitai prima di essere raggiunto e prima di dovere dividere l'esperienza con i vecchietti. Si segue un sentiero che attraversa un altro boschetto di pini e corre dietro a una garitta bianca. Mai avrei pensato che la casa fosse così piccola! Un minuscolo cottage bianco tra gli alberi: cinque piccole stanze, tutte a pianterreno, rivestite di legno scuro. Possibile che questa possa essere stata la residenza di un Presidente, e in particolare di uno ricco come Roosevelt? Possedeva, peraltro, la maggior parte della campagna circostante, incluso l'hotel sulla strada principale, parecchi cottage, e le stesse sorgenti termali. Tuttavia la compattezza del cottage lo rendeva intimo e affascinante. Sembrava ancora abitato. Mentre lo visitavo avrei voluto che fosse mio, anche se ciò significava arrivare fino in Georgia per godermelo! In ogni camera c'era un piccolo commento registrato sul lavoro di Roosevelt e sulle cure intraprese al cottage. Quello che il commento evitava di dire era che Roosevelt veniva qui per fare, in questo luogo rustico, un po' di ginnastica da letto con la segretaria, Lucy Mercer. La stanza da letto della segretaria era situata su di un lato del soggiorno, quella del Presidente sul lato opposto. Il commento non faceva notare che la camera da letto di Eleonor si affacciava sul retro ed era decisamente meno bella di quella della segretaria; e che la maggior parte delle volte era usata come stanza per gli ospiti, in quanto Eleonor veniva raramente in questa casa.

A Warm Springs feci alcuni chilometri fuori dal percorso indicato e presi la strada panoramica verso Macon, anche se in realtà non era molto panoramica. Non che fosse particolarmente banale, è che di panorama ce n'era ben poco! Mi sorse il dubbio che le

[3] Stampa Unita Internazionale. [*N.d.T.*].

strade panoramiche segnate sulla mia carta stradale fossero state in qualche modo evidenziate a caso. Mi immaginai un tizio, mai stato a sud di Jersey City, che, seduto in un ufficio a New York, diceva: "Warm Springs? Da Warm Springs a Macon? Ah, ah... mi dà l'impressione di un bel posto". E allora, con la lingua penzoloni da un lato della bocca, segnava attentamente con un pennarello arancione una serie di trattini (nella cartografia americana si indica così una strada panoramica).

Macon è carina. Tutte le città del sud sono carine. Mi fermai in una banca a prendere dei soldi e mi servì una signora che proveniva da Great Yarmouth, il che regalò a entrambi alcuni attimi di emozione. Poi continuai verso l'Otis Redding Memorial Bridge. C'è la moda in molte parti dell'America, particolarmente nel sud, di dare alle costruzioni, di qualsiasi genere, il nome di qualche personaggio locale – il Sylvester C. Grubb Memorial Bridge, il Chester Ovary Levee, o qualcosa del genere. A me pare una pratica piuttosto strampalata. Immaginatevi uno che lavora sodo tutta una vita per arrivare al successo passando la maggior parte della giornata dimenticando la famiglia, pugnalando la gente alle spalle, sapendo di essere considerato una cacca da chiunque lo avvicini, tutto questo per avere il suo nome su un ponte che passa su un fiume dimenticato da Dio e dagli uomini. Mi sembra un po' strano. Meno male che almeno questo ponte portava il nome di un tipo di cui avevo sentito parlare!

Mi diressi a est verso Savannah, percorrendo la Interstate 16. Dovevo guidare per 280 chilometri di tedio indicibile attraverso la pianura rossastra della Georgia. Mi ci vollero ben cinque ore, soffocanti e per nulla gratificanti per giungere a destinazione. Mentre a voi, fortunati lettori, basterà un solo battito di ciglia per passare al prossimo paragrafo.

A Savannah rimasi incantato dalla piazza: Lafayette Square con i suoi sentieri pavimentati di mattoni, le fontane zampillanti e gli alberi verde scuro carichi di bromeliacee. Davanti a me s'innalzava una cattedrale di squisita fattura, e di un bianco abbagliante, con due guglie gotiche. Intorno alla piazza c'erano case d'epoca di duecento anni con le facciate di mattoni segnati dal tempo e le imposte ancora ben tenute. Non credevo che esistesse tale perfezione in America! C'erano venti piazze simili a questa, a Savannah, fresche e tranquille, riparate da alberi secolari e strade secondarie lunghe e diritte, anch'esse ombrose e tranquille. Succede solamente quando si esce all'improvviso da questa foresta tropicale urbana per immergersi nelle strade spaziose, ma nude, della città moderna esposte al chiarore e alla calura dei raggi del sole a picco, che si capisce quanto afoso possa essere il sud. Eppure era ottobre, il tempo delle camicie di flanella e dei caldi giacconi di lana nell'Iowa, mentre qui l'estate si prolungava. Erano soltanto le otto del mattino e già gli uomini d'affari si allentavano le cravatte e si asciugavano la fronte. Cosa sarà mai in agosto! Ogni negozio o ristorante ha l'aria condizionata, ci entri e il sudore ti si congela sulle braccia, esci e t'immergi in un'afa spiacevole e umida come il fiato di un cane. Solo nelle piazze il clima raggiunge una sorta di piacevole equilibrio.

Savannah è una città seducente. Vagai per ore senza nemmeno rendermene conto. Vi sono più di un migliaio di edifici storici, molti dei quali ancora abitati. A eccezione di New York, questa è l'unica città americana che io abbia visitato dove si vive ancora in centro. Che differenza! Com'è animata e palpitante! Ci sono bambini che giocano a pallone in mezzo alla via o che saltano alla corda nel patio. Vagai per le strade acciottolate della Oglethorpe Avenue al Colonial Park Cemetery, pieno di statue monumentali e tombe di uomini famosi dello stato – come Archibald Bulloch, il primo presidente della Georgia, James Habersham, un importantissimo mercante e Button Gwinnett, noto in America perché fu uno dei firmatari della Dichiarazione di Indipendenza e uno dei nomi più assurdi nella storia coloniale. Gli abitanti di Savannah, per una svista, pare che abbiano perso il Button[4]. La lapide offre indicazioni confuse sul luogo esatto della sepoltura, quindi avrebbe potuto essere sepolto ovunque.

L'area commerciale di Savannah si è fermata al 1959 – da allora il grande magazzino Woolworth non aveva rinnovato le scorte. C'era un cinematografo, il Weis's, carino, ma sorpassato e per di più chiuso. In America le sale cinematografiche in centro sono un po' fuori moda, malauguratamente! Sui giornali il cinema americano appare superattraente, ma, ora, hanno collocato i cinematografi nei grandi centri commerciali dei sobborghi, per cui c'è un'ampia scelta di film, una dozzina, purtroppo proiettati in sale grandi come un guscio di noce e senza il minimo comfort. Pensate che non c'è neppure la galleria! Ve lo immaginate? Che sala è se

[4] Gioco di parole tra Button e button che significa bottone. [n.d.t.]

non c'è la galleria? Per me andare al cinema vuol dire sedersi nella prima fila della galleria, mettere i piedi sulla balaustra, far cadere sulle teste di quelli in platea le carte delle caramelle (durante le scene d'amore più tediose far sgocciolare giù la Coca Cola!), e tirare Nibs (gommose) verso lo schermo. Le Nibs, molto popolari negli anni Cinquanta, erano dei dolcetti gommosi al sapore di liquerizia che si diceva fossero fatti con la gomma avanzata dalla guerra di Corea. Erano praticamente immangiabili, ma, se li succhiavi un po' e li tiravi a mo' di pallini sullo schermo, producevano un suono *pock* inconfondibile. Era tradizione, il sabato pomeriggio, prendere l'autobus per il centro, andare all'Orpheum, comperare una scatola di Nibs e bombardare lo schermo per tutto il pomeriggio!

Bisognava stare accorti, perché far fesso il direttore della sala non era facile! Aveva reclutato delle maschere spietate, gente espulsa dall'Istituto Tecnico, il cui unico dispiacere era di non essere nati nella Germania di Hitler. Costoro pattugliavano la platea e la galleria con potenti pile per scovare i ragazzini che facevano le marachelle. Un paio di volte durante la proiezione riuscivano, inondandolo con un fascio di luce, a cogliere in fallo il malcapitato ragazzino, il quale, abbandonato il proprio sedile, stava in posizione d'attacco con una Nibs semimanducata in mano. Allora si precipitavano a dargli una lezione. Lo trascinavano fuori tra urla strazianti. Grazie a Dio non capitò mai né a me né ai miei amici. Ci immaginavamo che le vittime subissero le più orrende torture con strumenti elettrici prima di essere condotti alla polizia, per essere, poi, sottoposti al lavaggio del cervello e a un lungo periodo di reclusione in riformatorio. Quelli sì che erano bei tempi! Non c'è paragone! Come si può pensare di creare l'incanto e lo spirito d'avventura, che si prova in un grande cinema del centro, con una di quelle sale nei centri commerciali, grandi come una scatola da scarpe e con uno schermo piccolo come un francobollo? Nessuno sembra averci mai pensato! Credo che la nostra sia l'ultima generazione per la quale l'andare al cinema significava magia.

Immerso in questi pensieri melanconici camminai per Water Street, il moderno lungofiume che costeggia il Savannah River. Il fiume era scuro e maleodorante, anche la riva opposta, nel South Carolina, non offriva niente di interessante, se non magazzini di stoccaggio e, più in giù, industrie che dispensavano nuvole di smog. I magazzini di stoccaggio del cotone, lungo il fiume Savannah, erano, comunque, degli splendidi resti di archeologia industriale. Ristrutturati come in origine: il piano terreno era pieno di locali per la degustazione delle ostriche e boutique, mentre i piani superiori erano un poco più dimessi, con quell'aria di genuinità che avevo cercato sin da Hannibal. Alcuni negozi erano più chic, devo ammetterlo. Uno era chiamato 'Il più intelligente negozio della città' il che mi fece venire la voglia di avere 'il più veloce rigurgito della contea'. Il cartello sulla porta intimava: ASSOTALUMENTE, IN MODO NESSUN, PORTARE CIBO E BEVANDE NEL NEGOZIO. Il sangue mi si trasformò in acqua e ringraziai il Signore di non dovere far conoscenza con il proprietario! Malauguratamente il negozio era chiuso, così non riuscii a scoprire cosa ci fosse di tanto intelligente!

Alla fine della strada è situato il nuovo e grande hotel Hyatt Regency, una visione deprimente. Costruito in cemento massiccio, apparteneva alla corrente di architettura americana 'Delcazzo', tanto amata dalle grandi catene alberghiere. In tutta la struttura architettonica non c'era un motivo che si inserisse armoniosamente nel contesto che lo circondava. Pareva dire: "Fottiti, Savannah". La città fa di tutto per adeguarsi a questa espressione. Ogni due o tre isolati, infatti, si vedono costruzioni che non c'entrano nulla – il De Soto Hilton, il Ramada Inn, il Best Western – tutti attraenti quanto uno sputo su una fetta di torta, come dicono qui in Georgia! In verità non è un modo di dire locale. Me lo sono inventato, ma va a pennello per il sud, non vi pare? Stavo quasi per averne le tasche piene di alberghi che offendevano il mio buon gusto quando all'improvviso fui attratto da un manovale che lavorava davanti al tribunale, una enorme costruzione sormontata da una cupola dorata. Aveva un aspira-foglie con un tubo che si insinuava come un serpente nel palazzo retrostante. Non avevo mai visto una cosa simile. Pareva un aspirapolvere – in realtà sembrava un aggeggio dei marziani del film *Venuto dallo spazio*. Faceva un rumore infernale. Presumo che l'idea fosse quella di raccogliere tutte le foglie in un covone. Ma ogniqualvolta l'uomo riusciva a raccattarne una certa quantità, una folata di vento gliele sparpagliava in giro di nuovo. Per cui doveva rincorrere, con l'attrezzo in mano, le foglie una a una, lungo tutto il caseggiato. Non appena le foglie erano state racimolate in un mucchio, ecco che si divertivano a volar via. Era sicuramente uno di quegli attrezzi utili e indispensabili quando li vedi nel catalogo, ma che nel mondo reale sono inutili! Che fosse uno di quei prodotti propagandati dalla Zwingle Company?

Lasciai Savannah passando per il Herman Talmadge Memorial Bridge, una struttura in ferro molto alta che ti permette di vedere il fiume Savannah a volo d'uccello e di farti approdare nel South Carolina. Mi incaponii a percorrere una strada che sulla cartina avrebbe dovuto srotolarsi in curve lungo il fiume, mentre in realtà si srotolò in curve nell'entroterra. Questa parte del fiume è costellata di isolette, insenature, promontori e spiagge sabbiose con dune, ma riuscii a vedere ben poco, di quel paesaggio. La strada è stretta e lenta. In estate per migliaia di turisti deve essere un inferno raggiungere le spiagge e le località di vacanza: Tybee Island, Hilton Head, Laurel Bay, Fripp Island.

Fu solo quando raggiunsi Beaufort (pronuncia Biu-furt) che riuscii a vedere il mare, come si comanda! Passata una curva rimasi senza fiato! Una baia, liscia come l'olio, uno specchio: lo stesso colore del cielo, costellata di barche e canneti. Secondo la mia Guida *Mobil* le tre fonti principali di ricchezza sono: il turismo, la marina e i pensionati. Tremendo, vero? In verità Beaufort è bella, con molte ville e un quartiere commerciale antiquato. Parcheggiai in Bay Street, la strada principale della città, e mi meravigliai che il parchimetro a monete richiedesse solo cinque centesimi. Credo che sia l'unica cosa che si possa comperare in America oggigiorno con un nichel: una mezz'ora di pace e tranquillità, Beaufort, South Carolina. Mi diressi verso un piccolo parco e il porto turistico, che dall'aspetto doveva essere stato costruito da poco. Era solo la quarta volta che vedevo l'Atlantico da questo punto. Chi viene dal Midwest non ha molta dimestichezza con l'oceano. Il parco era pieno di cartelli che vietavano di divertirti e di fare il bricconcello. Ce n'erano a migliaia: VIETATO NUOTARE, VIETATO IMMERGERSI DALLA PARTE DEL MOLO. VIETATO ATTRAVERSARE IL PARCO IN BICICLETTA. VIETATO TAGLIARE O DANNEGGIARE LA FLORA. VIETATO PORTARE BIRRA, VINO O ALCOLICI DI TUTTI I GENERI NEI PARCHI CITTADINI SENZA UNO SPECIALE PERMESSO RILASCIATO DALLE AUTORITÀ. I TRASGRESSORI SARANNO PUNITI A NORMA DI LEGGE. Non so chi sia quel mini-Stalin che governa la città, ma non ho mai visto un luogo così ufficialmente inospitale. Mi seccai così tanto che me ne volli andare subito, il che fu un peccato perché mi erano rimasti ancora dodici minuti di sosta nel parchimetro.

Ciò premesso, arrivai a Charleston con dodici minuti di anticipo, rispetto alla tabella di marcia! Pensavo che Savannah fosse la città più attraente dell'America, ma quando vidi Charleston la scalai al secondo posto. Sopra il porto la città si abbarbica su di un promontorio tondo, pieno di bellissime ville, allineate su viali alberati, come tanti libri accatastati su di un ripiano della libreria. Belle rifiniture vittoriane, che sembrano un pizzo; alcune ville sono bianche con le persiane nere, quasi tutte sono alte almeno tre piani e davvero imponenti – per di più si affacciano tutte sulla strada, non hanno alcun cortile, anche se ovunque c'erano giardinieri vietnamiti che curavano attentamente dei piccoli fazzoletti di terra – i bambini giocavano per la strada mentre le donne, tutte bianche, tutte ricche, tutte giovani pettegolavano sulla soglia. Non è una visione tipicamente americana. I ragazzini ricchi in America non giocano per strada, non se ne vede la necessità. Passano il tempo sui bordi della piscina, oppure si fanno di nascosto le canne in quei rifugi da tremila dollari, in cima agli alberi, che il paparino ha regalato loro per il nono compleanno. E le madri, quando vogliono fare due chiacchiere, s'attaccano al telefono oppure saltano in auto e fanno cento metri con la loro station-wagon con l'aria condizionata per andare dalla vicina. Mi vien da pensare a come le auto, e le aree residenziali suburbane – compreso il benessere indiscriminato – abbiano rovinato l'America. A Charleston si respira lo stesso spirito di Napoli, con in più la ricchezza e lo stile di una grande città americana. Ero incantato. Passai tutto il pomeriggio a camminare su e giù per quelle strade tranquille, ammirando segretamente queste persone incredibilmente felici, di bell'aspetto, con le loro bellissime case, la loro ricchezza, le loro vite perfette.

Il promontorio finiva in una spianata adibita a parco, dove i bambini venivano cullati nei passeggini, dove giovani coppie passeggiavano mano nella mano e dove, di quando in quando, si scorgevano, nei chiaroscuri della luce filtrata dalle frondose magnolie, i fresbee volare. Ovunque si leggeva giovinezza, bellezza ed eleganza. Come nella pubblicità della Pepsi. Oltre il parco, un largo sentiero lastricato conduceva al porto, ampio, scintillante e verde. Mi sporsi. L'acqua accarezzava le pietre e si sentiva odore di salmastro. In lontananza, a circa 3 chilometri, si vedeva l'isola di Fort Sumter, dove era iniziata la guerra civile. Il sentiero era pieno di ciclisti e maratoneti sudati, che facevano lo slalom tra i pedoni. Feci dietrofront e tornai all'auto. Il sole mi riscaldava la schiena. Ebbi la vaga sensazione che, dopo questa visione perfetta, nel futuro avrei dovuto accontentarmi di cose più banali.

9

Per fare in fretta presi l'Interstate 26, che per 340 chilometri taglia in diagonale il South Carolina, attraverso un paesaggio di assonnati campi di tabacco e un terreno color salmone. Sempre secondo la mia *Guida Mobil* non ero più negli stati del profondo sud, ma in quelli del Centro Atlantico. Eppure persisteva la luce e il caldo del sud e le persone che incontravo nei caffè e nelle stazioni di servizio lungo la strada avevano l'accento del sud. Anche gli annunciatori della radio avevano la parlata del sud, anche se più come atteggiamento che come accento. Secondo un giornale radio, la polizia di Spartanburg cercava due neri che "avevano violentato una ragazza bianca". Una notizia così la si sente solo nel sud.

Mentre mi avvicinavo a Colombia, i bordi della strada cominciavano a riempirsi di cartelli che propagandavano motel e self-service. Non erano più i bei cartelloni della mia fanciullezza, con le immagini allettanti delle mucche tridimensionali. Questi erano squallidi e poco invitanti, posti in alto su strutture in ferro. I messaggi erano banali. Non suggerivano niente di eccitante o seducente. I vecchi cartelloni ti entusiasmavano: MENTRE SEI A COLOMBIA PERCHÉ NON DECIDI DI PASSARE UNA NOTTE AL MOTEL SKYLINERMOTOR INN. DA NOI TROVERAI I NOVISSIMI LETTI MASSAGGIATORI. TI PIACERANNO UN SACCO. PREZZI SPECIALI PER BAMBINI. TV E ARIA CONDIZIONATA IN OGNI CAMERA. GHIACCIO GRATUITO. VASTO PARCHEGGIO. SI ACCETTANO ANIMALI. ABBUFFATEVI AL NOSTRO BUFFET GRATUITO OGNI MARTEDÌ DALLE CINQUE ALLE SETTE. SERATE DANZANTI CON L'ORCHESTRA VERNON STURGES GUITAR NELLA SALA STARLITE. (I NEGRI NON SONO BENVENUTI.) I vecchi cartelloni erano come delle enormi cartoline, con una valanga di informazioni utili. Ti veniva voglia di leggerli, di fare un pensierino sul cibo, e inoltre ti davano un'idea della cultura locale. Da allora la capacità di attrarre l'attenzione è diminuita. Oggigiorno i cartelloni indicano solamente il nome e il modo per arrivarci. Compaiono chilometri e chilometri in anticipo: HOLIDAY INN, USCITA 26 E, 6 CHILOMETRI. Alcune volte le istruzioni sono più complesse, per esempio: BURGER KING 50 CHILOMETRI, USCITA 17 B 8 CHILOMETRI VERSO U.S. 49 SUD, GIRATE A DESTRA AL SEMAFORO, POI OLTREPASSATO L'AEROPORTO ANCORA 4 CHILOMETRI VERSO OVEST. Chi si prende la briga di fare tanta fatica per un hamburger? Eppure i cartelloni sono efficaci. Quando si guida in uno stato di abbandono e si sentono i morsi della fame; quando stai per svenire perché mancano gli zuccheri e appare un cartello tipo MCDONALD'S PROSSIMA USCITA, certo che viene istintivo svirgolare verso la rampa e seguire le indicazioni. Quante volte, in queste settimane di viaggio, mi sono ritrovato seduto attorno a un tavolo di plastica con un vassoio di cibo che non desideravo, o che non avevo il tempo di ingurgitare, solamente perché avevo seguito le indicazioni.

Al confine con il North Carolina il paesaggio scialbo improvvisamente svanì. Fu sostituito da uno scenario ondulato, stracolmo di boschetti di lauro, rododendri e palmeti. Ogni volta che si arrivava in cima a una collina, davanti agli occhi del guidatore si apriva, avvolta in una nebbiolina, la visione delle Blue Ridge Mountains, una parte della catena degli Appalachi. Gli Appalachi si stendono per 3400 chilometri dall'Alabama al Canada, ai primordi dovevano essere più alti dell'Himalaia (l'ho letto in un libro di curiosità e sono anni che aspetto di utilizzare questa informazione!) sebbene ora siano più bassi e arrotondati, più seducenti che paurosi. La catena prende nomi diversi, gli Adirondack, i Pocono, i Catskill, gli Allegheny. Mi stavo dirigendo verso gli Smoky, ma avevo intenzione di fare una sosta *en route* al Biltmore Estate, appena fuori Ashville, North Carolina. Biltmore fu costruito da George Vanderbilt nel 1895 ed era una fra le più grandi case mai costruite in America: 255 stanze all'interno di un colosso di pietra che voleva imitare i castelli della Loira, su un appezzamento di oltre 10.000 acri. Quando si arriva a Biltmore si è costretti a parcheggiare l'auto, entrare dal cancello del parco e comperare il biglietto d'entrata. Trovai la procedura un po' curiosa, finché non entrai. Scoprii che un pomeriggio allegro in quel luogo mi sarebbe costato un patrimonio. I cartelli con i prezzi dell'ingresso sono praticamente invisibili ma, a giudicare dal volto terreo della gente che si allontanava barcollando dopo aver acquistato il biglietto, doveva essere un salasso. Non mi lasciai scoraggiare e quando venne il mio turno una donna dall'aspetto decisamente sgradevole mi disse che il biglietto costava 17.50 dollari per gli adulti e 13 dollari per i bambini. *"Diciassette dollari e cinquanta?"*, sbottai. "Cos'è incluso, cena e spettacolo?"

La donna, probabilmente abituata alle crisi isteriche di chi le passava davanti, non fece una piega. Con voce monotona aggiunse: "Il biglietto include l'entrata alla casa Vanderbilt di cui 250 stanze sono aperte al pubblico. Per visitarle tutte le ci vorranno circa tre ore. Inoltre potrà visitare il giardino annesso, dove passerà ancora più o meno un'oretta. Potrà inoltre fruire di un giro audiovisivo guidato nell'enoteca, dove le verrà offerto un assaggio del nostro vino. Le raccomanderei, con un supplemento, un giro guidato della tenuta. Inoltre, se lo desidera, con una somma adeguata potrà godere delle prelibatezze del ristorante Deerpark, mentre se è squattrinato potrà accontentarsi della cafeteria Stable. Infine, potrà, sempre che lo ritenga opportuno, acquistare costosi souvenir presso il nostro Carriage House Gift Shop."

Non aveva ancora finito di parlare che già ero sulla statale in direzione delle Great Smoky Mountains, che grazie a Dio sono gratuite!

Feci una deviazione di 15 chilometri per passare una notte a Bryson City, modesto appagamento di un mio desiderio. È un piccolo luogo anonimo traboccante di motel e chioschi di specialità alla griglia, collocato lungo le rive di un fiume che scorre in una stretta vallata ai margini del parco nazionale Great Smoky Mountains. Non c'è ragione di recarsi in quel luogo a meno che il proprio nome non sia Bryson, e comunque anche in questo caso, devo proprio dirlo, non ti entusiasma. Presi alloggio al Bennett's Court Motel, un vecchio ma bell'albergo che pareva non avesse subito cambiamenti dal 1956, a eccezione di qualche spolveratina. Aveva l'aspetto di tutti i motel dell'epoca: alle camere si accedeva da una veranda che si affacciava su un prato con due alberi e una minuscola piscina che in quel periodo dell'anno non era piena d'acqua, ma solo di foglie marce e di qualche rana striminzita. A fianco di ogni porta era situata una poltrona in metallo con lo schienale sagomato. Vicino al passaggio una vecchia insegna al neon, che perdeva freon, diceva BENNETT'S COURT/ CAMERE LI-

BERE/ ARIA CONDIZIONATA/ PISCINA/ TV, tutto in verde e rosa sotto una tremolante freccia gialla. Quando ero piccolo tutti i motel avevano segnaletiche simili. Oggigiorno se ne vedono raramente, solo nelle piccole cittadine in capo al mondo. Bennett's Court potrebbe essere, senza ombra di dubbio, il motel di Amalgama-City.

Portai dentro il bagaglio, mi sdraiai sul letto per provarlo e accesi la tivù. Per non smentirsi apparve lo spot pubblicitario della Preparazione H, un unguento per le emorroidi. Il tono era raccapricciante. Non ricordo le parole esatte, ma più o meno faceva così: "Ehi, tu! Hai le emorroidi? Allora corri a comprare Preparazione H! Subito! Non scordartelo, cretino! E anche se non hai le emorroidi, compra Preparazione H lo stesso! Non si sa mai!" e poi un'altra voce fuori campo aggiungeva: "Ora disponibile al sapore di ciliegia". Essendo vissuto così tanto all'estero mi ero disabituato al martellamento pubblicitario, e ciò mi fece sentire fuori posto. Ero inoltre adirato per il modo in cui le televisioni americane saltano dagli spot pubblicitari al programma a velocità supersonica e senza alcun preavviso. Si è lì tranquilli e beati a godersi *Kojak*, tanto per dire, e sul più bello di una sparatoria, qualcuno inizia a pulire la tazza del bagno; si salta su, si urla: "Che diavolo ...", e solo allora si capisce che si tratta di uno spot pubblicitario. In realtà dura un'eternità, tanto che nel frattempo, in America, si può uscire a comprare le sigarette e la pizza, tornare e avere *ancora* il tempo di pulire la tazza del gabinetto prima che il programma riprenda.

La pubblicità della Preparazione H era appena terminata quando un micro-istante dopo, senza lasciare al telespettatore la possibilità di capire se voleva passare ad altro programma, sullo schermo apparve una platea che applaudiva e si sentì un rumore metallico di chitarre. Lo schermo era popolato di persone dai volti felici ma un po' microcefali. Era il *Grand Ole Opry*. Guardai la tivù per qualche minuto. Man mano che sentivo le loro cantilene e i loro scherzi, tutta quell'idiozia mi faceva venire il latte alle ginocchia. Una lobotomia visiva. Come quando si guarda un bambino giocare, e si pensa: "Chissà cosa diavolo passa in quella testolina?". Per farvene un'idea guardate per almeno cinque minuti *Grand Ole Opry*.

Pochi istanti dopo, un altro spot pubblicitario interruppe sgradevolmente il programma e questo mi riportò alla realtà. Spensi la TV e uscii in perlustrazione. C'era da vedere molto di più di quanto avessi pensato di primo acchito. Dietro il Swain

County Courthouse c'era un centro commerciale. Fui gratificato dal fatto che nelle insegne di ogni attività era incluso Bryson City: Bryson City Laundry, Bryson City Coal and Lumber, Bryson City Church of Christ, Bryson City Electronics, Bryson City Police Department, Bryson City Fire Department, Bryson City Post Office[1]. Cominciai a rendermi conto di come avrebbe reagito George Washington se fosse ancora in vita e se fosse portato nel Distretto di Colombia. Non so nulla su questo Bryson per il quale la città provava tanto rispetto, ma non avevo mai visto il mio nome usato tanto generosamente. Rimpiansi di non aver portato un piede di porco e una chiave inglese perché alcune insegne sarebbero state un bel trofeo. Quello per il quale persi la testa, e che mi sarebbe piaciuto appendere al cancello di casa mia in Inghilterra era BRYSON CITY CHURCH OF CHRIST[2] da affiancare ogni settimana con un messaggio diverso, del tipo PENTITEVI SUBITO, ALBIONI.

Non mi ci volle molto per perlustrare il centro di Bryson City e, prima ancora che me ne accorgessi, ero già sulla Highway in direzione Cherokee, città alla fine della vallata. Percorsi la strada per un bel tratto, ma non c'era nulla di interessante tranne un paio di stazioni di servizio abbandonate e fatiscenti chioschi di specialità alla griglia, non c'era neppure uno straccio di marciapiede, per cui le macchine che sfrecciavano mi passavano a un pelo e facevano sventolare in modo pazzesco i miei abiti. Lungo i bordi della strada c'erano cartelloni e messaggi, scritti a mano, di lode a Cristo: DAI UN SENSO ALLA TUA VITA – LODA GESÙ, DIO TI AMA, AMERICA, poi uno più enigmatico COSA SUCCEDERÀ SE MUORI DOMANI? (Bene, pensai, non ci sarebbero più state cambiali da pagare, tanto per cominciare!) Feci dietrofront e ritornai verso il centro. Erano solo le cinque e mezza del pomeriggio. Pareva che a Bryson City non esistessero i marciapiedi, ed ero sconcertato. Dalla collina vicino al fiume crepitante avvistai un supermercato A & P che sembrava aperto e mi ci infilai nella speranza di trovare qualcosa di meglio da fare. Mi piaceva vagabondare nei supermercati. Robert Swanson e io, quando avevamo circa dodici anni ed eravamo così odiosi che sarebbe stato meglio ammazzarci,

[1] Lavasecco Bryson City, Carbone e Legna Bryson City, Chiesa di Cristo Bryson City, Elettronica Bryson City, Dipartimento di Polizia Bryson City, Vigili del Fuoco Bryson City , Ufficio Postale Bryson City [*N.d.T.*].

[2] Chiesa di Cristo Bryson City [*N.d.T.*].

andavamo spesso al Supermercato Hinky-Dinky sulla Ingersoll Avenue di Des Moines, soprattutto durante l'estate perché c'era l'aria condizionata. Passavamo il tempo a fare delle marachelle di cui oggi mi vergogno parlare – allentavamo la chiusura dei sacchetti della farina per sbirciare le reazioni delle donne mentre li prendevano in mano, oppure mettevamo nei cestelli dei clienti, senza che se ne accorgessero, del cibo per pesci, o prodotti emetici. Ora non avevo intenzione di fare cose del genere – a meno che non mi fossi annoiato a morte –, volevo solo trovare conforto, in questo posto così strano, rivedendo le mercanzie della mia infanzia. E le trovai! Fu come fare un tuffo nel passato: Skippy Peanut Butter, Pop Tarts, Welch's Grape Juice, i dolci di Sara Lee. Vagabondai nei corridoi e ogni volta che scorgevo qualcosa legato al passato lanciavo gridolini di gioia. Non riuscirete mai a immaginare quanto ciò mi tirò su di morale.

Improvvisamente mi venne alla mente che qualche mese prima in Inghilterra avevo letto sul *New York Times* la pubblicità delle mutande per incontinenti. L'imbottitura di questa mutanda ha un nome che è anche il marchio di fabbrica. A suo tempo mi aveva colpito. Immaginatevi uno a cui viene commissionato di trovare un nome graffiante, per l'imbottitura di una mutanda per incontinenti. Nonostante ciò non ricordavo la marca. Quindi, tanto per passare un po' di tempo andai nel reparto pannolini. Ce n'era una vasta gamma. Non credevo che il reparto fosse così fornito o che, per lo meno, ci fossero tanti incontinenti a Bryson City. Prima d'allora non avevo mai fatto molto caso, ma il tutto appariva piuttosto interessante. Non ricordo quanto tempo passai guardando le varie marche e leggendo le istruzioni, e, neppure, se cominciai a parlare tra me ad alta voce, come mi accade quando sono sereno. Di fatto credo che passò molto tempo. In ogni caso quando riuscii a scovarle, prendendo un pacco di New Freedom Thins con Funnel-Dot Protection urlai trionfante: "Ah, eccovi qui, bricconcelle[3]!"; mi girai e vidi in fondo al corridoio il direttore e due commesse che mi osservavano. Arrossii e, rimettendo goffamente il prodotto sullo scaffale, aggiunsi: "Posso dare un'occhiata in giro, vero?", nella speranza che non mi prendessero per tocco o pervertito. Uscii. Mi ricordai che qualche settimana prima *The Independent* (il più acuto quotidiano britannico – compratelo subito!) riportava che in una ventina di stati americani, spe-

[3] Gioco di parole con Bugger, comunemente usato nel senso di pederasta [*N.d.T.*].

cialmente nel profondo sud, è ancora fuori legge avere dei rapporti orali o anali tra eterosessuali. Pur essendo lungi da me il pensiero, abbiate la cortesia di comprendermi, pensai che in questi posti trovi gente talmente ottusa in fatto di sesso, che magari potrebbero esserci in vigore severe ordinanze che vietano di prendere in mano un pacco di mutande per incontinenti. Sarei stramaledettamente fortunato se riuscissi a uscire dal North Carolina senza aver passato una notte in prigione per le mie perversioni! In ogni caso, quando arrivai al motel, senza essere perseguito dalle autorità locali, tirai un sospiro di sollievo, e passai il poco tempo disponibile a Bryson City comportandomi nel più formale dei modi.

Il Great Smoky Mountains National Park si estende negli stati del South Carolina e del Tennessee su un'area di 500.000 acri. Non me ne ero reso conto prima di visitarlo, ma è il più noto parco nazionale americano. Attrae nove milioni di turisti ogni anno, tre volte di più che qualsiasi altro parco in America, tanto che, nonostante fosse una domenica d'ottobre di prima mattina, era sovraffollato. La strada, da Bryson City a Cherokee, costeggia il parco ed è una sequenza ininterrotta di motel, auto-officine da quattro soldi, parcheggi per roulotte, tavole-calde, tutti abbarbicati sul pendio della montagna. Un tempo doveva essere stata una bella vallata stretta tra le montagne, ma oggigiorno è squallida. Cherokee, poi, è ancor peggio. È la più vasta riserva indiana della costa orientale americana. In pratica solo una sfilza di negozi di souvenir e cianfrusaglie indiane di ogni genere. Sul tetto di ogni negozio sono poste grosse insegne: MOCASSINI! GIOIELLI INDIANI! GEMME INTAGLIATE! TOMAHAWKS (ASCE DI GUERRA)! OGGETTI DI OGNI GENERE! Alcuni empori hanno un orso bruno in gabbia davanti all'entrata – è la mascotte indiana, presumo – e intorno a ogni gabbia una masnada di bambini che, incoraggiati dai padri, stuzzicano, a distanza di sicurezza, il povero animale per farlo inferocire. In alcuni negozi ci si può, per soli cinque dollari, fare fotografare con un vero Indiano Cherokee, in assetto da guerra, per la verità depresso e mezzo imbesuito. Pochi sembravano interessati, cosicché l'indiano sedeva stravaccato su una sedia inetto, come l'orso. Penso di non essere mai stato in un posto tanto deprimente. Eppure era pieno di turisti, quasi tutti raccapricciantiri – grassi, con vestiti chiassosi e con macchine fotografiche che dondolavano sulla pancia. Com'è che i turisti sono sempre così grassi e vestiti come idioti? Me lo chiesi mentre mestamente cercavo un varco tra la folla.

Prima ancora che potessi prendere in considerazione ed elaborare la domanda, ero già uscito dalla città ed entrato nel parco, per cui tutta la mia confusione cessò. Nei parchi nazionali americani la gente non può stabilirvisi come di solito avviene in Inghilterra. Divengono aree selvagge, perfino troppo selvagge. Un tempo le Smoky Mountains erano piene di boscaioli, che vivevano in capanne nei posti più isolati, quasi tra le nubi, poi furono sfrattati, e ora nel parco non c'è più alcuna attività umana. Invece di tentare di preservare un tipo di vita che sta scomparendo le autorità danno la mazzata finale. Così i poveretti furono obbligati ad andarsene nella vallata, ai bordi del parco, e trasformarsi in venditori di carabattole turistiche. Mi sembra tutto così strano! Alcune capanne erano ancora in piedi come pezzi da museo. Proprio all'ingresso ce n'era una e mi fermai a visitarla. Era uguale alle capanne del Lincoln Village a New Salem, Illinois. Credevo non si potesse fare un'overdose di capanne, ma a mano a mano che mi avvicinavo alla capanna sentivo un crescente giramento di capo, per cui dopo un'occhiata veloce ritornai all'auto.

Le Smoky Mountains sono un incanto! Era una splendida mattina d'ottobre. La strada corre in salita verso boschi fitti, dove s'infiltrano i raggi di luce, con una gran quantità di sentieri e di ruscelli; poi, su in alto, una vista mozzafiato. Lungo la strada ci sono dei belvedere, dove ci si può fermare e bearsi con un "Oh Oh" e "Wow" per il panorama. Ogni piazzola porta il nome del passo di montagna e il tutto suona un po' come in un enorme residence per yuppie – Pigeon Gap, Cherry Cove, Wolf Mountain, Bear Trap Gap[4]. L'aria tersa e limpida permetteva di vedere con chiarezza in lontananza. Le montagne si susseguivano oltre l'orizzonte con colori che sfumavano da verde intenso, a blu notte, ad azzurrognolo. Un oceano di alberi, sembrava di guardare la foresta colombiana o brasiliana tanto la natura appariva vergine. Nella sua vastità non si riusciva a cogliere un tratto di vita umana, nessuna città, nessun silos, nessun filo di fumo da una qualche solitaria fattoria. Sotto un cielo trasparente come uno zaffiro, solo un cumulo ombreggiava la cima di una montagna, il tutto immerso in un profondo, infinito silenzio.

[4] Orrido Piccione, Burrone Ciliegia, Monte Lupo, Orrido della trappola dell'orso [*N.d.T.*].

La Oconaluftee Highway attraversa il parco per soli 50 chilometri, ma è così ripida e tortuosa, che mi ci volle l'intera mattinata per percorrerla. Già alle dieci del mattino c'era una lunga fila di macchine in entrambe le direzioni, e raramente si trovava un posto per parcheggiare nelle piazzole. Fu il mio primo vero impatto con i turisti – pensionati con le roulotte in viaggio verso la Florida, famigliole che facevano vacanza fuori stagione, sposi in luna di miele. Auto, roulotte, camper, case mobili che provenivano dai posti più lontani – California, Wyoming, British Columbia – e in ogni piazzola i turisti erano attorno ai loro veicoli con portiere e bauli aperti ad attingere da frigoriferi portatili. Ovunque c'erano parcheggiate Winnebago o Komfort Motor Home – enormi case autosufficienti su quattro ruote che occupavano tre spazi-auto ed erano messe in modo che le auto passavano con difficoltà tra l'una e l'altra.

Per tutta la mattinata avevo avuto la vaga sensazione che mancasse qualcosa, alla fine scoprii cos'era. Nessun autostoppista come in Inghilterra – quelli con comodi scarponi, calzettoni e pantaloni corti. Niente zaini pieni di sandwich al Marmite[5], e thermos di tè. Nessun ciclista – tuta aderente, cappellino parasole – che affronta senza fiato le salite, rallentando il traffico. Quello che rallentava il passo, qui, erano le grandi case mobili che lentamente arrancavano su e giù per i tornanti. Alcune trainavano persino, strabiliante!, dei carrelli simili a portabarche. Nella lunga e sinuosa discesa verso il Tennessee, ne avevo una davanti. Era così larga che a mala pena riusciva a stare dentro la carreggiata e minacciava continuamente di buttare giù dal baratro alla nostra sinistra le auto che provenivano in senso contrario. Via, che strano modo di concepire le vacanze oggigiorno! L'idea è quella di non farti mancare alcun comfort, ma anche di non respirare aria pura, se appena è possibile. Quando ti viene la smania di viaggiare, allora carichi la tua casa di latta da tredici tonnellate e guidi per 700 chilometri attraverso la nazione, ermeticamente sigillato contro gli elementi esterni. Ti fermi al campeggio autorizzato, attacchi la luce, l'acqua e così non stai neppure un momento senza tutti i tuoi elettrodomestici: condizionatore d'aria, lavapiatti e forno a microonde. Queste cose, questi 'veicoli da vacanza', sono come sistemi di sopravvivenza su ruote. Gli astronauti vanno sulla luna con molto meno! Quelli dei 'veicoli da vacanza' sono di altro

[5] Estratto di carne che si spalma anche sul pane [*N.d.T.*].

stampo, un po' dementi in fatto di comodità. Diventano matti nel tentativo di scovare gli aggeggi più disparati per non farsi cogliere alla sprovvista. La loro vita è dominata dal pensiero ossessivo di trovarsi, un giorno, nell'imbarazzante situazione di non essere autosufficienti. Una volta sono andato a campeggiare, per due giorni, sul lago Darling, Iowa, con un amico il cui padre, un vacanziere convinto, continuava a proporci oggetti che ci facessero risparmiare fatica. "Ho un apriscatole a batteria solare, che è la fine del mondo", diceva. "Lo volete?"

"No, grazie", rispondevamo noi. "Stiamo via solo due giorni."

"Che ne dite di questo: un coltello a serramanico con torcia? Funziona anche attaccandolo all'accendino dell'auto. Si trasforma in una sirena lampeggiante nel caso vi perdiate nei boschi."

"No, grazie."

"Almeno prendete il microonde a pila!"

"Veramente non ci serve."

"Come diavolo farete a prepararvi i pop-corn in quel posto isolato in capo al mondo? Non ci avete pensato, vero?"

Un intero mondo industriale (sono convinto che la Zwingle Company di New York non ne sia estranea) si fonda su questo mercato. In tutti i campeggi autorizzati del paese vedi questi vacanzieri, raccolti attorno ai loro veicoli, impegnatissimi a scambiarsi informazioni sui rispettivi aggeggi di sopravvivenza – macchinetta per i cubetti di ghiaccio a metano, campi da tennis portatili, ammazza-insetti elettrici, prati gonfiabili. È gente pericolosa e stravagante da cui è meglio stare alla larga.

In fondo alla discesa, il parco termina e ci si trova di nuovo nello squallore. Ero ancora strabiliato da come l'America sia a compartimenti stagni – all'interno del parco non è autorizzata alcuna attività commerciale, appena fuori trovi un inferno di negozi e di chioschi di ogni tipo, anche se il panorama forse è altrettanto entusiasmante. In America non si è ancora capito che si può vivere in un posto senza abbruttirlo e che non è giusto confinare la bellezza in un posto delimitato da cancelli, trasformando un parco in uno zoo della natura. Mi accorsi che la bruttura raggiungeva l'apice, mentre viaggiavo verso Gatlinburg, una comunità che probabilmente ha dedicato tutta se stessa al perfezionamento della ridefinizione dei limiti estremi del cattivo gusto. È la capitale mondiale del Brutto. Faceva apparire Cherokee decorosa. Altro non è che un miglio di strada stracolma di negozi che vendono paccottiglia per turisti – la Elvis Presley Hall of Fame, il Stars Over Gatlinburg Wax Museum, due case dei fantasmi, la National Bible Museum, il Hillbilly Village, il Ripley's Believe It or not Museum, l'American Historical Wax Museum, Gatlinburg Space Needle, un posto chiamato Paradise Island, qualcosa d'altro chiamato World of Illusions, il Bonnie Lou e Buster Country Music Show, Carbo's Police Museum, il Guinness Book Of Records Exhibition Centre e, non ultimo, l'Irlene Mandrell Hall of Stars Museum e Shopping Mall. Una catena di luoghi di divertimento e, tra un posto e l'altro, naturalmente, vasti parcheggi, ristoranti sovraffollati e rumorosi, infime tavole-calde, gelaterie, negozi di souvenir, quelli che vendono poster personalizzati con 'STAMPA IL TUO NOME' e berretti da baseball ridicolmente ornati, sulla visiera, da stronzi di plastica che sembrano molto realistici. Una folla di turisti, grassi, bardati a festa, con le macchine fotografiche penzolanti sullo stomaco, e fra le mani il gelato, lo zucchero filato, i pop-corn, talvolta tutti insieme, camminava avanti e indietro con molta calma; tutti pavoneggiandosi nei loro berretti da baseball con quegli stronzi di plastica sulla visiera.

Mi piaceva. Nella mia infanzia non ero mai stato in posti come Gatlinburg. Mio padre si sarebbe fatto operare al cervello col Black-and-Decker piuttosto che passare, anche una sola ora, in un luogo simile. Aveva due criteri per stabilire la validità di una vacanza: doveva essere educativa e gratuita. Gatlinburg non soddisfaceva nessuna delle due condizioni, evidentemente. La vacanza sogno era un museo con entrata libera. Il papà era l'uomo più onesto del mondo, ma le vacanze lo rendevano cieco nei riguardi dei suoi principi. Quando già soffrivo di acne e il mio viso era pieno di foruncoli, alle biglietterie lui giurava che avevo ancora otto anni. Era così parsimonioso durante le vacanze che mi chiesi spesso perché non ci facesse rovistare tra la spazzatura per risparmiare sul pranzo. Di conseguenza, Gatlinburg mi appariva una esperienza esilarante. Mi sentivo come un prete lasciato libero a Las Vegas con un sacchetto di quarti di dollaro[6]. Tutto quel rumore e quelle luci accattivanti, e tutte quelle possibilità di perdere somme considerevoli in modo irresponsabile mi davano alla testa.

Vagai tra la folla, ma esitai a entrare al Ripley's Believe It or not Museum[7]. Mi sembrava di sentire mio padre, miglia e miglia

[6] Quarti di dollaro per giocare alle slot-machine [*N.d.T.*].
[7] Museo Ripley dell'Incredibile [*N.d.T.*].

lontano, che si rivoltava nella tomba mentre guardavo i manifesti dell'uomo che teneva tre palle da biliardo in bocca, del vitello a due teste, dell'uomo-unicorno e delle centinaia di altre amenità e fenomeni da baraccone da tutto il mondo, collezionate dall'infaticabile Robert Ripley e portate a Gatlinburg per la gioia e il diletto dei turisti esigenti come me. Il biglietto costava 5 dollari. Quando tirai fuori il portafogli, sentii che il ritmo di rotazione di papà si faceva più incalzante, quando infine estrassi la banconota e la allungai a quell'antipatica del botteghino, papà raggiunse la velocità di un frullatore impazzito. "Che diamine!", pensai quando entrai. "Se non altro faccio fare un po' di ginnastica, al mio vecchio!"

Era semplicemente fantastico. Capisco che cinque dollari sono una grossa somma per pochi minuti di beatitudine. Mi immaginavo con mio padre sul marciapiede mentre ci beccavamo. "No, è una grande porcata. Per quella cifra, si possono comprare cose che durano nel tempo."

"Che cosa? Una confezione di piastrelle?", rispondevo con una vena di sarcasmo. "Per favore, papà, non essere taccagno, almeno questa volta! C'è il vitello a due teste!"

"No, figliolo, mi dispiace, ma è no."

"Mi comporterò bene per sempre. Porterò via l'immondizia tutti i giorni, finché non mi sposerò. Senti papà, c'è un tizio, lì dentro, che riesce a tenere tre palle da biliardo in bocca, tutte in una sola volta. C'è l'*uomo-unicorno*, lì dentro. Papà, potremmo perdere un'occasione unica nella nostra vita!"

Ma non sarei riuscito a convincerlo. "Non voglio più sentirne parlare. Adesso sali in macchina; fra 300 chilometri saremo al Molasses Point Historical Battlefield. Lì potrai imparare una quantità di cose interessanti sulla oscura guerra tra l'America e l'Ecuador del 1802. E per di più non costerà un centesimo."

Sulla scia di questa fantasia entrai nel Ripley's Believe It or not Museum e assaporai ogni più piccola attrattiva e pacchianeria di bassa lega. Era eccezionale, lo dico senza ironia. In quale altro posto si può ammirare la copia dell'ammiraglia di Colombo, la *Santa Maria*, fatta con ossa di pollo? Così come non ha prezzo il modello, lungo due metri e mezzo, del Circo Massimo costruito con cubetti di zucchero, e neppure la maschera funeraria di John Dillinger, per non parlare di una intera stanza fatta di fiammiferi da un certo Reg Polland di Manchester, Inghilterra (complimenti Reg, l'Inghilterra è orgogliosa di te). Stiamo parlando di capolavori eterni. Mi rendeva felice il fatto che l'Inghilterra era degnamente rappresentata, fra l'altro, da un comignolo in porcellana del 1940 circa. Incredibile! Tutto era splendido – ordinato, ben tenuto, ben presentato, talvolta persino credibile – ci passai un'ora, felice.

Mi sentii al settimo cielo, mi comprai un gelato grande quanto una casa e me lo mangiai, passeggiando tra la gente nel pomeriggio soleggiato. Entrai in vari negozi-regalo e provai un berretto da baseball col mitico stronzo sulla visiera, ma quello più abbordabile costava 7.98 dollari. Decisi quindi, per rispetto a mio padre, che potevo accontentarmi di una sola stravaganza per quel pomeriggio. Se proprio lo avessi voluto, avrei potuto farmelo da solo, riflettei mentre mi avviavo all'auto per dirigermi verso la pericolosa catena appalachiana.

10

Nel 1587, un gruppo di 115 coloni inglesi – uomini, donne e bambini – partì da Plymouth per stabilirsi sull'isola Roanoke, al largo dell'attuale North Carolina, dove fu fondata la prima colonia inglese nel Nuovo Mondo. Appena i coloni approdarono, nacque una bimba: Virginia Dare, la prima cittadina americana bianca. Due anni più tardi l'Inghilterra organizzò una spedizione, per constatare la sistemazione dei coloni, per portare la posta e le ultime notizie, informazioni di vario genere tra cui quella che il tecnico della British Telecom si era finalmente fatto vivo. Quando, tuttavia, i soccorritori approdarono sul continente americano, non trovarono traccia dei coloni né, oltre tutto, alcun tipo di messaggio che indicasse la nuova ubicazione. Il villaggio non presentava segni di incursioni, unico indizio una parola misteriosa incisa su un muro: CROATOAN. Dopo aver scoperto che era il nome di un'isola vicina, abitata da una tribù indiana amica, i soccorritori vi si recarono per aver notizie. Gli indiani, però, non sapevano niente. Insomma, dov'erano finiti i coloni? Se ne erano andati volontariamente oppure erano stati scacciati dagli indiani? Un enigma inquietante e insoluto nella storia coloniale.

Ve ne parlo poiché una delle teorie più attendibili afferma che i coloni si trasferirono e s'insediarono nell'entroterra tra i monti appalachiani. Le cause, d'altra parte, rimangono ignote e si possono solamente addurre delle ipotesi. Una cinquantina di anni dopo alcuni esploratori europei, giunti nel Tennessee, incontrarono degli indiani Cherokee che raccontarono una storia su un gruppo di visi pallidi, vestiti all'europea e con lunghe barbe, che da tempo vivevano sulle colline. Questi visi pallidi, secondo le informazioni raccolte, 'facevano suonare la campana prima dei pasti e avevano la strana abitudine, prima di pranzare, di abbassare il capo e sussurrare qualcosa'.

I misteriosi coloni non furono, peraltro, mai trovati, eppure in un luogo sperduto tra i monti appalachiani, oltre la città di Sneedville, nella zona nord-est del Tennessee, sulle cime delle Clinch Mountains, si trova tuttora una comunità, chiamata Melungeons, che vive lì da tempo immemorabile. I Melungeons (la cui etimologia risulta sconosciuta) hanno tratti europei – occhi blu, capelli biondi, alti e dinoccolati – ma hanno la carnagione scura, quasi nera, chiaramente non europea. I loro cognomi sono inglesi – Brogan, Collins, Mullins. I Melungeons non hanno la più pallida idea della loro provenienza e della loro storia. Sono un po' come i coloni dispersi dell'isola di Roanoke: che siano proprio loro?

Un mio collega del *The Independent*, Peter Dunn, non appena seppe che stavo preparando un viaggio da quelle parti, mi raccontò la storia dei Melungeons e riuscì, anche, a scovare un articolo che aveva scritto, qualche anno prima, per il *Sunday Times Magazine*. L'articolo era corredato di splendide fotografie. È difficile descrivere quegli individui, si può solamente dire che hanno tratti somatici bianchi ma la pelle scura, il loro aspetto era sorprendente. Per questa ragione sono sempre stati considerati dei reietti, costretti, ancor oggi, a vivere in tuguri sulle colline in una zona chiamata Snake Hollow[1]. Nella contea di Hancock, il termine 'Melungeon' equivale a 'Negro'. Gli abitanti della valle – che peraltro sono poveri e arretrati – li considerano dei forestieri e delle persone spregevoli. I Melungeons, di conseguenza, tendono a stare per conto proprio e scendono a valle raramente, solamente quando è necessario comprare le provviste. A loro non piacciono gli estranei. Neppure ai valligiani. Peter Dunn mi raccontò che, accompagnato da un fotografo, si era recato sul luogo, e gli era stata riservata un'accoglienza ostile, a volte persino intimidatoria. Fu decisamente difficile portare a termine quel reportage. In un'altra occasione un reporter, del *Time Magazine*, fu ferito con un'arma da fuoco, vicino a Sneedville, per aver fatto troppe domande. Così mi era stato detto.

Potete quindi immaginare con quale cautela e con quale stato d'animo mi avventurai in direzione Sneedville, sulla Tennessee Highway 31 che attraversa la valle dove scorre il tortuoso Clinch

[1] Fossa del Serpente [*N.d.T.*].

River, in un paesaggio cosparso di miserabili piantagioni di tabacco. Secondo le statistiche questa è considerata la settima fra le contee più depresse. L'immondizia era sparsa dovunque. Le fattorie erano piccole e spoglie. Nei cortili erano parcheggiati i camioncini con il portafucile sul retro, tipico delle aree rurali, e le persone che lavoravano nell'aia, si fermavano a osservare il mio passaggio. Arrivai a Sneedville a pomeriggio inoltrato, già imbruniva. Davanti alla Hancock County Courthouse stazionavano, semi-appollaiati su un camioncino, alcuni giovani che stavano discutendo. Anche loro mi osservarono mentre passavo. Sneedville non rientra tra gli itinerari turistici, è un luogo fuori dal mondo, così il passaggio di un estraneo fa notizia. La città non offriva molto: il tribunale, la Chiesa Battista, alcune case popolari e l'immancabile pompa di benzina. Siccome la stazione di servizio era ancora aperta, mi fermai. Non che avessi bisogno di benzina, ma in luoghi come quelli era meglio essere previdenti. L'inserviente aveva la faccia piena di verruche flaccide, sembrava una coltivazione intensiva di funghi. Pensai a un esperimento genetico mal riuscito. Mi chiese soltanto che tipo di benzina volessi e non fece commenti sul fatto che fossi forestiero. Era la prima volta che trovavo un inserviente che non si ingegnava a imbastire una conversazione del tipo: "Lontano da casa, vero?", oppure "Come mai è così lontano dall'I-o-wa?". (A tutti avevo sempre risposto che stavo andando verso est per farmi fare una delicata operazione al cuore, chissà, forse la compassione mi avrebbe procurato qualche bollino in più.) Ero certo che quell'anno non avesse incontrato alcun forestiero, dovevo essere il primo: eppure decisamente non dimostrava di nutrire alcun interesse nei miei confronti. Strano! Gli chiesi – in realtà sbottai –: "Mi scusi, ma ho letto da qualche parte che qui, nelle vicinanze, vivono i Melungeons, è vero?".

Non rispose. Continuò a guardare il contatore della pompa, come se non mi avesse sentito. Allora incalzai: "Scusi, le ho chiesto se non ha sentito parlare di queste persone".

"Non so", disse di fretta, sempre senza guardarmi. Poi alzò lo sguardo: "Non so niente del genere. Una controllatina all'olio?".

Colto di sorpresa, esitai. "No, grazie."

"Fanno 11 dollari." Prese il denaro, senza ringraziare, e se ne andò nello sgabuzzino. Ero sconcertato. Ancor oggi non riesco a trovare una spiegazione. Attraverso la finestra vidi che mi osservava attentamente mentre alzava la cornetta e componeva il numero. Fui improvvisamente assalito dalla paura. Che stesse avvertendo la polizia che c'era un forestiero da far fuori? Me la filai di corsa con una sgommata – il che non è molto facile per una Chevette – e facendo ritmare i pistoni all'impazzata sfrecciai a rottadicollo alla folle velocità di 45 chilometri l'ora. Fuori città rallentai; un po' perché stavo facendo una salita ripida e l'auto non ce la faceva – anzi a un certo punto pensai che potesse scivolare all'indietro – e un po' perché mi resi conto di aver esagerato. Forse l'inserviente chiamava la moglie per ricordarle di comprare qualche lozione per le verruche. E se anche avesse chiamato la polizia per dire che uno straniero faceva domande impertinenti, cosa avrebbero potuto farmi? È o non è un paese libero? Alla fin fine non avevo commesso alcun reato. Avevo, educatamente, posto una domanda. Per di più innocente. Che sciocco sentirmi così in pericolo. Comunque, guardai ripetutamente sul retrovisore per assicurarmi che nessuna macchina della polizia e nessuna schiera di vigilantes, ammassati su camioncini, mi stessero inseguendo. Regolai la velocità sui 20-25 chilometri l'ora.

Lungo la salita intravidi delle baracche situate nelle radure. Adocchiai per vedere se riuscivo a riconoscere dei Melungeons. Ma quei pochi tizi che intravidi erano bianchi. Mi osservavano con uno strano sguardo di sorpresa, come se mi avessero visto cavalcare uno struzzo, in genere non rispondevano al mio saluto, sebbene un paio ebbero il coraggio di agitare la mano, in modo molto asciutto e con le dita incrociate.

Sono proprio montanari! Molti dei tuguri assomigliavano a quello di Li'l Abner, con portici fatiscenti e comignoli cadenti. Alcuni erano disabitati. Molti parevano costruiti da mani inesperte con ampliamenti macilenti fatti con legna fregata. In questi posti gli indigeni distillano, ancora in modo artigianale, un liquore: il *moonshine*, o spaccabudella come lo chiamano loro. Eppure, anche se appare incredibile, l'attività più redditizia oggigiorno è la coltivazione della marijuana. Ho scoperto, leggendo qua e là, che complessivamente le comunità montane ricavano, da un paio di acri coltivati a marijuana, lontano da occhi indiscreti, centomila dollari al mese. Ecco perché è bene per un forestiero non fare domande, neppure sui Melungeons, se vuole salva la pelle.

Salivo sempre più in alto e i boschi erano ancora così fitti che non lasciavano intravedere il panorama. Quando arrivai in cima, gli alberi si aprirono, come un sipario, sul panorama mozzafiato della vallata adiacente. Fu come arrivare in cima al mondo, come una vista aerea. Montagne alte e ripide caratterizzate da una folta vegetazione e malghe si sperdevano a vista d'occhio e si fondevano in lontananza con la vivacità dei colori del tramonto. Dinanzi a me si srotolava una lunga strada sinuosa che scendeva ripida verso una vallata solcata da un pigro fiume e tempestata di fattorie. Era lo scenario più perfetto che avessi mai visto. Viaggiai nella delicata luce del crepuscolo incantato dalla bellezza che mi circondava. Unica stonatura le case situate lungo la strada: erano tuguri. Ero nel cuore della regione appalachiana, la regione più depressa d'America, ma allo stesso tempo incredibilmente affascinante. Pareva strano che i professionisti delle metropoli sulla costa orientale a sole due ore d'auto non avessero ancora colonizzato questa zona pervasa di seducente bellezza, per costellarla di cottage, country club e graziosi ristoranti.

Ciò che colpisce maggiormente è vedere i bianchi che vivono nell'indigenza. In America essere bianchi e poveri può lasciare un po' perplessi. Naturalmente questa è povertà all'americana, la povertà dei bianchi che ha ben poco in comune con quella di altri luoghi. Non è neppure simile alla povertà di Tuskegee. Qualcuno, con un pizzico di cinismo, ha persino avanzato l'ipotesi che la campagna "War on Poverty"[2] fu promossa nel 1964 da Lyndon Johnson nell'Appalachia perché zona di bianchi e non perché zona depressa. Tant'è che un'inchiesta svolta nell'area dei monti appalachiani quello stesso anno, rivelò che il 40% della popolazione considerata indigente possedeva l'auto e che un terzo dei veicoli era nuovo. Nel 1964 per il mio futuro suocero, come per la maggior parte degli inglesi, possedere un'auto era un sogno e fino a oggi non è mai riuscito ad averne una nuova di zecca. Nessuno, comunque, lo ha mai definito un diseredato e a Natale non ha mai ricevuto un pacco dono con un chilo di farina e della lana! Ciò non di meno le baracche che vedevo intorno a me, se si mettono in rapporto ai livelli di vita americana, non potevano che essere definite misere. Non c'erano antenne paraboliche, né attrezzature per barbecue e neppure una station-wagon parcheggiata nell'aia. È molto probabile che non abbiano il microonde, poveri diavoli: per gli americani questo vuol dire essere proprio maledettamente indigenti!

[2] Guerra alla Miseria [*N.d.T.*].

[illegible]
[illegible]
[illegible]
[illegible] in un pigro fiume e [illegible]
[illegible]
[illegible]
[illegible]
[illegible]
[illegible]
[illegible]
[illegible]
[illegible]
[illegible]
[illegible]
[illegible]
[illegible]
[illegible]
[illegible] con quello di [illegible]
[illegible]
[illegible]
[illegible] nel 1904 [illegible]
[illegible]
[illegible]
[illegible] che il 40 % della popola-
[illegible]
[illegible]
[illegible]
[illegible]
[illegible]
[illegible]
[illegible]
[illegible]
[illegible]
[illegible]
[illegible]
[illegible]
[illegible]
[illegible]

11

Attraversavo un paesaggio di morbide colline, di strade agevoli e dolci, di linde fattorie; nel cielo batuffoli bianchi di nuvole, come quelle dei dipinti marini, e città dai nomi curiosi e interessanti: Snowflake, Fancy Gap, Horse Pasture, Meadows of Dan, Charity[1]. Lo stato della Virginia pareva immenso, sembrava non finisse mai. Infatti da confine a confine c'è una distanza di 700 chilometri, ma le strade tortuose allungano il percorso di oltre 160 chilometri. Ogni volta che controllavo la carta stradale, mi sembrava di avere fatto solamente un tratto brevissimo. Di tanto in tanto un cartello dichiarava: LAPIDE STORICA, ma non mi fermavo. Ci sono centinaia di lapidi in America e sono tutte insignificanti. Ne ho la certezza, per esperienza diretta: papà si fermava sempre. Parcheggiava la macchina davanti alla lapide e leggeva ad alta voce le iscrizioni, anche se noi lo imploravamo di non farlo. In genere declamava cose del tipo: ALBERI CANTERINI: SACRO LUOGO FUNERARIO

Per secoli questa terra, conosciuta come la Valle degli Alberi Canterini (Valley of the Singing Trees), è stata il sacro cimitero degli Indiani Chiappanera. Data la sua sacralità il Governo degli Stati Uniti ha dato nel 1880 in concessione perpetua, alla tribù, questo territorio. Ma nel 1882 in questa vallata fu scoperto il petrolio e, a causa di una serie di scaramucce, 27.413 indiani Chiappanera morirono. La tribù fu, quindi, spostata in una nuova riserva a Cianurofonte, Nuovo Messico.

Che cosa dico? Non erano mai così interessanti! Generalmente commemoravano eventi francamente oscuri e insulsi – il primo

[1] Fiocco di neve, Bell'avvallamento, Pascolo del cavallo, Prati di Daniele, Opera di Carità [*N.d.T.*].

Bible College nel Tennessee, il luogo natale dell'inventore delle salviette detergenti, la casa dell'autore dell'inno dello stato del Kansas. Lo si sapeva in partenza che erano un tormento perché se fossero state anche solo lontanamente stimolanti a qualcuno sarebbe venuta l'idea di aprire un baracchino per gli hamburger e i souvenir. Papà, però, li adorava e ne rimaneva sempre estasiato. Dopo avercele declamate, diceva sempre in tono deferente: "Che mi venga un colpo!", poi, senza proferire parola, riprendeva l'autostrada e durante la manovra, siccome non prestava attenzione, tagliava la strada a un T.I.R. che, nel tentativo di schivarlo, suonava all'impazzata e, per l'improvvisa sterzata, perdeva metà del carico. "Già, già, proprio interessante", aggiungeva pensieroso, senza rendersi conto che per un pelo finivamo tutti al cimitero.

Mi stavo dirigendo verso il Booker T. Washington National Monument, una piantagione vicino a Roanoke, dove Booker T. Washington era cresciuto. Un grand'uomo: schiavo, in seguito liberato e autodidatta, si dedicò all'insegnamento, fondò il Tuskegee Institute in Alabama, il primo college per neri in America. Non ancora contento del suo operato, terminò la sua carriera come musicista *soul*, mietendo, negli anni Sessanta, una serie di grossi successi musicali con la casa discografica Stax del gruppo MGs. Come già detto, un grand'uomo.

Il mio giro era programmato in modo da dare un'occhiatina al monumento e poi proseguire a Monticello per un visita alla casa di Thomas Jefferson. Sbagliato! Appena passata Patrick Springs, distinsi una stradina che conduceva in un posto chiamato Critz. Secondo i miei calcoli, la scorciatoia mi avrebbe fatto risparmiare 50 chilometri. Di punto in bianco svoltai provocando quel tipico stridio delle gomme, simile a un sibilo. Per essere completamente sincero il sibilo dovetti farlo io, si sa, con una Chevette è impossibile, comunque l'auto sputacchiò davvero un po' di fumo azzurrognolo.

Avrei dovuto immaginarlo. Una delle regole da seguire rigorosamente quando si viaggia è di non lasciare mai la strada vecchia per la nuova e mai attraversare città il cui nome abbia qualche connessione con i disastri. Critz[2] si rivelò un vero flagello (una malattia incurabile: la psoriasi). Infatti mi persi. Lasciata la Highway, la strada si scompose in una ragnatela di stradine, tutte senza segnaletica e costeggiate da erba alta. Guidai senza meta

[2] Gioco di parola con crizzled: pelle che si screpola [*N.d.T.*].

per ore, sorretto da quella strana follia che attanaglia chiunque si perda e lo costringe, costi quel che costi, a proseguire nella certezza che, prima o poi, si raggiunga la meta prefissata. Attraversavo una città dopo l'altra, ma non erano indicate sulla carta stradale – Sanville, Pleasantville, Preston. Non erano poi tanto male! Pensai che avrei potuto chiamare il giornale, a Roanoke, e dire al direttore che avevo scoperto una contea nuova.

Alla fine, quando attraversai Sanville per la terza volta, presi la sacrosanta decisione di chiedere qualche chiarimento. Fermai un vecchietto, che portava a passeggio il cane per fargli fare pipì, e gli chiesi la strada per Critz. Senza batter ciglio mi propinò una serie di indicazioni di una complessità terrificante. Parlò per cinque minuti buoni. Sembrava la descrizione del viaggio di Lewis e Clark nella foresta vergine. Non capivo un accidenti e quando si fermò per dirmi: "Fin qui ci siamo?", dissi di sì. Mentii!

"Bene, così arriva fino a Preston", proseguì. "A Preston prenda la vecchia carrozzabile che porta fuori città, verso est a McGregor Place. Riconoscerà McGregor Place perché c'è il cartello: The McGregor Place. Subito dopo sulla sinistra c'è una strada con l'indicazione: Critz. Mi raccomando non la imbocchi perché il ponte è rotto e cadrebbe senza dubbio nel Dead Man's Creek[3]." E così via per infiniti minuti. Quando finì la sua giaculatoria lo ringraziai e senza convinzione guidai nella direzione suggerita dal suo ultimo gesto con la mano. Dopo un quarto di miglio trovai un bivio: non avevo la più pallida idea di dove andare. Prosegui diritto. Dieci minuti dopo incontrai di nuovo il vecchietto e il cane spandipiscia. Eravamo entrambi sorpresi. Con la coda dell'occhio vidi che gesticolava dissennatamente e urlava che avevo sbagliato strada. Ormai l'avevo capito anch'io. Ignorai i suoi movimenti convulsi e giunto al bivio svoltai a sinistra. La strada non mi condusse nelle vicinanze di Critz, anzi mi regalò una nuova serie di diramazioni che solo il diavolo sapeva dove portassero. Alle tre del pomeriggio, due ore dopo aver preso la decisione di fare l'*interminabile* scorciatoia, fiondai nuovamente sulla Highway 58, cinquanta metri prima della deviazione per Critz. Con l'amaro in bocca, ripresi l'autostrada e guidai per ore nel silenzio più totale. Era troppo tardi per andare al Booker T. Washington National Monument o a Monticello. Per di più bisognava tenere in considerazione che quel poco di buon senso che mi era rimasto sarebbe

[3] Gioco di parole: ruscello dell'uomo morto [*N.d.T.*].

stato insufficiente per riuscire ad arrivare dove avrei voluto. Avevo sprecato un'intera giornata: senza colazione e senza una goccia di caffè che mi tirasse su il morale. Una di quelle giornate senza infamia e senza lode. Presi una stanza in un motel di Fredericksburg, mangiai in un fast-food tra i più squallidi che abbia mai frequentato e me ne andai a letto in uno stato di totale sconforto.

La mattina successiva andai a Colonial Williamsburg, un paese storico restaurato agli antichi splendori. È una tra le località turistiche più conosciute sulla costa orientale. Eravamo in ottobre, un martedì, di mattina presto eppure tutti i parcheggi erano occupati. Riuscii a trovare un buco per l'auto e seguii la folla che si dirigeva all'ufficio turistico seguendo i cartelli. Il locale era buio e fresco. Vicino alla porta c'era, sotto vetro, un modellino della città. C'era qualcosa di strano, mancava la solita freccia SIETE QUI, quella che consente ai turisti di orientarsi. Non era neppure segnata l'ubicazione dell'ufficio. Guardando il plastico non si riusciva a capire in quale direzione fosse il paese. Incominciò a sorgermi qualche dubbio. Mi appartai e osservai. Un capolavoro di organizzazione: la perfetta gestione del turista. Chi arrivava doveva avere l'impressione che l'unico modo per visitare Williamsburg era: comprare il biglietto, oltrepassare una porta con la scritta ENTRATA, salire a bordo di una navetta che portava nello storico luogo (forse non così vicino come veniva lasciato intendere). Al turista non viene in mente di appartarsi e osservare che cosa succede, come ho fatto io, così non gli rimane altro da fare che andare al botteghino e scegliere il tipo di biglietto da acquistare – il *Patriot's Pass* a 24.50 dollari; il *Royal Governor's Pass* a 20 dollari, o il biglietto di sola ammissione a 15.50 dollari; a seconda di quali e quanti edifici storici restaurati si voglia visitare. La gran parte dei turisti si ritrova con le tasche alleggerite a far la fila davanti alla porta ENTRATA senza sapere bene come ci è arrivata.

Odio i posti dove non si sa mai in anticipo quanto si paga. Chi gestisce posti del genere dovrebbe essere obbligato a mettere sulla strada un cartello, del tipo: COLONIAL WILLIAMSBURG 5 CHILOMETRI. TENETE A PORTATA DI MANO IL LIBRETTO DEGLI ASSEGNI oppure COLONIAL WILLIAMSBURG UN CHILOMETRO. UN BEL POSTO, MA SALATO! Sentii che stavo davvero perdendo la pazienza. Mi succede solamente quando mi sento spennato come un pollo. A pensarci bene, pagare 24.50 dollari, per farsi un giro di un paio d'ore, in un paese restaurato, mi pareva un furto. Fra me e me ringraziai il cielo per aver lasciato moglie e figli all'aeroporto di Manchester! Se fossero stati con me una giornata qui mi sarebbe costata 75 dollari – esclusi i gelati, le bibite e le felpe con la scritta RAGAZZI! CHE FREGATURA COLONIAL WILLIAMSBURG.

La faccenda puzzava, un trucchetto ci doveva essere! Ero vissuto in America troppo a lungo e conoscevo bene le regole. Se fosse stato obbligatorio l'acquisto del biglietto per visitare Williamsburg, allora avrebbe dovuto esserci un grosso cartello con la scritta: DIVIETO D'ENTRATA A CHI NON È MUNITO DI BIGLIETTO. Ma il cartello non c'era! Quindi...! Uscii. Ritornai alla luce del sole e cominciai a osservare il percorso delle navette. Appena uscite dalla stazione percorrevano una strada a doppia carreggiata, poi sparivano dietro una curva. Attraversai la strada facendo attenzione al traffico. Seguii un sentiero che s'inoltrava in un boschetto. Pochi secondi dopo ero nel villaggio. Eccolo il trucchetto! E non avevo speso un centesimo! Nel frattempo le navette scaricavano i turisti muniti di biglietto. I turisti avevano fatto sulla navetta un percorso di soli duecento metri! Le sorprese non erano ancora finite! Appena giunti nel paese non potevano fare altro che mettersi, di nuovo, in fila assieme a tutti gli altri e, senza dare in escandescenze, strascicare lentamente i piedi sui gradini, uno ogni tre minuti, per entrare a vedere le case restaurate. Avevano pagato per questo! Credo di non aver mai visto, in una volta sola, così tante persone incapaci di divertirsi. Le sventurate file mi riportarono alla mente Disney World. Non è un paragone insensato poiché Williamsburg è un po' come una Disney World della storia americana. I controllori, gli spazzini, gli inservienti, gli steward e le hostess erano vestiti in costume: le donne con un grande grembiale e con la cuffia di mussola, gli uomini coi calzoni alla zuava e col tricorno. L'impressione che se ne doveva ricavare era di far apparire la storia allettante: filare la lana e fare da sé le candele erano divertimenti più unici che rari. Da un momento all'altro mi aspettavo di vedere Pippo o Paperino venirmi incontro con la divisa dell'esercito coloniale.

Sulla prima casa che incontrai c'era la targa DR MCKENZIE'S APOTHECARY. La porta era aperta così entrai. Ero sicuro che mi sarei trovato in una farmacia del diciottesimo secolo. Nemmeno per sogno! Era un negozio di souvenir con robaccia a prezzi proibitivi – spegnicandela di ottone a 28 dollari, riproduzioni di recipienti farmaceutici a 35 dollari, e così via. Tornai all'aperto alla velocità della luce, cercando di fissare la mente su Ye Olde Village Puking Trough. Piano piano il posto cominciava a prendermi, eppure non ci mettevo buona volontà. Mentre passeggiavo per Duke of Gloucester Street iniziò la strabiliante mutazione. Fu lenta, molto lenta, ma incominciavo a essere affascinato: Williamsburg è grande – si estende su 173 acri – il che di per sé è già impressionante. Si aggiunga poi che vi sono decine e decine di case e negozi restaurati. Per di più, visitata in una soleggiata mattinata d'ottobre con una leggera brezza che muoveva leggermente i rami dei faggi, era veramente graziosa. Gironzolai per viali alberati e vasti prati all'inglese. Le case erano deliziose, i vicoli invitanti, ogni taverna o osteria emanava un fascino pittoresco. Risulta impossibile, anche per uno che ha la scorza dura come me, non rimanerne avvinti. Per quanto Williamsburg, come fonte storica, possa far sorgere qualche dubbio – molti dubbi – ha comunque il merito d'essere una città modello. Ti fa capire quale splendido paese sarebbe l'America se le persone possedessero lo stesso istinto di conservazione che c'è in Europa. Che bello sarebbe se le migliaia di persone che vengono qui dicessero: "Perbacco Bobbi, com'è affascinante! Quando torniamo a casa a Tanfo-City piantiamo un sacco di alberi e restauriamo le case vecchie."! Il bello è che non succede mai! Tornano a casa e continuano a costruire megaparcheggi e Pizza Hut.

Gran parte di Williamsburg non è così vecchia come si vuole far credere. Capitale della Virginia coloniale per 80 anni, dal 1699 al 1780, quando la capitale fu trasferita a Richmond, incominciò il suo declino. Nel 1920 John D. Rockefeller, affascinato dal posto, iniziò a finanziare le ristrutturazioni – 90 milioni di dollari secondo le informazioni ufficiali. Unica malizia è che non si sa mai quale casa sia stata restaurata e quale rifatta. Il Governor's Palace per esempio sembra antico – e, siamo sinceri, nessuno vi induce a pensare il contrario – ma in verità è stato costruito nel 1933. La costruzione originale bruciò nel 1781 e nel 1930 nessuno si ricordava la sua struttura architettonica. Poi qualcuno, per caso, alla Bodleian Library, a Oxford, trovò i disegni del palazzo, così sono stati in grado di rifarlo. Ma non è vecchio e nemmeno così uguale all'originale.

Ovunque giri gli occhi sei esasperato dalle contraffazioni. Nel Bruton Parish Church le pietre tombali sono visibilmente false, o per lo meno le incisioni sono state rifatte. Rockefeller, o chi per esso era responsabile dei lavori, dovette sentirsi deluso quando scoprì che dopo solo duecento anni le pietre, esposte agli agenti atmosferici, erano diventate illeggibili. Così adesso le iscrizioni sono belle, nuove fiammanti come se fossero state incise la settimana precedente. Chissà, forse è proprio così. Il dilemma vero o falso disneyano ti accompagna sempre! Chissà se Severinus Dufray era veramente così o se sulla porta c'era il cartello SARTO PER GENTILI. Perché no? Chissà se Dr McKenzie aveva all'entrata della sua farmacia un avviso in belle lettere con la scritta IL DR MCKENZIE INFORMA LA SUA SPETTABILE CLIENTELA CHE HA APPENA RICEVUTO UNA GROSSA PARTITA DI MERCI: TÈ, CAFFÈ, SAPONE PROFUMATO, TABACCO, ECC. AFFRETTATEVI! Perché no?

A Thomas Jefferson, uomo di celeberrima sensibilità, non garbava Williamsburg e la riteneva una città spregevole (anche questo non viene detto!). Diceva che il college e l'ospedale erano 'biechi', solamente un ammasso di pietre e che il Governor's Palace era 'orribile'. Mi chiedo se ho descritto la stessa città, perché oggi Williamsburg è inesorabilmente attraente. È per questo che mi piace!

Mi diressi verso Mount Vernon, la casa dove George Washington ha trascorso gran parte della sua esistenza. Fama meritata per Washington. Le sue gesta come Comandante dell'Esercito Coloniale furono audaci, coraggiose, senza dimenticare che furono inoltre geniali. Si tende a dimenticare che la Guerra Coloniale durò otto anni e che spesso Washington non ebbe molta cooperazione. Con una popolazione di circa cinque milioni e mezzo Washington faceva fatica a racimolare 5000 soldati – un soldato ogni 1100 abitanti. Quando ci si accorge quanto pacifico e tranquillizzante sia Mount Vernon, dove si vive a dimensione umana, viene da chiedersi chi glielo abbia fatto fare. È il fatto di essere un enigma che lo rende tanto affascinante. In verità non si è neppure certi del suo aspetto fisico. Tutti i ritratti, all'epoca, furono eseguiti da Charles Willson Peale. I dipinti successivi furono copiati. Peale dipinse 60 ritratti di Washington, ma sfortunatamente non era molto bravo nel ritrarre le fisionomie. Infatti secondo Samuel Eliot Morison, nel quadro di Peale dove sono rappresentati Washington, Lafayette e John Paul Jones tutti e tre hanno più o meno gli stessi tratti del viso.

Mount Vernon possedeva tutto ciò che Williamsburg avrebbe dovuto avere: era autentico, interessante, istruttivo. Si è mantenuto tale grazie alla Mount Vernon Ladies' Association. Che fortuna che esista! Quando nel 1853, con immenso stupore, la casa fu messa in vendita, né il governo federale né quello della Virginia potevano permettersi di acquistarla come bene demaniale. Un gruppo di signore, impegnate socialmente, fondò in quattro e quattr'otto l'associazione, raccolse i fondi, comprò la casa e i 200 acri attorno. Diede subito inizio ai lavori di restauro facendo attenzione di scegliere le stesse tonalità di colore e gli stessi disegni della carta da parati, per riportare la residenza allo splendore originale. Ringraziamo il cielo che John D. Rockefeller non ci ha messo su le mani! Oggi l'associazione si dedica, con lo stesso fervore, alla manutenzione della casa e molti gruppi dovrebbero seguirne l'esempio, ma è un sogno! Sono aperte al pubblico quattordici stanze, in ognuna c'è una volontaria che fa da cicerone – sono tutte colte e pronte a rispondere anche alle domande più impertinenti. La costruzione e l'arredo furono un'idea di Washington. Si occupò persino di ogni minimo particolare decorativo, anche quando era in guerra. Sembra un po' strano immaginarselo a Valley Forge, con le truppe decimate dalla fame e dal freddo, che si alambicca il cervello per trovare i pizzi giusti e il servizio da tè. Che uomo! Che eroe!

12

Trascorsi la notte nei sobborghi di Alexandria e la mattina mi misi in viaggio per Washington. Me la ricordavo, ai tempi della mia infanzia, afosa, sporca e assordata dai martelli pneumatici. A quel tempo c'era la calura tipica di tutte le città americane prima dell'avvento dell'aria condizionata. La gente passava ogni momento della giornata nella ricerca spasmodica di un attimo di sollievo – asciugandosi il viso con enormi fazzoletti, ingollando bicchieroni gelati di limonata, sostando pigramente davanti ai frigo aperti, o restando fiaccamente seduta davanti ai ventilatori. Anche di notte non v'era tregua. Solo all'aria aperta, dove ogni tanto si poteva incappare in una bava d'aria, la canicola era tollerabile ma all'interno il calore non scemava. Un'afa stagnante: sembrava di vivere in un forno. Mi ricordo che, un agosto, giacevo, sveglio, sul letto in un hotel del centro e ascoltavo i rumori, che entravano dalla finestra: le sirene, i clacson, il ronzio del neon dell'insegna dell'hotel, il brusio delle auto, le risa e le urla delle persone, gli spari.

Una volta, in una torrida notte d'agosto uscimmo per farci uno spuntino, dopo che i Washington Senators avevano battuto i New York Yankees per quattro a tre al Griffith Stadium, e vedemmo un tizio, a cui avevano sparato. Era nero e giaceva, circondato da un branco di curiosi, in una pozza che allora mi era sembrata benzina, solamente più tardi compresi che era sangue che usciva dal buco in fronte. I nostri genitori ci spinsero via, e ci intimarono di non guardare ma, naturalmente, noi disubbidimmo. Eventi del genere a Des Moines non accadevano per cui osservammo attentamente. Non avevo mai assistito a omicidi, i soli morti ammazzati li avevo visti nei programmi televisivi, del genere *Il dominatore* e *Dragnet*, e credevo che le scene violente fossero aggiunte solo per movimentare un po' la trama. Non mi era mai passato per l'anticamera del cervello che potesse essere un optional della vita vera. Mi appariva così irreale togliere la vita a qualcuno soltanto perché era persona sgradita. Immaginavo me stesso con una pistola fumante in mano mentre rimiravo il cadavere stecchito, accanto alla cattedra, della mia insegnante del quarto anno, Miss Bietlebaum, che aveva la peluria sul labbro superiore e la cattiveria nel cuore. Ciò ti fa riflettere.

Nella tavola-calda dove andammo a fare lo spuntino ci fu un'altra cosa che mi fece meditare. I bianchi, come noi, potevano prendere posto al banco, mentre i neri ordinavano e dopo aspettavano in piedi, vicino al muro. Quando il cibo era pronto, veniva loro dato in un sacchetto. Potevano portarlo a casa oppure potevano mangiare in macchina. Papà ci spiegò che a Washington i negri non erano autorizzati né a sedersi al banco né a consumare il pasto all'interno del locale. Non era contro la legge, solo che la città era troppo a sud e i suoi abitanti non osavano trasgredire una consuetudine. Il che mi rese ancor più perplesso.

Più tardi, disteso sul letto in quella afosa stanza d'albergo avvolto dalla frenesia della città, avevo cercato di entrare nel mondo degli adulti, ma invano. Avevo sempre creduto che una volta diventato adulto, avrei potuto fare tutto ciò che volevo – cose del tipo stare alzato fino a notte fonda o mangiare il gelato direttamente dal recipiente. In quella fatidica notte, così determinante per la mia vita, avevo scoperto che se non avevi i requisiti giusti, chiunque avrebbe potuto spararti un colpo in testa o impedirti di cenare in un locale. Allora mi ero seduto sul letto e avevo chiesto al babbo se esistevano alcuni locali gestiti da negri dove i bianchi dovevano aspettare, in piedi appoggiati al muro, il sacchetto con le vivande che avevano ordinato.

Il babbo mi aveva lanciato un'occhiata da sopra il libro e mi aveva detto che non lo sapeva. Allora avevo continuato con le domande, volevo sapere che cosa sarebbe successo a un negro se avesse cercato di sedersi al banco pur essendo conscio di non poterlo fare. Che cosa gli avrebbero fatto? Mi aveva risposto che non era in grado di soddisfare le mie curiosità e che avrei fatto meglio a dormire e a non crucciarmi per delle cretinate. Mi ero di nuovo disteso e dopo aver rimuginato ero giunto alla conclusione che il negro si sarebbe beccato una pallottola in testa. Mi ero rivoltato più volte nel letto, cercando di addormentarmi, ma senza successo, un po' per la canicola, che mi aveva intorpidito, un po' angosciato perché mio fratello, nonostante dormisse della grossa, me l'aveva giurata. Infatti durante la partita non gli avevo dato un pezzo del mio cioccolato, allora per impaurirmi mi aveva anticipato che, durante la notte, mi avrebbe spalmato la faccia con il moccio.

Il mondo, naturalmente, è molto cambiato da allora: se adesso ti capita di star sveglio in un albergo non senti più i rumori della città. Tutto quello che senti oggigiorno è il soffocato ronzio del condizionatore: potresti persino credere di essere in volo sul Pacifico o essere in un sommergibile a profondità inaudite. Ovunque trovi il condizionatore, così l'aria è pulita e fresca come una camicia di bucato. La gente non si asciuga più la faccia con enormi fazzoletti e neppure ingurgita enormi bicchieroni di limonata ghiacciata e nemmeno trova refrigerio mettendo le braccia nude sui banconi di marmo dei bar. Oggigiorno il caldo è qualcosa di estraneo, che percepisci quando sprizzi dal parcheggio all'ufficio o dall'ufficio al ristorante dietro l'angolo. Ormai i neri si siedono nello stesso ristorante dei bianchi. È sicuramente più difficile trovare un tavolo libero, ma è più equo. E nessuno va più a vedere le partite dei Washington Senators perché non ci sono più. Infatti nel 1972 il proprietario trasferì la squadra nel Texas, perché si guadagnava di più. Pazienza. Forse il mutamento più determinante, almeno per quanto mi riguarda, è che mio fratello non si permette più di minacciarmi dicendo che mi metterà il moccio in faccia se lo contraddico.

A Washington si respira un'aria di provincia. La popolazione della metropoli raggiunge i tre milioni, risulta perciò al settimo posto nella graduatoria delle città d'America. Se si contano anche gli abitanti di Baltimore, città confinante, la capitale raggiunge i cinque milioni. La città, però, è molto piccola, conta solo 637mila abitanti, un numero di abitanti inferiore a Indianapolis o a San Antonio. Mentre la visiti hai l'impressione di essere in una qualsiasi città di provincia. Ti capita di girare l'angolo e ti trovi di fronte al quartier generale del F.B.I., o alla Banca Mondiale, o al Fondo Monetario Internazionale, solamente in quel momento ti rendi conto che non è una città qualsiasi. Quello che lascia più sbalorditi è la Casa Bianca. Stai pigramente passeggiando per il centro, un'occhiata alle vetrine, alle cravatte e ai négligé, giri l'angolo ed ecco dinanzi a te la Casa Bianca, proprio nel centro della città. Com'è comoda per lo shopping, pensai! Più piccola di quanto ci si aspetti. Lo dicono tutti.

Sul marciapiede opposto stazionavano, a quanto pare in modo permanente, sistemati in scatoloni di cartone, alcuni tipi strambi e dei poveracci. Protestavano perché erano convinti che la C.I.A. controllasse, dal cosmo, i loro pensieri. (Beh, voi no?) C'era, inoltre, un tizio che elemosinava quarti di dollaro. Da non credere! Proprio lì nella capitale della nazione, proprio dove Nancy Reagan poteva vederlo dalla finestra della camera da letto!

Comunque l'attrattiva più peculiare di Washington è il Mall, un ampio parco che si estende per circa un miglio a est del Campidoglio, fino alla estrema zona a ovest del Lincoln Memorial, e che costeggia il Potomac. Caratteristica dominante è il Monumento a Washington. Bianco e slanciato, a forma di matita, è alto 170 metri e sovrasta il parco. È una delle strutture più semplici e più belle che io conosca. Sei preso da una forte emozione quando ti rendi conto che le imponenti pietre furono fatte rotolare dagli schiavi sumeri su tronchi d'albero dal delta del Nilo. Abbiate pazienza, stavo pensando alle piramidi! In ogni modo oltre a essere un vero virtuosismo architettonico è armonioso a vedersi. Avevo sperato di riuscire a salire in cima, ma c'era molta folla, per lo più scolaresche. La fila era talmente lunga che raggiungeva il parco. Tutti erano ansiosi di entrare in un ascensore grande come una cabina telefonica e di stringersi come sardine in scatola. Decisi di andare a Capitol Hill.

Lungo tutta la zona est del Mall vi sono i musei della Smithsonian Institution – il Museo di Storia Americana, il Museo di Storia Naturale, il Museo dell'Aeronautica e dello Spazio, eccetera. I musei smithsoniani sono stati, tra parentesi, donati all'America da un inglese che, peraltro, non li ha mai visitati. Un tempo tutti gli oggetti erano sistemati in un unico edificio. Attualmente esistono quattordici musei smithsoniani, i più significativi si trovano lungo il Mall, gli altri, invece, sono sparsi per la città. Ogni anno accumulano talmente tanto materiale, circa un milione di pezzi, che sono stati costretti a creare dei musei specifici. Tanto per farvi un'idea pensate che nel 1986 le acquisizioni della Smithsonian includevano 10 mila lepidotteri e farfalle dalla Scandinavia, gli interi archivi del servizio postale della zona del Canale di Panama, alcuni pezzi del vecchio ponte di Brooklyn e un jet da combattimento MiG-25. Tutto ciò avrebbe dovuto stare in una splendida costruzione gotica di mattoni a vista chiamata Castle e situata sul Mall. Ovviamente il Castle ora è solamente la sede amministrativa centrale dell'istituzione. Al Castle viene proiettata una pellicola informativa sulla Smithsonian Institution.

Passeggiai sul Mall verso il Castle. Il parco era pieno di gente che faceva jogging. Ero un po' sgomento. Non riuscivo a togliermi dalla testa un pensiero: "Ma non dovrebbero essere in ufficio ad amministrare il paese o per lo meno a destabilizzare un qualche governo del continente americano?". Perché, diciamolo francamente, mi pare ci sia qualcosa di più importante da fare il mercoledì alle 10.30 del mattino che non infilarsi un paio di Reebock e correre per 45 minuti, o no?

Al Castle trovai l'entrata bloccata da transenne e uomini, americani e giapponesi in abito scuro, del servizio di sicurezza. Sembrava che gli agenti avessero passato gran parte del tempo a fare jogging. Alcuni portavano gli auricolari e parlavano nelle ricetrasmittenti. Altri avevano cani al guinzaglio o detector e controllavano tutte le macchine parcheggiate davanti all'edificio, lungo il Jefferson Drive. Mi avvicinai a un agente americano e gli chiesi chi stesse arrivando. Mi rispose che non era autorizzato a rivelarlo. Pensai che fosse bizzarro. Eccomi qui nel paese dove grazie a Dio regna il *Freedom of Information Act* (legge sulla libertà d'informazione) e dove ero in grado di sapere quante supposte il medico avesse prescritto a Ronald Reagan nel 1986[1], senza però riuscire a sapere quale dignitario straniero, salendo le scale di una istituzione nazionale, avrebbe fatto la sua apparizione pubblica. Una signora accanto a me disse: "Nakasone. Il Presidente del Giappone".

"Ma no!", risposi, ansioso di vedere una celebrità. Chiesi all'uomo del servizio di sicurezza a che ora sarebbe arrivato. "Non sono autorizzato a dirvi neppure questo, signore", rispose allontanandosi.

Aspettai tra la folla l'arrivo di Nakasone. Poi mi chiesi: "Perché diamine sto qui?". Cercai di pensare chi, tra i miei conoscenti, sarebbe rimasto impressionato dal fatto che avevo visto, in carne e ossa, il Primo Ministro giapponese. Mi immaginavo mentre dicevo ai bambini, "Ehi, ragazzi, indovinate un po' chi ho visto a Washington: Yasuhiro Nakasone!". Ero certo che ciò li avrebbe lasciati muti e inespressivi. Allora decisi di andare al Museo del-

[1] 1472 [*N.d.A.*].

l'Aeronautica e dello Spazio, perché pensavo che fosse più interessante.

Se volete sapere il mio parere non lo trovai interessante quanto dovrebbe. Negli anni Cinquanta e Sessanta la Smithsonian *era* il Castle. Tutto era ammassato in questo meraviglioso, buio e vecchio ammuffito edificio. Era la soffitta nazionale, e quindi il disordine regnava sovrano. Era giustamente disordinato. In un angolo la camicia che Lincoln indossava quando fu ucciso, si vedeva ancora la chiazza di sangue all'altezza del cuore. Laggiù un diorama che mostrava le tradizioni dei Navajo. Lassù appesi a una trave polverosa, lo Spirit of St Louis e il primo aereo dei fratelli Wright. Era una continua avventura, non sapevi mai cosa ti sarebbe capitato di vedere. Ora tutto sembra catalogato e messo in bell'ordine da una zitella bisbetica. Quando entri al Museo dell'Aeronautica e dello Spazio sai che vedrai lo Spirit of St Louis, il primo apparecchio dei fratelli Wright, molti aerei famosi e navicelle spaziali: tutto entusiasmante, tutto in un'atmosfera asettica e sterilizzata. Manca il senso dell'avventura. Se tuo fratello venisse da te e ti dicesse, "Ehi, prova a indovinare che cosa ho trovato in quella sala", lo indovini subito, forse non al cento per cento, ma può trattarsi solamente di un aeroplano oppure di una navicella spaziale. Nella vecchia sede, invece, avrebbe potuto essere qualunque cosa: un cane pietrificato, lo scalpo di Custer, teste umane in formalina. L'elemento sorpresa è scomparso. Passai la giornata arrancando da un museo all'altro, compitamente, con deferenza e con diligenza, ma senza entusiasmo. C'era una tale valanga di cose da vedere che durante l'intera giornata ero riuscito a vederne solamente una minima parte.

La sera andai a fare una passeggiata sul Mall e arrivai fino al Jefferson Memorial. Avevo sperato di vederlo al tramonto, ma oramai era tardi e il buio era calato all'improvviso. Quando giunsi in mezzo al parco, fu buio pesto. Ero sicuro di essere aggredito, lo davo per scontato. Che altro ti puoi aspettare se vaghi nel parco di una metropoli a notte fonda? Evidentemente, però, per i delinquenti ero invisibile. L'unico rischio che corsi fu quello di essere travolto da una moltitudine di persone che facevano jogging, e arrivavano da tutte le direzioni. Il Jefferson Memorial era bello. Non appariscente, era semplicemente una rotonda di marmo, tipo Monticello, con una statua gigantesca di Jefferson. Incise sulle pareti le sue frasi preferite ("Buona giornata!", "Tieni su la camicia", "Avresti potuto abbattermi con una piuma", ecc.). Di notte viene illuminato. È uno spettacolo che ti manda in estasi: le luci si riflettono sul laghetto Tidal Basin. Devo essere rimasto seduto in quel posto per oltre un'ora. Ascoltavo il soffocato rumore del traffico, le sirene e i clacson lontani, le deboli urla delle persone, i canti, gli spari.

Era così tardi che non mi parve opportuno andare a vedere il Lincoln Memorial. Ci andai la mattina successiva. Il Lincoln Memorial corrisponde alle aspettative. Lincoln siede su quella grande sedia e ha un aspetto solenne e garbato. Sul suo capo s'era posato un piccione. Pare che non manchi mai. Mi domandai se per caso al piccione non fosse venuto in mente che tutti lo guardavano. Mi incamminai, quindi, sul Mall dove vidi altre transenne e altri uomini della sicurezza. Il sentiero che attraversava il parco era stato sbarrato. C'erano anche due elicotteri presidenziali, lo si capiva dall'insegna sui portelli, sette cannoni e la Banda dei Marines. Era mattina presto e non c'era gente. Mi avvicinai al cordone di sicurezza, unico spettatore. Nessuno della sicurezza mi tampinò o sembrò notarmi.

Dopo qualche minuto, una sequela di sirene riempì l'aria e una miriade di limousine e poliziotti in motocicletta si avvicinò. Da un'auto uscì Nakasone seguito da altri giapponesi, tutti in abito scuro, tutti scortati da aitanti ariani del Dipartimento di Stato. Se ne stavano tutti composti davanti alla banda che suonava un bel motivetto a me sconosciuto. Subito dopo furono sparate ventun salve, ma il suono non fu assordante come uno si sarebbe aspettato. Era un suono sommesso. Probabilmente usavano delle cariche antirumore, forse non volevano svegliare il Presidente alla Casa Bianca. Quando il comandante della batteria urlò: "Pronti? Fuoco!", o qualcosa di simile, si sentì soltanto un rumore sordo, simile a quello che fai quando stappi una bottiglia. Una densa nuvola di fumo si diresse verso di noi e investì il parco. Poiché c'erano solo sette cannoni il rito fu ripetuto tre volte. Nakasone agitò amichevolmente la mano verso la folla – cioè me – e si diresse, con tutto il suo seguito, verso gli elicotteri presidenziali, le cui eliche erano già in moto. Si alzarono in volo, passarono sopra il Monumento a Washington e sparirono. Tutti tirarono un sospiro di sollievo, si rilassarono e si accesero una sigaretta.

In seguito, a Londra, raccontai il mio incontro (privato) con Nakasone, con la Banda dei Marines, parlai dei cannoni col silenziatore e del Primo Ministro giapponese che mi aveva salutato con la mano. Le persone a cui feci il racconto mi ascoltarono per educazione, infatti dopo una breve pausa, uno disse: "Ah, ti ho detto che Mavis deve ritornare in ospedale per farsi operare al piede?", o qualcosa del genere. Gli inglesi sanno annientarti quando vogliono!

Lasciai Washington. Viaggiai sulla US 103, passai Annapolis, la US Naval Academy e attraversando il lungo e basso ponte sulla Chesepeake Bay arrivai nel Maryland da est. Prima del 1952, data in cui il ponte fu costruito, la zona orientale della baia aveva goduto secoli di isolamento. Da allora gli abitanti vanno ripetendo che la penisola sarà invasa e rovinata. In verità mi sembra che sia ben conservata e ritengo che i nuovi residenti facciano di tutto per mantenerla tale. Infatti, sono stati loro a opporsi tenacemente alla costruzione di centri commerciali e di parchi dei divertimenti. Gli indigeni, nella loro ingenuità, tendono a essere più permissivi.

Chestertown, la prima città di una certa consistenza che incontrai, confermò le mie ipotesi. Vidi una donna in tuta rosa che andava in bicicletta. Sul manubrio c'era un cestino in vimini. Solamente una *émigrée* andrebbe in bicicletta e metterebbe un cestino in vimini sul manubrio, un locale sarebbe sicuramente alla guida di un camioncino Subaru. C'erano molte biciclette da donna. Le donne s'erano impegnate a mantenere Chestertown una comunità modello. Il luogo è immacolato. I marciapiedi sono pavimentati con mattoni, le strade sono alberate, nell'area degli affari c'è un parco ben tenuto. La biblioteca affollata. La sala cinematografica è ancora intatta e funzionante. Non sono in cartellone film di infimo ordine. Tutto era tranquillo e seducente. Era tra le città più affascinanti che avessi visto. Poteva quasi assomigliare ad Amalgama-City.

Guidai attraverso la piatta e paludosa regione, troppo incantato dalla bellezza primitiva della penisola. Il cielo era limpido, qua e là si vedevano alcune fattorie e alcune cittadine dimenticate. Nella tarda mattinata attraversai il Delaware, *en route* per Philadelphia. Il Delaware può essere considerato uno degli stati più sconosciuti degli Stati Uniti. Una volta incontrai una ragazza del Delaware. Non mi veniva in mente nessuna frase carina sullo stato, allora dissi: "Ah, così sei del Delaware? Perbacco. Wow", e lei si diresse, prontamente, verso qualcun altro più eloquente e più bello di me. Rimasi interdetto per un po': avevo vissuto in America per vent'anni, avevo fruito di una costosa istruzione, eppure non sapevo più o meno nulla sugli altri cinquanta stati. Cominciai a chiedere informazioni, ma pareva che nessuno avesse mai sentito parlare, nel bene e nel male, del Delaware, né letto niente sui giornali o nei libri, o visto al cinema, mi rispondevano: "Non so, penso di non averne sentito parlare", con un'aria lievemente preoccupata.

Dopo questo fatto presi la decisione di leggere qualche libro sullo stato. Nel caso in cui avessi incontrato un'altra ragazza del Delaware avrei potuto dire qualcosa di interessante e piacevole e magari portarmela a letto. Ma non trovai gran che sui libri: persino sulla Enciclopedia Britannica c'erano soltanto due paragrafi, per di più le informazioni s'interrompevano nel bel mezzo di una frase, se non vado errato. La cosa ridicola è che mentre attraversavo in auto lo stato, mi veniva in mente poco o niente di quanto avevo letto. Mi sembrava che mi stesse accadendo qualcosa di strano. Avete in mente quei libri per ragazzi che hanno le pagine trasparenti; su ogni foglio trasparente c'è solamente una parte della composizione. Se mettete i lucidi uno sopra l'altro ottenete il disegno completo. A mano a mano che togli un lucido il disegno diventa sempre più confuso. Mi stava succedendo la stessa cosa. Mi pareva che mi fosse stato tolto il lucido più importante. Mentre guidavo, non riuscivo neppure ad assorbire alcuna caratteristica del paesaggio che mi sfilava davanti. Ripensandoci, mi pare di ricordare soltanto un panorama semi-industriale e alcuni cartelli per Wilmington.

Giunsi nei sobborghi di Philadelphia, la città che diede, tra l'altro, fama a Sylvester Stallone e alla malattia dei legionari. Ero così preoccupato da questi irrequieti pensieri, che persi ogni interesse nella questione Delaware.

ma per conto mio avevo imparato [illegible] istruzione [illegible] non [illegible] sei mesi [illegible] stato [illegible] [illegible] ma [illegible] [illegible] bene [illegible] del Delaware [illegible] [illegible] dovevo [illegible] [illegible] potuto.

Dopo questo tutto presi la decisione di leggere quanti libri [illegible] Nel caso [illegible] del Delaware [illegible] Franklin [illegible] non più [illegible] [illegible] fatto [illegible] parte [illegible] composizione [illegible] sempre più [illegible] Washington.

Quando [illegible] Filadelfia, la città [illegible] Pietro, [illegible] alla [illegible] questione Delaware.

13

Quando ero ragazzo Philadelphia era considerata la terza città d'America. Quello di cui mi ricordavo erano miglia e miglia in auto, un'afosa domenica mattina di luglio passata attraverso ghetti, un isolato dopo l'altro tutti fatiscenti, bambini neri che giocavano tra gli spruzzi d'acqua degli idranti, vecchi che ciondolavano agli angoli delle strade o sedevano sui gradini delle case. Era il posto più povero che avessi, allora, mai visto. L'immondizia ostruiva i tombini e giaceva sui marciapiedi, gli edifici erano cadenti; mi pareva di essere in un'altra nazione, che so, Haiti o Panama. Papà fischiettava sottovoce per tutto il tempo, lo faceva sempre quando si sentiva a disagio, e ci diceva di tenere i vetri chiusi anche se in auto il caldo era insopportabile. Ai semafori la gente ci guardava stralunata; papà, allora, aumentava il ritmo del fischio, tamburellava sul volante e ostentava un sorriso di circostanza a chiunque lo guardasse, come se volesse scusarsi: "Abbia pazienza, ma veniamo da un altro stato".

Le cose sono cambiate. Philadelphia non è più la terza città d'America, negli anni Sessanta Los Angeles l'ha spostata al quarto posto, sono state costruite tangenziali che ti portano dritto dritto in centro città cosicché le ruote dell'auto non si insozzano nei ghetti. Eppure io riuscii a compiere, quando lasciai la tangenziale in cerca di una pompa di benzina, una visita fuori programma a uno dei quartieri periferici più poveri. Prima ancora di riuscire a capire il da farsi mi trovai risucchiato in un vortice di sensi unici e fui condotto nella zona più squallida e apparentemente più pericolosa. Avrebbe potuto essere, per quel che ne so io, il ghetto che avevo attraversato un tempo – gli edifici parevano gli stessi – ma tutto era di gran lunga peggio di quanto ricordassi. Nel ghetto della mia infanzia, nonostante l'estrema miseria, aleggiava un'atmosfera carnevalesca: persone con abiti dai colori vivaci e dall'aria allegra. Questo posto, invece, era deprimente e pericoloso, come una zona di guerra. Macchine semidistrutte, frigoriferi sconquassati, divani semibruciacchiati, il tutto lasciato davanti a case abbandonate. I bidoni dell'immondizia erano sparpagliati sui marciapiedi come se fossero stati gettati dall'ultimo piano. Niente pompe di benzina – e in ogni modo non mi sarei fermato, qui, neppure per un milione di dollari – mentre la maggior parte dei negozi avevano le entrate e le vetrine sbarrate con compensato. Ogni più piccolo spazio, usando colori spray, era stato riempito di graffiti. C'erano ancora dei giovani sui gradini delle case e agli angoli, ma parevano indifferenti e infreddoliti – era una giornata fredda – e non sembrava facessero caso a me. Grazie a Dio. Era uno di quei ghetti dove ti uccidono per un pacchetto di sigarette – cosa che riuscivo a tenere presente mentre freneticamente cercavo il modo di ritornare sulla tangenziale. Nel tentativo di trovarla, più che fischiettare me la facevo sotto.

Fu l'esperienza più inquietante che avessi avuto da anni. Cristo Santo, dev'essere un'impresa vivere in quei luoghi e andarci in giro di giorno. Lo sapete che, se siete un nero di una metropoli americana, avete una possibilità su venti di essere assassinato? Durante la Seconda Guerra Mondiale, la proporzione era di una su cinquanta. A New York ogni quattro ore viene ucciso qualcuno. Il decesso più comune e abituale tra i giovani sotto i 35 anni è l'omicidio – eppure New York non è tra le metropoli con il tasso più alto di omicidi. Come minimo la precedono altre otto città. A Los Angeles ci sono più omicidi nelle scuole che nell'intera Londra. Quindi meraviglia poco se chi abita in città, in America, considera la violenza come un fatto di ordinaria amministrazione. Non capisco, però, come facciano.

Mentre andavo a Des Moines, prima di intraprendere questo viaggio, ho fatto scalo all'aeroporto O'Hare di Chicago dove ho incontrato un amico che lavora al *St Louis Post Dispatch*. Mi disse che aveva fatto molti straordinari negli ultimi tempi a causa di un incidente successo al suo capo. Il suo capo, in una tarda serata di sabato, di ritorno dal lavoro, si era fermato al semaforo e, mentre aspettava il verde, un tizio con una pistola in mano aveva aperto la portiera e si era introdotto nell'auto, costringendolo a guidare fino al lungolago. Lì giunti, gli aveva sparato un colpo in testa e gli aveva preso tutti i soldi. Il malcapitato era rimasto in coma tre settimane ed era ancora in prognosi riservata.

L'amico non mi raccontò il fatto per la sua singolarità ma semplicemente per illustrarmi il maledetto lavoro che doveva fare fino a tarda notte. Il suo atteggiamento nei confronti della vicenda era che, se ti dimentichi di bloccare le portiere dell'auto quando viaggi di notte per St Louis, devi mettere in conto di trovarti, prima o poi, una pallottola in fronte. Era insensato quel suo contegno distaccato, ma sembrava aderisse perfettamente all'attuale *American Way of Life*. Ciò mi fece sentire straniero.

Giunsi in centro città e parcheggiai vicino al Municipio. In cima all'edificio c'è la statua di William Penn. È l'attrattiva maggiore della città, visibile a distanza anche se era coperta da ponteggi. Nel 1985, dopo anni di incuria, gli amministratori avevano deciso di restaurare la statua prima che cadesse a pezzi. Così l'avevano ponteggiata. Ma era costato così tanto che non erano rimasti finanziamenti per ripararla. A due anni di distanza i ponteggi erano ancora lì e di lavori manco l'ombra. Un ingegnere, con la sua bella faccia tosta, aveva dichiarato, in quel periodo, che presto i ponteggi avrebbero dovuto essere rinnovati. Ecco come funzionano le cose a Philadelphia, cioè non molto bene. Nessun'altra città in America persegue un duplice ideale, corruzione e incompetenza, con eguale entusiasmo. Quando si tratta di stupidità amministrativa, Philadelphia è in una classe a parte.

Per esempio, nel 1985, una cervellotica setta chiamata Move si barricò in un caseggiato di appartamenti nella zona ovest della città. Il capo della polizia e il sindaco, prese in considerazione tutte le alternative, decisero che la più intelligente sarebbe stata quella di far saltare in aria tutta la casa – e guarda caso! – consapevoli che all'interno c'erano dei bambini e che l'immobile era situato nel bel mezzo di una zona densamente popolata. Così da un elicottero sganciarono una bomba che appiccò un incendio che sfuggì a qualsiasi controllo e che distrusse gran parte del quartiere – 62 case – e causò undici morti, inclusi i bambini che abitavano nella casa in questione.

Quando i funzionari non mettono all'opera la loro incompetenza, si rilassano con la corruzione. Mentre guidavo verso il centro, sentii, alla radio, che un assessore era stato condannato a dieci anni per tentata estorsione, e il suo portaborse a otto. Il giudice aveva parlato di abuso di potere bell'e buono. Ma, come, non lo sapeva? In tutta la città un manifesto chiedeva le dimissioni di nove giudici, suoi colleghi, che prendevano bustarelle, sottobanco, dai membri del Sindacato dei Conciatetti. Due di loro erano già in attesa di giudizio con l'accusa di estorsione. Ordinaria amministrazione a Philadelphia. Qualche mese prima, un funzionario pubblico di nome Bud Dwyer, messo sotto accusa per corruzione, indisse una conferenza stampa e, mentre le telecamere erano in funzione, estrasse la pistola e si fece saltare le cervella.

Tuttavia, nonostante tutta la sua incompetenza e scelleratezza, Philadelphia è una città garbata: a differenza di Washington si respira aria di metropoli. Ci sono grattacieli, dalle griglie dei marciapiedi sale il vapore, a ogni angolo ci sono i biroccini degli hot-dog che attirano i tizi freddolosi con berretti calcati fino al naso. Passeggiai fino a Independence Square – che in realtà oggi è chiamata Independence National Historical Park – e osservai rispettosamente tutti i palazzi storici. Il più importante è Independence Hall, dove fu stilata la Dichiarazione di Indipendenza e ratificata la Costituzione. Quando andai, nel 1960 per la prima volta, per entrarvi bisognava fare una fila lunga un chilometro. La fila c'era ancora – sembrava la stessa di ventisette anni prima. Nonostante il mio profondo rispetto sia per la Dichiarazione d'Indipendenza sia per la Costituzione reputai non fosse opportuno passare un intero pomeriggio in piedi in una fila immota. Andai invece all'ufficio turistico. Tutti i centri-informazioni dei parchi nazionali sono uguali. Tutti hanno del materiale, nelle teche, che risulta essere noioso e disinformativo, una sala cinematografica, chiusa, con un cartello che indica, per le quattro del pomeriggio, la successiva proiezione, venti minuti di pellicola introduttiva (se non che, pochi minuti prima delle quattro, qualcuno si prende la briga di cambiare orario e mette un cartello con la scritta che la proiezione avrà luogo alle dieci del mattino successivo), e ancora dei libri, delle brochure dai titoli *Pewter in History* oppure *Vegetables of Old Philadelphia*[1], troppo insulsi per poterci dare un'occhiata, ancor meno per comprarli, una fontanella con acqua potabile e la toilette, di cui si fa gran uso non essendoci molto altro da fare. Chiunque visiti un parco nazionale va all'ufficio turistico, fa la figura del rimbambito mentre si guarda attorno, fa una pisciati-

[1] Il peltro nella Storia e Specialità ortofrutticole della vecchia Philadelphia [*N.d.T.*].

na, una bevutina d'acqua e poi se ne ritorna donde è venuto. Esattamente quello che feci io.

Dall'ufficio turistico m'incamminai lungo Independence Mall verso Franklin Square, piena di ubriaconi che avevano la ridicola idea che avrei dato loro 25 centesimi in cambio di niente. Secondo la mia guida, in Franklin Square vi sono 'molte cose interessanti da vedere' – un museo, una rilegatoria, una mostra archeologica e 'l'unico ufficio postale degli Stati Uniti dove non sventola la bandiera americana' (non chiedetemi il perché). Ma non avevo una gran bella disposizione d'animo, specie se guardavo quei beoni, miserandi e sporchi, che mi tiravano per le maniche, così corsi via verso il vero mondo del centro di Philadelphia.

Nel tardo pomeriggio mi recai alla redazione del *Philadelphia Inquirer*, dove una vecchia amica di Des Moines, Lucia Herndon, lavora come redattrice di moda. All'*Inquirer* gli uffici sono come quelli di tutte le redazioni – disordinati, pieni di cianfrusaglie, con bicchierini del caffè pieni di mozziconi che galleggiano come pesci morti in un lago inquinato – ma quello che maggiormente mi sconcertò fu la scrivania di Lucia: era la più incasinata. In parte ciò era dovuto alla sua strepitosa carriera. Ho conosciuto solo un giornalista con la scrivania veramente in ordine, ma alla fine fu arrestato perché tampinava i ragazzini. Di questa informazione fatene l'uso che credete, ma tenetela presente se per caso qualcuno, che tiene in ordine la scrivania, vi invita ad andare al campeggio con lui.

Insieme andammo nel distretto di Mt. Airy dove lei viveva con un altro mio carissimo amico di Des Moines, Hal, suo marito. Per tutta la giornata mi ero vagamente chiesto come mai a Hal e Lucia piacesse Philadelphia tanto da essersi trasferiti circa un anno prima, ma appena giunto a casa loro, lo capii. La strada che porta a Mt. Airy attraversa uno dei parchi più belli che abbia mai visto. Fairmount Park copre un'area di 9000 acri di morbide colline, il più vasto parco municipale negli Stati Uniti, pieno di alberi, cespugli odorosi e radure boschive di infinita bellezza, che per alcuni chilometri costeggia il Schuylkill River. Guidammo in un crepuscolo da sogno. Le barche dondolavano nell'acqua. Un incanto.

Mt. Airy è un po' fuori città, nella zona chiamata Germantown. Sentivo di essere avvolto da un'autentica atmosfera di spirito vitale, come se le persone fossero state lì da generazioni, ed è il caso di Philadelphia, mi disse Lucia. La città è un insieme di quartieri dove tutti si conoscono. Molto raramente la gente si allontana da casa se non per poche centinaia di metri. Non è insolito perdersi, e scoprire che nessuno riesce a dare indicazioni veritiere per arrivare al quartiere vicino. Philadelphia poi ha il suo gergo: *downtown* si dice *centre city*, i *sidewalks* sono i *pavements*, come in Inghilterra, per non parlare delle differenze di pronuncia.

La sera, a casa di Hal e Lucia, gustai un'ottima cena, ammirai i loro bambini, la loro casa, i loro mobili e oggetti, il loro benessere e comfort, e mi sentii cretino per aver lasciato l'America. La vita qui sembrava così opulenta, così facile, così comoda. All'improvviso desiderai avere un frigorifero che facesse il ghiaccio istantaneo a cubetti, e una radio subacquea per la doccia, e uno spremiagrumi elettrico, e uno ionizzatore, e un orologio che mi tenesse informato sui miei bioritmi. Volevo tutto. Poi, durante la serata, andai in bagno e passai dinanzi a una delle camere dei bambini. La porta era aperta e la luce accesa: c'erano giocattoli ovunque – sul pavimento, sugli scaffali, straripavano, persino, da un baule di legno. Sembrava il magazzino di Babbo Natale. Non c'era niente di straordinario, era la tipica camera da letto della media borghesia americana.

Dovreste vedere gli sgabuzzini americani! Pieni di ricordi del passato: mazze da golf, attrezzature subacquee, racchette da tennis, cyclette, registratori, attrezzi per camera oscura, oggetti che un tempo hanno eccitato chi li ha posseduti e poi sono stati riposti insieme a tutti gli altri, che magari li hanno entusiasmati ancor di più. Questa è la cosa più seducente dell'America – la gente compra sempre quello che desidera, subito, senza valutare se è utile o meno. C'è qualcosa di terribilmente preoccupante e spaventosamente irresponsabile in questa autogratificazione senza fine, in questo costante appello agli istinti primitivi.

Siete d'accordo sulla riduzione delle tasse anche a rischio di rovinare il sistema scolastico?

"Oh sì", grida la folla.

Che ne dite di una tivù che fa piangere gli stupidi?

"Sì, sì."

Perché non ci concediamo la più grande orgia consumistica al mondo?

"Che bello! Facciamolo subito!"

Tutta l'economia si basa sul soddisfacimento dei desideri ardenti di quel due per cento della popolazione mondiale. Se gli americani improvvisamente smettessero di soddisfare i loro intensi desideri o non avessero più sgabuzzini, il mondo cadrebbe in rovina. Secondo me è follia pura.

Premetto che, in questo caso, non parlo di Hal e Lucia. Sono delle brave persone che conducono una vita tranquilla e responsabile. Il loro sgabuzzino non è stipato di attrezzature da subacqueo o di racchette da tennis; hanno tutta una serie di oggetti utili: secchi, galosce, copriorecchie e prodotti per la pulizia. Non vi racconto bugie perché nottetempo, quando tutti dormivano, sono andato di nascosto a dare un'occhiata!

La mattina successiva portai Hal in ufficio *downtown* – scusate, *centre city* – quel tratto lungo Fairmount Park fu incantevole nella mattinata soleggiata, come lo era stato al tramonto. Tutte le città dovrebbero avere parchi come questo. Mi raccontò, ancora, alcune cose interessanti su Philadelphia: l'amministrazione stanzia, più che in ogni altra città americana, fondi per l'arte consistenti nell'un per cento dell'intero budget, tuttavia ha una percentuale di analfabetismo di ritorno del quaranta per cento. Mi additò il Philadelphia Museum of Art, una della maggiori attrattive turistiche della città, non tanto per la sua collezione di dipinti, ben 500.000, ma perché su quei gradini Sylvester Stallone aveva ripreso gli allenamenti nei panni di Rocky. La gente arriva a frotte sui pullman, guarda i gradini e poi se ne va senza entrare a vedere i dipinti. Poi mi fece conoscere un programma radiofonico, un talk-show condotto da Howard Stern, di cui Hal era un fan. Howard Stern ha uno spiccato interesse verso il sesso e stuzzica chi gli telefona. "Buon giorno Marilyn", diceva. "Ce le hai le mutandine?" Questo, convenimmo, gli alzava l'indice d'ascolto e stracciava i concorrenti. Howard poneva domande ai suoi radioascoltatori con un irrefrenabile candore e una misurata lussuria, che non mi era mai capitato di sentire in una radio americana.

Malauguratamente persi la frequenza radio poco dopo aver lasciato Hal davanti all'ufficio e passai l'intera mattinata a cercarla, ma senza successo, così alla fine mi arresi ad ascoltare un programma concorrente di telefonate in diretta, con una donna che doveva essere un'esperta sui problemi inerenti ai vermi intestinali dei cani. Il problema veniva risolto suggerendo di somministrare al cane una pasticca in modo da far morire il verme. A quel punto mi sentii anch'io un esperto. Passò così l'intera mattinata.

Raggiunsi Gettysburg, dove, per tre giorni, ebbe luogo la battaglia decisiva della guerra civile americana nel luglio 1863. Ci furono più di 50.000 feriti, allora. Giunto all'ufficio turistico, vi entrai. Vi era un piccolo museo mal illuminato, con teche contenenti pallottole, bottoni d'ottone, fibbie e cose del genere. Ogni oggetto aveva accanto una targhetta giallastra con la descrizione; tipo: "Fibbia dell'uniforme del 13th Tennessee Mountaineers. Scoperta da Festus T. Scrubbins, contadino locale. Donata dalla figlia, Mrs. Marienetta Stumpy". Quasi nulla di quanto era esposto dava l'emozione di una battaglia; sembrava piuttosto il risultato di una caccia al tesoro.

Di un certo qual interesse era invece la teca dedicata al Gettysburg Address, la quale mi rivelò che Lincoln era stato invitato a parlare solo come commentatore e tutti erano stati presi alla sprovvista quando lui aveva accettato. Parlò per pochi minuti, una decina di frasi in tutto, molti mesi dopo la battaglia, come mi venne in seguito detto. Avevo sempre pensato che il discorso l'avesse tenuto subito dopo il combattimento, mentre i corpi erano ancora sparsi sul campo e, in lontananza, il fumo si alzava dalle case disastrate e alcune persone, come Festus T. Scrubbins, vagavano tra i corpi straziati in cerca di qualche souvenir. La verità, come spesso accade, è sconcertante.

Uscii e diedi un'occhiata al campo, che si estende su un terreno piatto per oltre 3500 acri e confina con la città di Gettysburg, piena di stazioni di servizio e di motel. Il campo di battaglia ha le manchevolezze di tutti i campi di battaglia storici. È semplice campagna. Bisognava credere a occhi chiusi in quello che ti dicevano: cioè che la battaglia era stata combattuta lì. Bisognava darne atto che c'erano dei cannoni sparpagliati. Lungo la strada che portava al luogo della carica di Pickett – quell'attacco dei Confederati che aveva cambiato il destino della battaglia a favore dell'Unione – molti reggimenti avevano eretto obelischi e monumenti a memoria del valore dei soldati. Alcuni erano notevoli. Passeggiai in quei luoghi e con il vecchio binocolo di papà riuscii a rendermi conto di come le truppe di Pickett fossero arrivate dalla direzione dell'attuale città, poco più di un chilometro a nord, passando attraverso il pachidermico parcheggio del Burger King, sfilacciandosi all'altezza del Tastee Delite Drive-in e raggruppandosi, di nuovo, fuori dal Crap-o-Rama Wax Museum e Gift Shop. Che tristezza! Diecimila soldati erano caduti in una sola ora; due confederati su tre non avevano fatto ritorno alla base. È un peccato, quasi un delitto, che una gran parte della città di Gettysburg sia stata rovinata dal turismo di massa, come risultava evidente dal mio punto di osservazione.

Quando ero piccolo, il babbo mi aveva comprato un berretto dell'Unione e un fucile giocattolo e mi lasciava giocare su quel campo di battaglia. Ero al settimo cielo. Correvo tutta la giornata, nascondendomi dietro gli alberi, assaltando il Devil's Den e il Little Round Top, rompendo le fila dei grassi turisti con la macchina fotografica al collo. Anche papà era al settimo cielo perché l'entrata era gratis e perché c'erano migliaia di lapidi da leggere. Ma ora avevo qualche difficoltà a recuperare un po' di entusiasmo per quel posto.

Ero pronto per partire, mi sentivo un po' in colpa per aver fatto tanta strada e non essere riuscito a ricavare qualcosa di positivo, poi vidi una indicazione dell'ufficio turistico: VISITA GUIDATA ALLA CASA DI EISENHOWER. Mi ero dimenticato che Ike e Mamie Eisenhower erano vissuti in una fattoria alle porte di Gettysburg. La loro vecchia casa era diventata monumento nazionale e poteva essere visitata per 2.50 dollari. Senza pensare comprai il biglietto e uscii, giusto in tempo per prendere l'autobus che portava una dozzina di turisti alla fattoria distante qualche miglio in aperta campagna.

Fu grandioso! Non mi ricordavo di essermi divertito tanto in una casa repubblicana. Sulla porta, una garbata signora, con un crisantemo sul petto, ti racconta quanto Ike e Mamie si divertivano a stare seduti, a guardare la tivù o a giocare a canasta; poi ti dà un opuscolo che descrive ogni stanza e uno è libero di visitare la casa a suo piacimento. L'entrata di ogni stanza è delimitata da una barriera di perspex che arriva all'altezza della vita per cui, allungando il collo, puoi dare un'occhiata all'interno. La casa è conservata proprio come quando ci vivevano gli Eisenhower; dà l'idea che se ne siano andati in vacanza e non siano più rientrati (cosa che entrambi avrebbero potuto fare alla fin fine). L'arredamento è la quintessenza dei primi anni Sessanta, repubblicani. Quando ero ragazzino tra i nostri vicini di casa c'erano dei repubblicani ricchi, e questa era la fotocopia della loro casa: il televisore dentro un mobile di mogano, le lampade da tavolo di legno dolce, un mobile bar ricoperto in pelle, telefoni del tipo francese in ogni camera, mobili-libreria con pochissimi libri (sempre a gruppi di tre) e, in mostra sugli scaffali vuoti, enormi oggetti di porcellana con decorazioni floreali e dorate, quelle amate dagli aristocratici francesi omosessuali.

Quando gli Eisenhower comprarono la tenuta, c'era una fattoria d'epoca, costruita duecento anni prima, così piena di spifferi e così scricchiolante nelle notti ventose che l'avevano abbattuta, e avevano costruito l'attuale edificio simile a una fattoria vecchia di duecento anni. Fantastico, no? È così repubblicano, nevvero? Ero incantato. In ogni stanza vedevo cose che avevo perso di vista da anni: elettrodomestici anni Sessanta, vecchi numeri di *Life Magazine*, mastodontici televisori in bianco e nero portatili, sveglie di metallo. Al primo piano le stanze da letto erano così come le avevano lasciate Ike e Mamie: gli effetti personali di Mamie erano sul comodino – il diario, gli occhiali, le pillole per dormire – e oso dire che, se mi fossi piegato e avessi guardato sotto il letto, ci avrei trovato le sue vecchie bottiglie di gin.

Nella stanza di Ike, c'erano, in bella mostra, la giacca da camera e le pantofole, mentre, sulla sedia accanto al letto, il libro aperto proprio alla pagina che Ike stava leggendo quando morì. Il titolo del libro – vi invito a ricordare che fu uno degli uomini più importanti del secolo, quello che tenne nelle proprie mani il destino del mondo per gran parte della seconda guerra mondiale e per tutto il periodo della guerra fredda, l'uomo che la Columbia University scelse come rettore, l'uomo venerato da due generazioni di repubblicani, l'uomo che per tutta la mia fanciullezza tenne il dito sul The Button[2], – ebbene il titolo del libro era *West of the Pecos* di Zane Grey.

Da Gettysburg, sulla US 15, mi diressi a nord verso Bloomsburg, dove mio fratello e la sua famiglia si erano trasferiti da poco. Per molto tempo erano vissuti alle Hawaii, in una casa con piscina nei pressi di spiagge dorate, sotto cieli tropicali e palme fruscianti, e proprio quando avevo programmato un viaggio in America con la possibilità di spostarmi in libertà, si erano trasferiti nella Rust Belt – la zona industriale. Bloomsburg si rivelò una città carina – non ha né spiagge dorate e né ragazze hawaiane dai fianchi ondeggianti, ma nell'insieme carina.

È una città universitaria, dall'aria decisamente sonnolenta. Di primo acchito ti senti come a casa tua. La via principale, Main Street, è elegante e pulita mentre le strade secondarie sono piene di grandi case d'epoca, circondate da vasti prati. Qui e là s'intra-

[2] Il bottone della bomba atomica [*N.d.T.*].

vedono guglie di chiese che spuntano al di sopra degli alberi. Si avvicina molto alla città ideale – una di quelle poche città americane dove puoi andare in giro senza macchina. Da ogni casa agevolmente si raggiungono a piedi sia la biblioteca, sia l'ufficio postale, sia i negozi. Mio fratello e sua moglie mi dissero che stavano per costruire un centro commerciale fuori città e che quasi tutti i negozi più importanti sarebbero stati trasferiti là. Pare che alla gente non piaccia andare a fare lo shopping a piedi. In realtà vogliono salire in auto, andare fuori città, parcheggiare e farsi quattro passi a piedi, gli stessi che farebbero in centro, attraverso un enorme parcheggio spoglio. Ecco come si fa lo shopping in America, e quelli di Bloomsburg non vogliono essere da meno! Così il centro diventerà semiabbandonato e si perderà un'altra bella cittadina. Così va avanti il mondo.

In ogni modo, come potete immaginare, fui felice di vedere mio fratello e sua moglie. Feci tutto quello che si fa di solito quando si va dai parenti – mangiai, usai il bagno, la lavatrice, il telefono, mi sentii inutile mentre loro si affannavano a trovare le coperte, usufruii di un morbidissimo e godurioso divano letto, e naturalmente, a notte fonda, quando tutti erano addormentati, di soppiatto andai nello sgabuzzino per vedere cosa c'era.

Poiché era il fine settimana e avevano un po' di tempo libero, mi accompagnarono nella contea di Lancaster per mostrarmi il paese degli Amish. Un paio di ore di guida. *En route*, mio fratello mi fece vedere il reattore nucleare di Three Mile Island a Harrisburg, dove qualche anno prima, a causa di alcuni tecnici disattenti, tutta la zona orientale degli Stati Uniti aveva rischiato di essere contaminata, poi passammo davanti a Peach Bottom, la centrale nucleare, dove diciassette impiegati erano stati recentemente licenziati in quanto durante le ore di lavoro dormivano, o si drogavano o giocavano ai videogame. Secondo gli ispettori molti alla centrale si facevano la pennichella. Permettere che le centrali nucleari, in Pennsylvania, siano gestite dall'amministrazione pubblica è come affidare uno zoppo a un cieco. In ogni caso mi feci un nodo al fazzoletto: la prossima volta che andrò in Pennsylvania mi porterò infatti una tuta antiradiazioni.

La contea di Lancaster è la culla degli olandesi della Pennsylvania, Amish e Mennoniti. Il nome di questi ultimi viene da una famosa marca di deodorante in stick. Non è vero. Me lo sono inventato! Il nome è dovuto a Menno Simons, uno dei primi notabili. In Europa sono chiamati Anabattisti. Arrivarono nella contea di Lancaster 250 anni fa. Oggigiorno ci sono 12.500 Amish nella contea, e quasi tutti discendono dalle trenta coppie originali. Gli Amish si staccarono dai Mennoniti nel 1693 e da allora vi sono state moltissime scissioni, ma tutti hanno in comune la semplicità con cui vestono e l'opposizione alle cose moderne. Il problema è che fin dal 1860 hanno affrontato infinite discussioni sulla rigidità da mantenere nelle loro consuetudini. Ogni qual volta un nuovo marchingegno viene posto sul mercato essi devono discutere se sia gradito o meno alla legge di Dio; nel caso sia accettato, chi non è d'accordo si separa e fonda una nuova setta. Discutono se accettare i cerchioni di acciaio o di gomma per il calesse, se accettare i trattori, l'elettricità, la televisione. Forse discutono anche se accettare i frigoriferi autosbrinanti e se il caffè istantaneo debba essere liofilizzato o no.

Quello che più affascina degli Amish sono i nomi delle loro città. Ovunque in America le città prendono il nome da una persona, il primo bianco che si è insediato o l'ultimo indiano che se ne è andato. Ma gli Amish anche in questo caso discutono a lungo il nome della città e finiscono poi per scegliere nomi bizzarri, quasi una provocazione: Blue Ball, Bird in Hand e Intercourse[3], tanto per darvi un'idea. Intercourse vive attraendo i turisti che, come me, pensano che il massimo del divertimento sia mandare cartoline da Intercourse piene di stupidi messaggi.

Molti sono così affascinati dal tipo di vita degli Amish, dall'idea di vivere come duecento anni fa, che vengono a frotte a curiosare. Centinaia di turisti affollavano Intercourse per cui tutte le strade erano intasate di auto e di pullman. Tutti nutrivano la speranza di fotografare dei veri Amish. All'incirca cinque milioni di turisti si recano nella contea dove imprenditori non-Amish si sono dati da fare per mettere in piedi negozi di souvenir, fattorie fasulle, musei delle cere, cafeterie e negozi regalo che succhiano ai turisti, felici di essere spennati, 350 milioni di dollari ogni anno. Agli Amish è rimasto ben poco da comprare in questi luoghi per cui non vi si recano più e ai turisti non resta altro da fare che fotografarsi l'un l'altro.

La propaganda turistica e i film come *Witness, il testimone* possono anche renderli affascinanti ma resta il fatto che la contea di Lancaster è uno dei posti peggiori degli Stati Uniti, specialmente durante il fine settimana quando il traffico è tale che si for-

[3] Palla Blu, Uccello in Mano, Rapporto Sessuale [*N.d.T.*].

mano file interminabili. Molte comunità Amish hanno tagliato la corda e si sono trasferite nell'Iowa o nel Michigan per essere lasciati in pace. Si riescono ancora a vedere degli Amish che, nei loro vestiti scuri, lavorano in aperta campagna; oppure sono alla guida dei calessi sulle Highway, tutti gli automobilisti si scalmanano perché non riescono a superarli e li insultano anche se, in realtà, vorrebbero andare a Bird in Hand per comperare cibi tipici, portabottiglie in ferro battuto, o cassette della posta con barometro da portarsi a casa a Fisima-City. Non mi meraviglierei se fra una decina di anni non si troverà più nemmeno un Amish autentico nella contea. Una vera vergogna! Dovrebbero essere lasciati in pace!

La sera ci recammo in uno di quei ristoranti olandesi a conduzione familiare, allestito in un fienile, che si trovano un po' ovunque nella contea. Il parcheggio era pieno di pullman e la gente aspettava fuori e dentro al locale. Entrammo, ci venne consegnato un numero, il 621, e ci sistemarono in uno spazio angusto, appena lasciato libero da un altro gruppo. Di quando in quando spuntava un tizio che cominciava a urlare dei numeri – 220, 221, 222 – ridicolmente più bassi del nostro. Una dozzina di persone lo seguiva, allora, nella sala da pranzo. Stavamo discutendo se andarcene quando un gruppo di fianco a noi ci suggerì di non lasciarci prendere dallo sconforto poiché valeva la pena di aspettare, anche fino alle undici. La cucina era veramente buona, aggiunsero, e davano l'aria di essere dei buongustai. Avevano ragione! Finalmente chiamarono il nostro numero e, insieme a nove sconosciuti, ci fecero accomodare, tutti insieme, attorno a un tavolo rustico.

C'erano una cinquantina di tavolate come la nostra, tutte popolate da una dozzina di avventori. Il baccano e il trambusto erano inimmaginabili. Le cameriere andavano avanti e indietro con vassoi enormi, scodellando su ogni tavolo quantità incredibili di cibo che veniva ingurgitato come se le persone non avessero mangiato da una settimana. La cameriera fece in modo che facessimo amicizia con gli altri seduti al nostro tavolo, dopo di che cominciò a servirci: vassoi e terrine piene di fette di prosciutto, pollo fritto, montagne di purea di patate e una quantità di verdura, panini, minestre e insalate. Incredibile! Ci si serviva, dopo di che si passava il vassoio al vicino. Ognuno poteva prendere tutto il cibo che voleva, e quando una terrina era vuota la cameriera ne portava un'altra, un invito a svuotarla.

Non avevo mai visto una tale montagna di roba da mangiare. Il piatto era sempre pieno, tutto era delizioso e ben presto conoscemmo gli altri e ci divertimmo un mondo. Mangiavo a quattro palmenti e le pietanze continuavano ad arrivare sul tavolo. Nel momento in cui pensai che avrei avuto bisogno di una sedia a rotelle per ritornare all'auto, la cameriera portò via i resti e cominciò a servire il dolce – torte di mele, torte al cioccolato, gelato fatto in casa, pasticcini, crostate e ogni altro ben di Dio.

Continuai a mangiare. Era tutto troppo buono per non assaggiarlo! Mi saltarono i bottoni della camicia! E anche quelli dei pantaloni! Anche se ormai facevo fatica a portarmi il cucchiaio alla bocca continuavo a ingurgitare palate di cibo. Era grottesco! Il cibo mi usciva persino dalle orecchie. Eppure continuavo a mangiare. Mangiai come un maiale quella sera. Finalmente, grazie a Dio, la cameriera ci tolse i cucchiai di mano e portò via i dessert; solo allora, come degli zombi, raggiungemmo il parcheggio.

In auto, troppo pieni per parlare, percorremmo la strada del ritorno. Sdraiato sul sedile posteriore, senza scarpe, lanciavo sospiri soffocati. Mi auguravo di non dovere mai più mangiare in vita mia, e lo dicevo sul serio. Ma quando più tardi arrivai a casa di mio fratello, l'agonia era passata ed entrambi eravamo pronti per un altro giro: cominciammo con della birra e un bel po' di *pretzel*, poi verso mattina finimmo con un piatto di cipolle e dei sandwich lunghi come sottomarini pieni di ogni sorta di cose piccanti. Una notte pantagruelica sulla Highway 11.

Che meraviglioso paese!

14

Erano le sette meno dieci, faceva freddo e fuori dalla stazione dei pullman di Bloomsburg, vedevo il mio respiro. Le poche auto che erano in giro lasciavano nubi di vapore. Stavo male per i postumi della sbornia. Pochi minuti e avrei fatto cinque ore di pullman per andare a New York. Avrei preferito morire.

Mio fratello mi aveva consigliato di andarci in pullman così non avrei dovuto diventare matto per trovare un parcheggio a Manhattan. Avrei lasciato la macchina a Bloomsburg e sarei ritornato un paio di giorni dopo. Alle due del mattino, dopo un bel numero di bottiglie di birra, mi era sembrata un bella idea. Ma ora, fermo nel freddo del primo mattino, capii che stavo facendo un errore madornale. Infatti negli Stati Uniti chi sceglie di fare un lungo tragitto in pullman o non può permettersi l'aereo oppure – e per un americano vuol dire toccare il fondo – non può permettersi un'auto. Non potersi permettere un'automobile significa essere quasi ridotti al rango di barboni. Per cui chi fa lunghe distanze in pullman appartiene alle seguenti categorie: gli schizoidi, i pazzi furiosi, quelli che si fanno o sono appena usciti di prigione oppure le suore. Di quando in quando viaggiano anche studenti norvegesi. Inconfondibili: sono rubizzi, scoppiano di salute e portano sempre pedalini blu con i sandali. Generalmente un lungo viaggio in pullman assomma ai disagi della vita in prigione quelli di una traversata oceanica in una nave da trasporto militare.

Quando il pullman si arrestò davanti a me, con uno stridio di gomme, le porte si aprirono e io salii con un certo timore. Anche l'autista non sembrava troppo normale. Da come portava i capelli si sarebbe detto che avesse appena preso la scossa elettrica. Onestamente, della mezza dozzina di passeggeri, solo un paio sembravano davvero fuori di testa e uno parlava da solo. Mi sedetti verso il fondo e cercai di farmi una dormita. La notte precedente, con mio fratello, avevo bevuto troppe birre e le cose piccanti, nei panini lunghi come sottomarini, si stavano misteriosamente dilatando nello stomaco e vagavano come il magma nella bocca del vulcano. Ben presto, di qui o di là, sarebbe uscito.

Da dietro, una mano mi si posò sulla spalla. Attraverso lo spazio tra i sedili vidi che si trattava di un indiano – intendo un indiano dell'India non un Pellerossa. "Si può fumare sul pullman?", mi chiese.

"Non so", risposi. "Non fumo più, e non faccio caso a queste cose."

"Ma lei ritiene che si possa fumare?"

"Veramente non lo so."

Stette tranquillo per un po', poi rimise la mano sulla mia spalla, gentilmente, ma con insistenza. "Non c'è il posacenere."

"Non mi dica", risposi argutamente, ma senza aprire gli occhi.

"Ma *lei crede* che significhi che non si può fumare?"

"Non lo so. Non me ne frega niente."

"Ma lei crede che significhi che non si può fumare?"

"Se non mi toglie la mano dalla spalla, ci vomiterò sopra", replicai.

Ritirò rapidamente la mano e se ne stette zitto forse per un minuto. Poi ricominciò: "Mi aiuterebbe a cercare un posacenere?".

Erano le sette del mattino e stavo proprio male. "VUOLE LASCIARMI IN PACE O NO?", sbottai, piuttosto inferocito. Dal fondo una coppia di studenti norvegesi guardava esterrefatta. Lanciai loro un'occhiataccia, come per dire: "Guai a voi se dite qualcosa, stronzetti!", e sprofondai nel sedile. Sarebbe stata una lunga giornata.

Caddi in un sonno agitato, quell'inquieto dormiveglia nel quale le cose che accadono intorno vengono incorporate nei sogni – il rumore del motore, il pianto dei bambini, le folli sterzate del pullman, tipiche di quando chi guida è alle prese con una sigaretta o si abbandona a stati psicotici. Nei miei sogni il pullman precipitava da un alto burrone, cadeva nel vuoto, unico soffocato rumore era il sibilo dell'aria mentre il veicolo fendeva le nubi, seguito da una voce: "Lei crede che io possa fumare, *ora*?".

Quando mi risvegliai avevo della saliva sulla spalla, davanti a me una nuova passeggera, una donna smunta dai capelli sparuti e grigi, fumava una sigaretta dopo l'altra e continuava a ruttare. Il genere di rutti che fanno i bambini per gioco – rutti profondi, risonanti, sonori. La donna non se ne rendeva conto. Mi guardava, apriva la bocca e usciva un rutto. Tremendo! Poi aspirava la sigaretta e ruttava una nuvola di fumo. Anche questo era tremendo. Lanciai uno sguardo dietro. L'indiano era ancora lì, con la sua espressione infelice. Vedendomi cominciò a protendersi per farmi altre domande, ma lo fermai, alzando il dito, così rifiondò nel sedile. Guardai fuori dal finestrino, stavo decisamente male e cercai di passare il tempo immaginandomi situazioni meno congeniali. Non riuscivo a immaginare nulla di piacevole, le uniche visioni che riuscivo a mettere a fuoco erano essere morto oppure a un concerto dei Bee Gees.

Arrivai a New York nel pomeriggio. Presi una camera in un hotel vicino a Times Square. La stanza costava 110 dollari a notte ed era così piccola che se volevo girarmi dovevo uscire nel corridoio. Mai mi era capitato di stare in una stanza dove potevo, allargando braccia e gambe allo stesso tempo, toccare tutte e quattro le pareti. Feci tutto ciò che si fa in un hotel – giocherellai con le luci, accesi la tivù, sbirciai nei cassetti, misi tutti gli asciugamani e i posacenere nella valigia – poi uscii per farmi un giro in città.

L'ultima volta che ero stato a New York avevo sedici anni. Ero andato con il mio amico Stan a trovare mio fratello e sua moglie. Vivevano in uno strano quartiere kafkiano nel Queens, chiamato Lefrak City. Si trattava di una dozzina di palazzoni stretti intorno a solitarie corti quadrate dove le pozzanghere stagnavano per settimane e le aiuole erano un cimitero di carrelli del supermercato. Vi vivevano circa 50.000 persone. Non avevo mai creduto, fino ad allora, che così tante persone potessero vivere ammassate in un posto. Non riuscivo a capire come mai in un paese vasto come l'America, la gente scegliesse di vivere a quel modo, come in una scatola di sardine. Eppure molti avevano scelto di vivere lì. Era la loro casa. Avrebbero sempre vissuto senza avere un giardinetto sul retro, senza il barbecue, senza la possibilità di uscire nottetempo a fare la pipì in un cespuglio oppure a contar le stelle. I loro figli sarebbero diventati grandi nella certezza che i carrelli del supermercato crescono spontanei nelle aiuole, come l'erba.

Quando mio fratello e sua moglie uscivano, io e Stan con il binocolo scandagliavamo le finestre dei palazzi vicini. C'erano centinaia di finestre, in tutte s'intravedeva il bagliore fantasma della tivù. Noi, naturalmente, cercavamo altre emozioni: donne nude. Qualcuna, incredibile ma vero, riuscimmo a sorprenderla ma, quando ciò accadeva, eravamo così affannati a mettere a fuoco il binocolo e a centrare la finestra che, nel momento in cui eravamo pronti, le donne erano già belle e vestite e spesso già uscite. Comunque scoprimmo che l'occupazione più consueta degli uomini che abitavano in quei palazzoni era puntare il binocolo e scrutare le finestre dei dirimpettai.

Ciò che mi è rimasto più impresso era l'incombente sensazione di terrore ogni qual volta uscivamo. Gruppi di teen-ager col chiodo stazionavano sui muretti di cinta osservando chi passava (non avevano un locale apposito dove riunirsi). Avevo sempre la sensazione che ci assaltassero alle spalle, ci derubassero e ci puntassero alla gola dei coltelli, che avevano fatto nel laboratorio della prigione. In realtà non ci diedero mai fastidio. Si limitavano a fissarci. Ciò nonostante avevamo una paura dannata perché eravamo dei pulcini dell'Iowa.

New York mi terrorizzava ancora. Sentivo la medesima sensazione di pericolo mentre attraversavo Times Square. Mi ero fatto una cultura, leggendo in lungo e in largo, sugli omicidi, sulla delinquenza e sulle aggressioni, tale che nutrivo una profonda gratitudine verso chiunque non mi abbordasse. Avrei voluto distribuire volantini con la scritta: GRAZIE PER NON AVERMI UCCISO.

In realtà le sole persone che mi assalirono furono i mendicanti. A New York ce ne sono 36.000 e nei due giorni trascorsi nella metropoli non c'è stato accattone che non mi abbia chiesto l'elemosina. Alcuni anche due volte. I newyorchesi vanno a Calcutta per trovare sollievo da questo flagello. Mi dispiacque di non essere nato nel periodo storico che permetteva ai gentiluomini di usare il bastone da passeggio per liberarsi da questi individui. Un tapino, che alla fin fine trovai simpatico, mi avvicinò e mi chiese in prestito un dollaro. Ero strabiliato. Volevo dirgli: "*Prestarti* un dollaro? Perché no. Ti va bene se te lo dò all'interesse corrente più l'un per cento e ci incontriamo qui giovedì per il rimborso?". Non gli avrei, naturalmente, dato *un dollaro* – non avrei dato un dollaro neppure al mio più caro amico – ma gli ficcai un quarto di dollaro nella sporca zampa e gli strizzai l'occhio per la sua sfrontatezza.

Times Square è incredibile. Mai viste tante luci, tanta frenesia. I palazzi sono ricoperti di insegne pubblicitarie che luccicano, lampeggiano e ondeggiano. È come una tempesta su un mare elettronico. C'erano circa quaranta di questi persuasori ma, a eccezione di due, erano tutti giapponesi: Mita, Canon, Panasonic, Sony. I due nazionali erano: Kodak e Pepsi Cola. La guerra è finita, yankee, pensai cupo.

La cosa più strabiliante di New York è che può accadere di tutto. Proprio la settimana prima una donna era stata fagocitata da una scala mobile. Da non crederci! Stava recandosi al lavoro e pensando ai fatti suoi, quando le scale si aprirono e la inghiottirono impastoiandola nei meccanismi interni, motori e cremagliere, con tutte le conseguenze che potete ben immaginare. Vi piacerebbe fare l'inserviente in quell'edificio? ("Ehi, Bernie, stasera puoi venire prima al lavoro? Senti, portati una bella spazzola di ferro e un *bel po'* di Aiax.") A New York non mancano mai cose strabilianti e inverosimili. Sulla prima pagina del *New York Post* c'era la storia di un pervertito affetto da AIDS che era stato messo in prigione per aver stuprato dei bambini. Da non credere! "Che città!", pensai. "Che gabbia di matti!" Per due giorni girovagai, osservai e borbottai, stordito. Sulla 8ª Avenue un nero, grande e grosso dall'aspetto disturbato e pericoloso, uscì correndo da una porta girevole e mi disse: "Fumo ghiaccio! Un cestello intero di ghiaccio!". Gli diedi un quarto di dollaro, anche se non mi aveva chiesto niente, e mi allontanai in fretta. Sulla 5ª Avenue entrai nella Trump Tower, un nuovo grattacielo. Un tizio chiamato Donald Trump, un imprenditore edile, sta mettendo le mani su New York, costruisce un sacco di grattacieli e ci scrive sopra il suo nome. Volevo solamente dare un'occhiata. La hall era il luogo più di cattivo gusto che avessi mai visto – ottone, cromo e marmo a chiazze bianche e rosse, del genere che, se li vedi sul marciapiede, li scansi subito. Era dappertutto sui pavimenti, sulle pareti e sui soffitti. Era come stare nello stomaco di un tizio che aveva appena ingurgitato una pizza. "Incredibile!", borbottai e proseguii. Accanto, un negozio di video porno, da non credere, proprio lì sulla 5ª Avenue. Il mio video preferito s'intitolava Yiddish Erotica, Volume 2. Cercai di immaginare di cosa diavolo poteva trattarsi: rabbini con i pantaloni calati e donne volgari stravaccate a braccia e gambe divaricate che dicevano: "Ci facciamo una scopata?". "Fantastico! Strabiliante!", sbottai e proseguii.

La sera, mentre passeggiavo per Times Square, mi cadde l'occhio su un locale di strip-tease con le foto delle spogliarelliste in vetrina: belle ragazze, non c'era dubbio. Una foto era di Samantha Fox. Poiché la Signora Fox in Inghilterra veniva pagata circa 250 mila sterline l'anno per mostrare il seno ai lettori di giornali come il *Sun*, mi pareva improbabile che si togliesse gli abiti davanti a una platea di sconosciuti in un sordido e fumoso scantinato di Times Square. Infatti, non sono lontano dal vero, se asserisco che doveva trattarsi di un modesto raggiro. Spregevole trucco per allettare gli arrapati.

Anche alla Iowa State Fair usavano lo stesso trucco. Le tende delle spogliarelliste, erano tappezzate di immagini erotiche: attraenti corpi femminili dai capelli setosi, dal seno turgido e dalle invitanti e seducenti labbra che sembravano dire: "Ti desidero! Sì! Proprio tu coi foruncoli e gli occhiali. Su vieni e soddisfami, ragazzo!". Quando hai quattordici anni e una voglia matta in corpo, sinceramente sei preso da queste visioni e da tutto ciò cui la foto può alludere. Allora allungavi un dollaro ed entravi in una tenda che puzzava di stalla e di alcool e sul palcoscenico vedevi una donna non molto dissimile da tua madre. Rimanevi talmente deluso che solo il tempo ti poteva curare. Alla mente si affacciò la visione di marinai solitari e di venditori giapponesi di fotocopiatrici che stavano bevendo cocktail dolciastri e caldi e che avrebbero pagata salatissima una notte deludente. "Impariamo dai nostri errori", mi dissi saggiamente con un ghigno e mandai a quel paese un mendicante.

Ritornai in albergo, contento che non mi avessero rapinato e ancor più contento che non mi avessero ammazzato. Sulla televisione trovai un cartoncino: per 6.50 dollari potevo accedere ai canali dei film. La scelta, se non ricordo male, era tra *Venerdì 13, Parte 19*, dove uno squilibrato usa coltelli e accette, frullatori e seghe elettriche per assassinare una dopo l'altra delle giovinette mentre entrano nella doccia; *Desiderio di Morte 11*, dove Charles Bronson scova e uccide Michael Winner; *Bimbo*, dove Sylvester Stallone, nei panni di Rambo, con un'operazione cambia sesso e fa fuori un sacco di orientali; e, sul canale per gli adulti, *Sono tutta bagnata*, uno studio accurato sulle relazioni sociali e interpersonali nella Danimarca post-moderna, con un bel po' di sane scopate inserite a titolo gratuito. Mi trastullai all'idea di vedermi le scene finali di questo ultimo film – solo per rilassarmi un po', come si dice nei circoli evangelici – ma ero troppo tirchio per spendere 6.50 dollari e, comunque, rimanevo dell'opinione che se avessi premuto il pulsante (che, vi giuro, era ridotto a un moncherino), la mattina successiva un fattorino mi avrebbe mostrato la prova del misfatto su un foglio elettronico, e avrebbe aggiunto che se non pagavo 50 dollari avrebbe inviato il foglio a mia madre con una nota, evidenziata in rosso: SPESE EXTRA: VISIONE DI FILM ULTRA-PORNO: 6.50 DOLLARI. Così mi sdraiai sul letto e guardai la replica di un telefilm degli anni Sessanta, *Mr. Ed*[1], che trattava di un cavallo parlante. A giudicare dalla qualità degli sketch, avrei giurato che Mr. Ed scrivesse i testi da solo. D'altra parte non c'era nulla, nel programma, che potesse essere prova per un ricatto. Finì, in questo modo, la mia giornata a New York, la più eccitante e stimolante città al mondo. Non potei fare a meno di riflettere sul fatto che non dovevo sentirmi superiore ai miei solitari compari del locale di strip-tease, venti piani sotto. Ero solo come loro. In verità, in questa immensa, spietata città, c'erano sicuramente migliaia e migliaia di persone che si sentivano sole e abbandonate come me. Che ubbia!

Allargai braccia e gambe e senza sforzo toccai tutte e quattro le pareti, contemporaneamente: "Chissà quanti di loro possono farlo?", mi chiesi.

[1] Serial televisivo di Arthur Lubin, il regista di *Francis, il mulo parlante* [N.d.T.].

15

Era il fine settimana di Columbus Day e sulle strade c'era un traffico intenso. Colombo mi è sempre parso uno strano tipo di eroe per una civiltà all'insegna del successo come l'America, dato che era un fallito patentato. Analizziamo i fatti: si fece quattro lunghi viaggi nelle Americhe, non gli passò mai per l'anticamera del cervello di non essere arrivato in Asia e, per di più, tornò praticamente sempre a mani vuote. Mentre gli altri esploratori se ne rientravano in patria con nuovi ed esaltanti prodotti quali le patate, il tabacco o le calze di nylon, tutto ciò che Colombo riportò furono degli indiani dallo sguardo stralunato – indiani che credeva giapponesi. ("Coraggio ragazzi! Fateci vedere un po' di sumo!")

Forse però la sua lacuna più grande fu quella di non aver mai visto la terra che un giorno sarebbe diventata gli Stati Uniti. Ciò lascia perplesse molte persone. Se lo immaginano scorrazzare per la Florida dicendo: "Perbacco! Questo sì che potrebbe diventare un bel posto per le vacanze!". In ogni modo, i suoi viaggi si svolsero solo nei Caraibi, con qualche puntatina sulle coste infestate di scarafaggi dell'America Centrale. A mio parere, i Vichinghi sarebbero eroi più calzanti per gli Stati Uniti. Primo perché in realtà l'America la scoprirono loro, secondo perché erano virili, usavano teschi come calici e se ne facevano un baffo delle fesserie altrui. Cosa che corrisponde esattamente all'*American Way of Life*.

Quando vivevo in America, Columbus Day era una di quelle semivacanze del tubo che esisteva soltanto a beneficio di quella categoria di dipendenti pubblici con un sindacato forte. Quel giorno, la posta non veniva distribuita e se, tuo malgrado, ti fosse venuto in mente di andare all'ufficio centrale della motorizzazione dell'Iowa, esattamente all'altro capo della città, per rinnovare la patente, ti saresti trovato dinanzi a una porta chiusa con un cartello del tipo: CHIUSO PER COLUMBUS DAY. SONO CAVOLI VOSTRI! A parte episodi isolati come questo, la vita non era poi molto diversa da qualsiasi altro giorno. Ora, comunque, pare che questa festività sia molto più sentita. In autostrada si vedono un'infinità di auto e altrettanti veicoli da turismo; alla radio non si sente parlare d'altro che del numero di incidenti mortali previsti per questo 'fine settimana di Columbus Day'(come faranno mai a sapere cose del genere? Esiste una sorta di coefficiente segreto?). Ero ansioso di arrivare nel New England per vedere i colori dell'autunno. In aggiunta, considerata l'estensione limitata dello stato e la varietà dei paesaggi, avrei evitato quella noia incombente che si prova attraversando tutti gli altri stati americani, anche quelli più suggestivi. Evidentemente mi sbagliavo. Naturalmente. Gli stati del New England sono indubbiamente minuscoli – il Connecticut misura 13 chilometri da un capo all'altro; Rhode Island è più piccolo di Londra – ma sono gremiti di auto, gente e città. In pratica, tutto il Connecticut ha l'aspetto di una periferia. Imboccai l'US 202 in direzione Litchfield, dato che la mia cartina lo indicava come percorso panoramico; a dire il vero era più panoramico di una periferia, ma spettacolare proprio no.

Forse mi aspettavo troppo. Nei film degli anni Quaranta la gente andava sempre in Connecticut per il week-end, e il paesaggio appariva sempre straordinariamente verde e agreste. C'erano sempre strade vuote e cottage di pietra in mezzo a verdeggianti radure. Ora, invece, pare semiperiferico: villette stile ranch con tripli garage, prati con dispositivi per l'innaffiamento automatico e centri commerciali ogni sei isolati. Litchfield in sé è molto bella, la cittadina del New England per eccellenza, con un vecchio tribunale, un lungo prato digradante con un cannone e un monumento ai caduti. Su un lato del prato, una serie di negozi sfiziosi e sull'altro, una chiesa bianca col campanile, abbacinante nella luce di ottobre. Inoltre c'erano i colori – gli alberi intorno al prato creavano macchie cromatiche: ocra intenso e dorate. Più o meno era così.

Parcheggiai di fronte al MacDonald Drug e attraversai il prato camminando su un tappeto di foglie. Feci un giro nelle vie residenziali dove enormi ville giacevano in mezzo ad ampi prati all'inglese. Erano tutte una variazione sul tema: rivestimento irregolare di assicelle di legno e persiane nere. Molte avevano placche di legno con iscritta la storia della casa: OLIVER BOARDMAN 1785;

1830 COL. WEBB. Passai più di un'ora a vagabondare semplicemente. Era la città ideale per bighellonare.

Dopo di che mi rimisi al volante e mi diressi a est, facendo strade secondarie. Poco dopo mi trovai nei sobborghi di Hartford, poi nella stessa Hartford e poi nei sobborghi all'altro capo della città. Poi a Rhode Island. Mi fermai accanto a un cartello che diceva BENVENUTI A RHODE ISLAND per dare un'occhiata alla cartina. Tutto lì il Connecticut? Presi in esame l'idea di fare dietrofront e riattraversare lo stato – doveva per forza esserci qualcos'altro – ma, dal momento che era tardi, schiacciai l'acceleratore. Entrai in una fitta pineta molto più promettente. Considerata l'estensione microscopica dello stato di Rhode Island, mi parve ci volesse un'eternità per uscire dalla foresta. Quando giunsi a Narragansett Bay, un'isoletta solitaria che occupa quasi un quarto della già modesta dimensione dello stato, era quasi il tramonto, e le luci dei paesini disseminati lungo la costa incominciavano a illuminarsi.

A Plum Point un ponte lungo e basso collega a Conanicut Island, sembra quasi di camminare sull'acqua. Attraversai il ponte e feci un giretto sull'isola, ma ormai era troppo buio per vedere qualcosa. In un punto dove la strada passa vicino al mare, parcheggiai l'auto e feci due passi sulla spiaggia. Senza la luna era buio pesto; sentivo il lento e ritmico rumore dell'onda sul bagnasciuga, prima ancora di riuscire a vederla. Mi fermai un po' sulla battigia. Le onde si gettavano sulla riva simili a nuotatori esausti. Il vento mi gonfiava il giubbotto. Rimasi a lungo a fissare il cupo mare volubile, l'oscura vastità dell'Atlantico, dalle cui terribili, primordiali, tempestose profondità tutte le forme di vita hanno avuto origine e alle quali, sicuramente, un giorno dovranno tornare; e pensai, "Mi farei proprio un hamburger".

Il mattino seguente andai a Newport, il porto americano più famoso per gli yacht, punto di partenza delle gare dell'America's Cup. La parte vecchia della città, sembra sia stata restaurata da pochi anni. Nelle vie si susseguono negozi con insegne di legno. Tutti hanno nomi allegri legati alla nautica, del tipo: 'The Flying Ship' e 'Shore Thing'[1]. Il porto era fin troppo pittoresco, con un'infinità di yacht bianchi e alberi senza vele che ondeggiavano sotto un cielo in cui i gabbiani danzavano e volteggiavano. Tutt'intorno al centro ci sono parcheggi invisibili, e anche una via a

[1] La Nave volante e Il Porto sicuro [*N.d.T.*].

quattro corsie, molto trafficata, più simile a un'autostrada che a un'arteria cittadina, che separa la città dal porto. Lungo la costa una fila di miseri alberelli sparuti. La città offre anche un piccolo parco, Perrot Park, trascurato e pieno di graffiti. Non mi era mai capitato di vedere uno posto lasciato in un tale stato di abbandono, e rimasi perplesso perché Newport è importante da un punto di vista turistico ma anche perché la maggior parte delle città americane è ordinatissima. Feci un giro in Thames Street: alcune eleganti abitazioni marinare d'epoca erano annullate dall'obbrobrio della sporcizia, della cacca dei cani sulla strada, dall'abbandono in cui si trovavano stazioni di servizio e officine meccaniche. Che squallore! Pareva che alla gente del posto non gliene importasse proprio nulla o forse non ci facevano più caso e avevano fatto in modo che tutto si degradasse così tanto. Mi venne in mente Londra.

Mi diressi verso il Fort Adams State Park al di là della baia. Da lì, Newport sembrava tutta un'altra città: un affascinante insieme di campanili aguzzi come spilli e tetti di case vittoriane che spuntavano da una foresta di alberi. La baia brillava sotto il sole e le barche a vela erano cullate dalle onde. Era incantevole. Continuai a guidare seguendo la strada lungo la costa, oltrepassato Breton Point, giù per Bellevue Avenue, dove le più belle case estive si affacciano su entrambi i lati della strada e molte anche sulle strade laterali.

All'incirca tra il 1890 e il 1905, le famiglie più ricche d'America – i Vanderbilt, gli Astor, i Belmont e dozzine di altre – fecero a gara a chi costruiva le ville più belle, che si ostinavano a chiamare cottage, lungo quel mezzo chilometro di imponenti scogliere. Molte si ispiravano vagamente a castelli francesi ed erano arredate di tutto punto, con marmi e stoffe costosissimi fatti arrivare dall'Europa. Di solito le padrone di casa spendevano per la vita sociale un minimo di 300.000 dollari a stagione, anche se durava solo sei o otto settimane. Per circa quarant'anni quella fu la capitale mondiale dello spreco più sfrenato.

Oggi la maggior parte delle ville è stata trasformata in museo. La visita costa un occhio della testa ma, malgrado ciò, ci sono code impressionanti di turisti (non dimenticate che era il fine settimana di Columbus Day). Dalla strada non si vede un gran che – i padroni non volevano che la gente comune li osservasse mentre contavano i loro soldi seduti sul prato. Per questo motivo avevano fatto piantare siepi molto fitte ed ergere muri molto alti – ma scoprii, quasi per caso, che la municipalità aveva costruito un sentiero asfaltato lungo tutto il margine della scogliera, dal quale potevo vedere sia il retro delle ville più imponenti che godermi lo spettacolo da capogiro delle onde dell'oceano che si infrangevano contro gli scogli sottostanti. Il sentiero era quasi tutto per me, quindi continuai a passeggiare, a bocca aperta, in uno stato di tranquillo stupore. Mai avevo visto una tale successione di ville così imponenti, né una tale esuberanza architettonica. Ogni villa era un incrocio tra una torta nuziale e un municipio cittadino. Sapevo che la casa più grande era 'The Breakers', costruita dai Vanderbilt, e continuavo a pensare, 'Ecco, deve essere proprio questa', oppure 'No! No! Dev'essere quest'altra', ma poi la villa successiva era ancora più principesca. Quando alla fine arrivai a 'The Breakers', mi resi conto che era incredibilmente enorme, una montagna con le finestre. Quando ci si trova davanti a una cosa simile, non si può fare a meno di pensare che nessuno, con la sola eccezione di se stessi, meriti di essere tanto ricco.

Dall'altro lato della cancellata, i prati e le terrazze erano gremiti di turisti obesi, in pantaloncini corti e stupidi cappelli, che si aggiravano dentro e fuori la casa, scattandosi reciprocamente fotografie e calpestando le aiuole di begonie. A questo punto mi chiesi cosa avrebbe detto Cornelius Vanderbilt, quel babbeo dalla faccia da segugio in pensione.

Ripresi a guidare fino a Cape Cod, un altro posto che non avevo mai visto e dal quale mi aspettavo molto. È una località molto pittoresca, con vecchie case, negozi antichi, locande di legno e paesini con nomi deliziosi: Sagamore, Sandwich, Barnstable, Rock Harbor. Quel giorno era pieno di turisti con le loro auto stracariche e i loro camper roboanti. Cribbio, come detesto i camper! Specialmente in penisole affollate come Cape Cod dove intasano le strade e tolgono la visuale – e tutto per permettere a dei tizi, e alle loro mogli sfasciate, di riempirsi lo stomaco e vuotare la vescica senza nemmeno fermarsi.

Il traffico era così denso e lento che per poco non rimasi a secco di carburante, ma fortunatamente riuscii a infilarmi con difficoltà in una piccola stazione di servizio a West Barnstable. Il posto era gestito da un signore che doveva avere come minimo novantasette anni. Un tipo alto, allampanato e molto vivace. Non avevo mai visto nessuno far benzina con una simile espressione di abbandono. Per prima cosa fece sbrodolare un bel po' di benzina sul fianco dell'auto, poi si lanciò in una serie di domande sulla mia provenienza: “Iowa, eh? Non ne arrivano molti dall’Iowa. Credo che lei sia il primo di quest’anno. Che tempo fa nell’Iowa in questo periodo?”. Poi lasciò che la benzina strabordasse, tanto che dovetti fargli notare che ai suoi piedi si stava formando una pozzanghera. Ritrasse la pompa rovesciandone un altro mezzo gallone sull’auto, sulle sue scarpe e pantaloni. Poi distrattamente lanciò la pompa sgocciolante al suo posto.

Aveva anche un mozzicone di sigaretta sul lato della bocca, e rimasi atterrito all’idea che magari avrebbe cercato di accenderlo. E infatti lo fece. Dai pantaloni estrasse una scatoletta di fiammiferi malridotta e cominciò a sfregare un fiammifero. Ero troppo impietrito per batter ciglio. L’unica cosa che riuscii a pensare fu a un giornalista televisivo che diceva: “Oggi a West Barnstable un turista dell’Iowa ha subìto un’ustione di terzo grado sul 98% del corpo, a causa di un’esplosione in una stazione di servizio. I vigili del fuoco dicono che assomiglia a un toast lasciato abbrustolire troppo nel tostapane. Il proprietario della stazione di servizio non è stato ancora ritrovato”. A ogni buon conto non saltammo per aria. Il mozzicone emetteva fumo, l’uomo ne sputò una nuvola, poi spense il fiammifero con le dita. Credo che, dopo tutti questi decenni in una pompa di benzina, sia diventato più o meno ignifugo, esattamente come quegli incantatori di serpenti che diventano immuni al veleno. Non ero comunque intenzionato a fare una prova a distanza ravvicinata. Pagai velocemente e ritornai sull’autostrada, a dispetto di un signore con un camper di quaranta metri che si rovesciò la senape addosso nel tentativo di schivarmi. “Così imparerai a non portarti un palazzo in vacanza!”, borbottai poco caritatevolmente, sperando che qualcosa di pesante fosse caduto addosso alla moglie nel retro del camper.

Cape Cod è una lunga penisola sottile che parte dalla base del Massachusetts, si protende nel mare per circa 35 chilometri e poi si arriccia su se stessa. Assomiglia a un braccio piegato quando si tenta di far uscire il muscolo. Infatti sembra proprio il mio, che non ha i muscoli molto sviluppati. Lungo la parte inferiore della penisola ci sono tre strade: una che corre lungo la sponda settentrionale, una lungo quella meridionale e una al centro. Sul gomito della penisola, a Rock Harbor, nel punto più stretto, proprio dove repentinamente si curva verso nord, le tre strade si uniscono formando un’unica lenta autostrada che conduce all’avambraccio, cioè all’imbocco di Provincetown, situata sulla punta. Provincetown era infestata di turisti. La città è attraversata da un’unica arteria. Ci vivono solamente un centinaio di persone, tuttavia nei periodi estivi, e durante i fine settimana come questo, viene presa d'assalto da circa 50.000 visitatori. Il parcheggio era vietato ovunque all'interno della cittadina – dappertutto spuntavano odiosi cartelli di rimozione forzata – allora, dopo aver pagato un paio di dollari per lasciare l'auto in mezzo a centinaia di altre, in un posto dimenticato da Dio e dagli uomini, mi feci a piedi un bel pezzo di strada per arrivare in città. Provincetown è costruita sulla sabbia, contornata da dune sabbiose intervallate da occasionali macchie erbose bruciate dal sole. I nomi dei locali – Windy Ridge Motel e Gale Force Gift Shop[2] – indicano che il vento dovrebbe essere una delle caratteristiche del posto. In effetti la sabbia, spinta dal vento al di là della strada, si andava ad accumulare davanti alle porte delle abitazioni e, a ogni colpo di vento, ti arrivava negli occhi, in faccia e si depositava su qualsiasi cosa stessi mangiando. Viverci dev'essere tremendo. L'avrei detestata meno se Provincetown fosse stata almeno un po' più affascinante. Non capita spesso di trovarsi in un paese dove tutti sono dediti a spillare denaro ai turisti: gelaterie, negozi di souvenir, magliette, aquiloni e articoli da spiaggia, ovunque.

Andai in giro per un po', presi un hot-dog con senape e sabbia insieme a una tazza di caffè con panna e sabbia, poi sbirciai nella vetrina di un'agenzia immobiliare dove notai che il prezzo minimo per una casa di tre locali sul mare era di 190.000 dollari, compreso il caminetto e tutta la sabbia che uno voleva mangiare. Le spiagge sono abbastanza belle ma, oltre a ciò, non riesco a individuare nessun altro lato positivo.

Provincetown è il punto in cui, nel 1620, i Padri Pellegrini toccarono per la prima volta il suolo americano. Al centro della cittadina c'è una torre simile a un campanile per commemorare l'evento. Il fatto assai curioso è che i Padri non intendevano per nulla arrivare a Cape Cod. Avrebbero voluto sbarcare a Jamestown in Virginia ma sbagliarono rotta di quasi mille chilometri. Credo che sia un'impresa considerevole. Un altro fatto curioso: con sé non portarono né un aratro, né un cavallo, né una mucca e nemmeno una canna da pesca. Non vi sembra un pochino sciocco? Voglio dire, se anche voi intendeste iniziare una nuova vita in una terra lontana, molto lontana, non vi preoccupereste di chiedervi in che modo ve la cavereste, una volta giunti a destinazio-

[2] Motel Lo Spiffero e Souvenir Forza 8 [*N.d.T.*].

ne? Tuttavia, malgrado non fossero delle cime come organizzatori, erano sufficientemente in gamba per non rimanere nella zona di Provincetown e, alla prima occasione, si spinsero all'interno del Massachusetts. Come me.

Avevo sperato di recarmi a Hyannis Port, dove i Kennedy avevano la loro villa estiva, ma il traffico era talmente lento, specialmente intorno a Woods Hole, il porto di partenza del traghetto per Martha's Vineyard, che non osai neppure proseguire. Ogni motel che incontravo – e ce n'erano a centinaia – esponeva la scritta COMPLETO. Imboccai l'Interstate 93, con l'intenzione di percorrere qualche chilometro per allontanarmi da Cape Cod e trovare una stanza per la notte ma, prima ancora di rendermene conto, mi trovai a Boston, intrappolato dal traffico del tardo pomeriggio. La rete stradale di Boston è una cosa da pazzi. Senza dubbio è stata progettata da qualcuno che ha passato l'infanzia a distruggere trenini-giocattolo. La corsia sulla quale viaggiavo, dopo qualche centinaio di metri, inspiegabilmente svaniva, fondendosi con altre corsie sulla destra o sulla sinistra o, a volte, su entrambe le parti. Non è un sistema viario, è un'isteria stradale. Tutti hanno un'aria preoccupata. Non ho mai visto così tante persone impegnate a evitare un tamponamento. Era di sabato. Figuriamoci cosa doveva essere nei giorni feriali.

Boston è una grande città i cui sobborghi si estendono a macchia d'olio, fino a lambire il New Hampshire. Così, sul tardi, senza capire bene come ci fossi arrivato, mi trovai in uno di quei posti isolati che spuntano lungo i raccordi stradali – isole di motel immerse in un bagliore bluette, stazioni di servizio, centri commerciali e fast-food. Un insieme così illuminato che doveva essere visibile dal cosmo. Dovevo trovarmi da qualche parte nella regione di Haverhill. Presi una camera in un Motel 6, e mangiai un pollo unto con patatine flaccide in un Denny's Restaurant, sull'altro lato della strada. Era stata una pessima giornata, ma non volevo cadere in depressione. A un paio di chilometri di distanza c'era il New Hampshire, e l'inizio del vero New England. Le cose non potevano che migliorare.

16

Mi ero sempre immaginato che nel New England ci fossero solamente aceri, chiese bianche e anziani signori con giacche a quadri, seduti attorno alle stufe di ghisa degli empori mentre si raccontavano vecchie storie e scatarravano nelle sputacchiere. Ma se il basso New Hampshire era ritenuto un posto da visitare, chiaramente ero stato male informato. Trovai solamente un moderno squallore consumistico: centri commerciali, stazioni di servizio e tanti motel. Di tanto in tanto si intravedeva qualche chiesa bianca o qualche locanda rivestita di listelli di legno, che spuntava incongruamente fra una miriade di Burger King e pompe di benzina Texaco. Questo, invece di addolcire il paesaggio, lo rendeva ancor più obbrobrioso, si capiva che cosa doveva essere stato sacrificato per fare spazio a chioschi di hamburger per viaggiatori affamati e a pompe di benzina a buon mercato.

A Salisbury mi immisi sulla vecchia Route 1 con l'intenzione di guidare lungo la costa attraverso il Maine. La Route 1, come dice il nome stesso, è la capostipite delle strade americane, la prima autostrada federale. Si estende per 4000 chilometri, dal confine canadese fino alle Keys in Florida. Per quarant'anni fu la strada principale della costa orientale, l'arteria che collegava tutte le grandi città del nord – Boston, New York, Philadelphia, Baltimore, Washington – con le spiagge e gli agrumeti del sud. Negli anni Trenta e Quaranta doveva essere fantastico andare dal Maine alla Florida per una vacanza, passando attraverso quelle meravigliose metropoli, le colline della Virginia, le verdeggianti montagne della Carolina accorgendosi dell'aumento della temperatura chilometro dopo chilometro. Negli anni Sessanta la Route 1 era diventata troppo congestionata – un terzo della popolazione americana vive infatti a 35 chilometri di distanza da essa – e così costruirono l'Interstate 95, onde evitare il traffico delle città, per cui rimane solo un fugace senso del cambio di paesaggio. La Route 1 esiste ancora, ma occorrerebbero intere settimane per percorrerla: ha assunto l'aspetto di un'interminabile arteria cittadina, un epico susseguirsi di centri commerciali.

Avevo sperato che il New England rurale avesse conservato qualcosa del suo fascino passato, ma sembrava di no. Guidai in quella fredda mattina piovosa chiedendomi se mai avrei trovato il vero New England. A Portsmouth, una piccola cittadina superanonima, entrai nel Maine passando sul ponte in ferro che attraversa il grigio Piscataqua River. Visto attraverso il ritmo sferzante dei tergicristalli, anche il Maine pareva sinistro e poco promettente: un'appendice di centri commerciali e di palazzine grigiastre di recente costruzione.

Finalmente, dietro i sobborghi di Kennebunkport, si aprì una foresta. Qua e là enormi massi marroni spuntavano misteriosamente dal terreno, come creature sotterranee che riemergono a prendere aria; di tanto in tanto riuscivo a intravedere il mare: una distesa grigia, fredda e spazzata dal vento. Continuai a guidare, pensando che da un momento all'altro avrei incontrato il tanto favoleggiato Maine, quello delle nasse per le aragoste, delle spiagge per il surf e dei fari isolati su scogli di granito, ma le città erano davvero desolate e disordinate e la campagna boscosa e spenta. Solo una volta, fuori Falmouth, la strada costeggia per circa un chilometro una baia argentea, con un lungo ponte basso che conduce in un luogo con deliziose fattorie nascoste nelle anse delle colline, e in quell'attimo entrai in fibrillazione. Ma si trattava di un falso allarme perché subito il paesaggio tornò a essere desolante. Per il resto, il vero Maine mi sfuggì. Sembrava sempre che stessi arrivando vicino al posto giusto, come quando mio padre ci portava ai parchi dei divertimenti.

A Wiscasset, quasi a metà strada da New Brunswick, mi persi d'animo. Stando al cartello posto all'entrata della cittadina, Wiscasset si autoproclama il paese più bello del Maine, il che fa subito capire il livello della parte restante dello stato. Non intendo comunque dire che Wiscasset sia orrenda, questo non è vero. C'è una via principale, piena di negozi di artigianato locale e altri empori per yuppie che conduce a una solitaria isoletta dell'Atlantico. Sulla spiaggia vi erano due vecchie navi di legno, che stavano marcendo. Tutto qui. Non era proprio valsa la pena di guidare ore e ore per arrivare fino a quel posto.

Di colpo, decisi di abbandonare la Route 1 e spingermi verso nord, nella fitta foresta di pini del Maine centrale, seguendo un percorso irregolare in direzione delle White Mountains, su una strada che saliva e scendeva, come le montagne russe. Dopo pochi chilometri cominciai ad avvertire un cambio di atmosfera. Le nuvole erano basse e informi, immerse in un cielo plumbeo. Chiaramente l'inverno era alle porte. Mi trovavo soltanto a un centinaio di chilometri dal Canada e qui gli inverni sono lunghi e rigidi. Lo si capisce dalle strade rovinate e dall'enorme quantità di legna accatastata fuori da ogni baita isolata. Da molti camini usciva già un filo di fumo, invernale. Era solamente ottobre, ma già il paesaggio dava quella sensazione di freddo e di morte tipica dell'inverno: quell'atmosfera che ti fa venire voglia di alzare il bavero e di tornare a casa.

Appena superato Gilead entrai nel New Hampshire e il paesaggio divenne più interessante. Davanti a me si ergevano le White Mountains, grandi e tonde, color azzurrognolo. Probabilmente prendono il nome dalle betulle che le coprono. Percorsi una strada deserta passando per un bosco segnato dall'autunno. Il cielo era ancora plumbeo, faceva freddo, ma per lo meno ero uscito dalla monotonia dei boschi del Maine. La strada andava su e giù costeggiando un ruscello cosparso di enormi massi. Il panorama autunnale era di gran lunga migliorato, ma mancava ancora quell'esplosione di colori autunnali, dal giallo al rosso, che mi ero aspettato. Tutto, dal cielo alla terra, era opaco, di un grigiore cadaverico.

Passai di fianco al Mount Washington, la vetta più alta del nord-est degli Stati Uniti (1916 metri, per coloro che volessero prenderne nota). Tuttavia, la sua vera fama deriva dall'essere il posto più ventoso d'America. Ha qualcosa a che fare con... ecco, con il modo in cui soffia il vento, naturalmente. A ogni buon conto, la più alta velocità del vento, che sia mai stata registrata al mondo, fu sulla vetta del Mount Washington nell'aprile del 1934, quando una folata raggiunse – pronti a scrivere? – 371 chilometri all'ora. Deve essere stata una fantastica esperienza per i meteorologi impegnati lassù. Immaginate di dovere descrivere a qualcuno un vento simile: "Guarda, c'era proprio un gran... *vento*. Proprio un *gran* vento. Sai cosa voglio dire no?". Dev'essere frustrante provare un'esperienza davvero unica.

Una volta superato il monte, arrivai a Bretton Woods, che mi ero sempre immaginata come una piccola cittadina pittoresca. In realtà non esisteva nessuna cittadina, solamente un hotel e uno ski-lift. L'hotel era immenso e sembrava una fortezza medioevale, tranne che per il tetto rosso vivo. Un incrocio tra Montecassino e un Pizza Hut. Fu qui che, nel 1944, economisti e politici di ventotto nazioni si riunirono per istituire il Fondo Monetario Internazionale e la Banca Mondiale. Sembra certamente un bel posto per fare della storia dell'economia. Come ricordò John Maynard Keynes in una lettera al fratello Milton, 'È stata una settimana molto soddisfacente. I negoziati sono cordiali, il cibo è eccellente e le cameriere molto carine'.

Per passare la notte mi fermai a Littleton che, lo dice il nome stesso, è una piccola cittadina nei pressi del confine col Vermont. Entrai nel Littleton Motel nella via principale. Sulla porta un cartello diceva: SE DESIDERATE GHIACCIO O INFORMAZIONI, VENITE PRIMA DELLE 18.30. PORTO MIA MOGLIE FUORI A CENA. ("Era ora!" – La moglie). All'interno un vecchio signore, con le stampelle, mi disse che ero fortunato perché gli era rimasta solo una camera libera. Costava 42 dollari, tasse escluse. Quando mi vide un po' titubante, aggiunse velocemente: "È veramente una bella camera. La tivù è nuovissima. Gran bei tappeti. Una doccia fantastica. Le nostre stanze sono le più pulite della città. Siamo famosi per questo". E allargando il braccio mi indicò una serie di testimonianze scritte di clienti soddisfatti, esposte sotto il vetro del bancone. Cose del tipo, 'La nostra è senz'altro la camera più pulita della città', A. K., Aardvark Falls, Ky.; 'Caspita, com'è pulita la nostra camera! E i tappeti sono proprio belli!'; Mr. e Mrs. J. F. Spotweld, Ohio; e così via.

Dubitai un po' della veridicità di quelle dichiarazioni, ma, troppo stanco per tornare in strada, dissi di sì con un sospiro e diedi le mie generalità. Presi la chiave e un secchiello di ghiaccio (per 42 dollari volevo tutto ciò che era compreso), e andai nella mia camera. E, per giove, era veramente la camera più pulita della città. La televisione era fiammante, il tappeto di gran lusso, il letto comodo e la doccia un incanto. Mi vergognai immediatamente e ritirai mentalmente tutte le mie malignità sul proprietario ('Mi sento un piccolo stronzetto arrogante per aver dubitato di lei.' Mr. B. B., Des Moines, Iowa).

Mangiai quattordici cubetti di ghiaccio e guardai il primo notiziario della sera. Subito dopo andò in onda una vecchia puntata di *Gilligan's Island*, che la stazione televisiva aveva coscienziosamente trasmesso quale invito ai telespettatori col cervello a posto, quello di alzarsi immediatamente e di combinare qualcosa di più utile. Cosa che feci. Uscii e andai a dare un'occhiata alla città. La ragione per la quale avevo deciso di passare la notte a Littleton era perché un libro, che avevo con me, la definiva pittoresca. La realtà è che, se Littleton è caratterizzata da qualcosa, si tratta proprio di una totale mancanza di elementi pittoreschi. La città consiste principalmente di una lunga strada costeggiata da edifici anonimi, con il parcheggio di un supermercato nel bel mezzo e poco distante i resti di una stazione di servizio abbandonata. Questo, siamo tutti d'accordo, non significa pittoresco. Fortunatamente la città ha altre virtù: è il paese più cordiale che abbia mai visto. Entrai nel ristorante, il Topic of the Town. Gli altri clienti mi sorrisero, la signora alla cassa mi mostrò dove appendere la giacca e la cameriera, una signora piccola e grassottella, si prodigò in tutti i modi per offrirmi il servizio migliore. Era come se avessero somministrato a tutti un meraviglioso tipo di tranquillante.

Quando la cameriera mi portò il menù, commisi l'errore di dire grazie. "Prego", rispose lei. Una volta innescato questo meccanismo non c'è modo di fermarlo. Poi la signora pulì il mio tavolo con uno straccetto umido. "Grazie", dissi. "Prego", rispose. Mi portò le stoviglie avvolte in un tovagliolo di carta. Esitai, ma non riuscii a trattenermi. "Grazie", dissi. "Prego", rispose. Quindi arrivò con la tovaglietta con sopra scritto Topic of the Town, poi con un bicchiere d'acqua, poi con un posacenere pulito, poi con un cestino con i salatini nella loro confezione di cellophane e a ogni gesto ci scambiammo quelle formali gentilezze. Ordinai del pollo fritto speciale. Mentre aspettavo incominciai a essere a disagio perché i miei vicini di tavolo mi osservavano e mi sorridevano in modo inquietante. Anche la cameriera mi stava osservando, appostata vicino alla porta della cucina. In un certo senso era snervante. A ogni piè sospinto lei veniva al mio tavolo per riempirmi il bicchiere di acqua ghiacciata e per dirmi che avrei dovuto aspettare ancora un minuto per la mia ordinazione.

"Grazie", dicevo.

"Prego", rispondeva lei.

Alla fine uscì dalla cucina reggendo un vassoio grande come un tavolo, e iniziò a disporre i piatti davanti a me: minestra, insalata, un piatto di pollo, un cestino di panini caldi. Tutto aveva l'aria di essere appetitoso. Improvvisamente mi resi conto di avere una fame da lupi.

"Desidera qualcos'altro?"

"No, grazie. Va tutto benone", risposi, impugnando coltello e forchetta, pronto a buttarmi sul cibo.

"Desidera del ketchup?"

"No, grazie."

"Gradisce ancora un po' di condimento nell'insalata?"

"No, grazie."

"Ha abbastanza salsina sul pollo?"

Ce n'era abbastanza per annegarci un cavallo. "Sì, c'è molta salsina, grazie."

"Che ne direbbe di una tazza di caffè?"

"Sul serio, sono a posto così."

"È sicuro di non desiderare nient'altro?"

"Potrebbe andarsene fuori dalle palle e lasciarmi mangiare in pace?" avrei voluto rispondere, ma ovviamente non dissi nulla. Mi limitai a sorridere garbatamente e a rispondere: "No, grazie", e quella dopo un po' si ritirò. La donna rimase in piedi con la brocca dell'acqua ghiacciata in mano, senza però togliermi gli occhi di dosso per tutto il pasto. Ogni volta che bevevo un sorso d'acqua, si avvicinava al tavolo e lo riempiva fino all'orlo. Quando allungai la mano per prendere il pepe la cameriera fraintese la mia mossa e avanzò con la brocca in mano, ma dovette fare dietrofront. Dopo di che, ogni volta che lasciavo le posate per un qualsiasi motivo, le mimavo ciò che stavo per fare – per esempio "Sto per imburrare il pane" – tanto per evitarle di correre al mio tavolo con la brocca in mano. Nel frattempo le persone del tavolo accanto mi osservarono mangiare con un sorriso d'incoraggiamento. Friggevo dalla voglia di andarmene.

Quando terminai il pasto, la cameriera mi propose i dessert: "Le andrebbe una fetta di crostata? C'è ai mirtilli, alle more, ai lamponi, alle more selvatiche, ai mirtilli bianchi, ai ribes rossi, ai ribes neri e all'uva spina".

"Caspita! No, grazie, ho mangiato fin troppo", dissi mettendomi le mani sullo stomaco. Sembrava che mi fossi nascosto un cuscino sotto la camicia.

"Cosa ne direbbe invece di un bel gelato? Abbiamo stracciatella, cioccolato speciale, cioccolato amaro, cioccolato bianco, bacio, cioccolato e menta, riso soffiato e cioccolato con e senza stracciatella."

"Non ha del cioccolato semplice?"
"No, mi dispiace, non c'è molta richiesta."
"Allora credo che non prenderò niente."
"Che ne dice di una fetta di torta? Abbiamo..."
"Guardi, proprio no, grazie."
"Caffè?"
"No, grazie."
"Sicuro?"
"Sì, grazie."
"Le porterò ancora un po' d'acqua allora", e scattò a prendere l'acqua prima ancora che riuscissi a dirle di portarmi il conto. Le persone del tavolo accanto osservarono la scena con interesse, e sorrisero come volessero dire: "Noi siamo completamente fuori di testa. Lei come sta?".

Dopo di che feci due passi in città, vale a dire camminai lungo un lato della strada e ritornai percorrendo l'altro. Considerata la grandezza del posto, era una cittadina carina. Aveva due librerie, una galleria d'arte, un negozio di souvenir, un cinema. La gente che incrociavo sul marciapiede mi sorrideva. Il fatto iniziò a preoccuparmi. Nessuno, nemmeno in America, è *così* cordiale. Cosa volevano da me? In fondo alla strada c'era una stazione di servizio BP, la prima che avessi visto in America. Sentendo vagamente la nostalgia di Blighty, mi avvicinai per dare un'occhiata e fui deluso di notare che non ci fosse niente di propriamente britannico. Il tipo alla cassa non portava nemmeno il turbante. Quando mi vide sbirciare attraverso il vetro, mi sorrise con lo stesso sorriso strano e apprensivo. Improvvisamente mi resi conto: era lo sguardo degli extraterrestri, quel ghigno strano, curiosamente maligno, degli alieni venuti dallo spazio, che si vede nei film vietati ai minori di sedici anni. Quelli che, per diventare gli *Earth Masters*[1] conquistano una cittadina in capo al mondo. So che sembra assurdo, ma sono successe cose ben più incredibili – guardate chi è stato alla Casa Bianca, per Dio! Mentre tornavo al motel, sorridevo anch'io in quello stesso loro modo inquietante, pensando che avrei dovuto ingraziarmeli tutti, nel caso. "Non si sa mai", considerai tra me e me a bassa voce. " Se dovessero impossessarsi del pianeta ci potrebbero essere degli sbocchi per i tipi con il tuo talento."

[1] Signori della Terra [*N.d.T.*].

Il mattino seguente mi alzai di buon'ora. La giornata si prospettava splendida. Sbirciai dalla finestra della camera. Il colore rosa dell'alba tingeva l'orizzonte. Mi vestii velocemente e partii, prima che Littleton avesse iniziato a risvegliarsi. Qualche chilometro oltre la cittadina, attraversai il confine. Il Vermont nell'insieme si presentava come un luogo più verde e più ordinato del New Hampshire. Le colline erano morbide e tondeggianti, simili ad animali addormentati. Le fattorie, isolate, sembravano più floride, e i campi si estendevano sulle colline ondulate conferendo al paesaggio un'atmosfera alpina. Il sole si alzò velocemente e riscaldò l'atmosfera. Su un crinale, che si affacciava su una distesa di colline avvolte nella foschia, passai davanti a un cartello che diceva PEACHAM, FONDATA NEL 1776; dietro al cartello si scorgeva il paesino. Lasciai l'auto accanto a un emporio rosso e andai a dare un'occhiata. In giro non c'era nessuno. Presumibilmente gli abitanti di Littleton erano arrivati qui durante la notte e avevano portato tutti sul pianeta Zog.

Oltrepassai la locanda di Peacham – listelli di legno bianchi, persiane verdi, nessun segno di vita – e mi incamminai senza meta su per la collina, passai davanti a una chiesa congregazionale e in mezzo a deliziose case addormentate. Sul crinale della collina c'era un grande prato, con un obelisco, un'asta con la bandiera e, accanto, un vecchio cimitero. La bandiera sventolava debolmente. Ai piedi della collina, al di là di un'ampia vallata, iniziava una serie di alture verde pallido e marroni che lambivano l'orizzonte, come onde del mare. Giù dalla collina la campana della chiesa batté le ore, per il resto tutto taceva. Quello era il posto più perfetto che avessi mai visto. Diedi uno sguardo all'obelisco. A RICORDO DEI SOLDATI DI PEACHAM DEL 1869, diceva, e c'erano i nomi incisi nella pietra, autentici nomi del New England come Elijah W. Sargent, Lowell Sterns, Horace Rowe. In tutto quarantacinque nomi, sicuramente troppi per un villaggio sperduto tra le colline. Allo stesso modo, anche il cimitero vicino al prato pareva troppo grande, considerate le dimensioni della cittadina. Si estendeva su tutto il pendio, e lo splendore di certi suoi monumenti suggeriva che quello, un tempo, doveva essere stato un posto ricco.

Oltrepassai il cancello e feci due passi. Fui attratto da una lapide particolarmente bella, una colonna ottagonale di marmo sormontata da una sfera di granito. Sulla colonna era riportato l'albero genealogico degli Hurd e dei loro parenti stretti, a partire dal Capitano Nathan Hurd nel 1818 fino a Frances H. Bement nel 1889. Un piccolo riquadro sul retro riportava:

Nathan H. morto il 24 luglio 1852 4 anni 1 mese.
Joshua F. morto il 31 luglio 1852 1 anno 11 mesi.
Figli di J. & C. Pitkin.

Che cosa potrà mai, mi chiesi, aver tolto la vita a questi due fratellini a una sola settimana di distanza l'uno dall'altro? Febbre? Sembrerebbe improbabile nel mese di luglio. Un incidente nel quale il primo morì sul colpo e l'altro la settimana successiva? Due fatti scorrelati? Immagino i genitori che, al capezzale di Joshua F., lo vedono spirare mentre pregano Dio di non prendersi anche lui, e alla fine perdono ogni speranza. La vita non è un inferno? Ovunque rivolgessi lo sguardo c'erano dolore e disperazione, incisi nelle lapidi: 'Joseph, figlio di Ephraim e Sarah Carter, morto il 18 marzo 1846 all'età di diciotto anni', 'Alma Foster, figlia di Zadock e Hanna Richardson, morta il 22 maggio 1847 all'età di diciassette anni'. Molti erano incredibilmente giovani. Fui colto da una profonda melanconia mentre mi aggiravo solo tra quelle centinaia di anime, di vite svuotate, file e file di sogni spezzati. Che tristezza quel posto! Rimasi così, nel tiepido sole di ottobre, angosciato per tutta quella gente sfortunata e per le loro vite, riflettendo cupamente sulla morte e sulla mia cara, adorata famiglia così lontana, in Inghilterra; poi pensai, "Al diavolo!", e ritornai verso l'auto ai piedi della collina.

Mi diressi a ovest attraverso il Vermont, diretto alle Green Mountains. Le montagne erano scure e tondeggianti, e le valli sembravano fertili. La luce pareva più fioca, più assonnata, più autunnale. Tutto era colorato: alberi color senape e ruggine, campi dorati e verdi, enormi granai bianchi, laghi blu. Qua e là, disseminate lungo la strada, alcune bancarelle straripanti di zucche, zucchine e di altri prodotti dell'autunno. Era come una gita in paradiso. Andai a zonzo prendendo strade secondarie. C'era un numero incredibile di casette, alcune poco più che capanne. Credo non ci sia mai stato un gran che da fare in un posto come il Vermont. Nello stato vi sono pochissime città o industrie. Burlington, il centro principale, conta appena 37.000 abitanti. In prossimità di Groton mi fermai in un bar lungo la strada a bermi un caffè, e ascoltai, insieme ad altri tre clienti, una giovane signora grassa con un paio di bambini trascurati che, a voce alta, si lamentava con la barista dei suoi problemi finanziari: "Mi danno solo 4 dollari l'ora", diceva. "Harvey lavora alla Fibberts da tre anni e solo adesso gli hanno dato il primo aumento. Sapete quanto guadagna? 4,65 dollari all'ora. Non è vergognoso? Gliel'ho detto; ho detto: 'Harvey ti stanno mettendo sotto ai piedi'. Ma lui non fa nulla per farsi valere." Si interruppe un attimo per rimettere in ordine, col dorso della mano, il viso di uno dei bambini. "QUANTE VOLTE TI HO DETTO DI NON INTERROMPERMI MENTRE STO PARLANDO?", disse in tono irritato al bambino, poi con voce più calma si rivolse alla signora del bar e con candore iniziò l'elenco degli altri difetti di Harvey, difetti che erano effettivamente numerosi.

Soltanto il giorno prima, nel Maine, avevo visto un cartello in un McDonald che offriva un salario iniziale di 5 dollari l'ora. Harvey doveva essere immensamente stupido e non specializzato – sicuramente entrambe le cose – per non essere in grado di competere con un fattorino di McDonald di sedici anni. Povero diavolo! E per di più sposato con una sciattona indiscreta che aveva il culo grosso come un frigobar. Spero che il vecchio Harvey abbia almeno un po' di sensibilità per apprezzare l'incredibile bellezza naturale della quale il Signore ha dotato la sua terra, anche perché non sembra che Lui sia stato molto generoso con Harvey. Anche i bambini erano brutti come il peccato. Fui quasi tentato di dare uno scappellotto sulla testa a uno dei due, mentre uscivo dal locale. Aveva una faccia talmente irritante che ti faceva venire il prurito alle mani.

Ripresi a guidare, e iniziai a pensare quanto fosse ironico che i luoghi veramente belli in America – le Smoky Mountains, gli Appalachi e ora il Vermont – fossero sempre abitati da gente poverissima e ignorante. Poi giunsi a Stowe e mi resi conto che, quando si tratta di fare astute generalizzazioni, sono un cretino. Stowe è tutto tranne che povera. Una piccola cittadina ricca, piena di boutique pretenziose e costosi alberghi per sciatori. Infatti, per il resto della giornata, andai a fare un giro vicino ai campi da sci delle Green Mountains e non vidi altro che benessere e bellezza: gente ricca, case ricche, auto ricche, locali ricchi, panorami fantastici. Mi aggirai molto colpito dall'insieme e arrivai al lago Champlain – immensamente bello come tutto il resto – poi gironzolai lungo la parte occidentale dello stato, proprio sul confine con lo stato di New York.

Ai piedi del lago Champlain il paesaggio è molto più aperto, più dolce, come se avessero smussato gli angoli delle colline, come se qualcuno vi avesse alzato un sipario. Alcune delle città e dei paesi sono di sorprendente bellezza. Dorset, ad esempio, è un posticino delizioso, con un prato all'inglese ovale al centro, pieno di belle case rivestite di listelli di legno bianchi, una *club-house* estiva, una vecchia chiesa e un'enorme locanda. Eppure. Eppure c'era qualcosa che non quadrava. Tutte erano troppo perfette, troppo ricche, troppo yuppie. A Dorset c'è una galleria d'arte che si chiama la Dorset Framery. A Bennington, a un tiro di schioppo, passai davanti a un locale chiamato Publyk House Restaurant. Ogni locanda o pensione aveva un nome caratteristico o pittoresco – Black Locust Inn, Hob Knob, Blueberry Inn, Old Cutter Inn[2] – e, appesa fuori del locale, la sua brava insegna di legno. Su tutto aleggiava quell'aria di artificiosità stucchevole, spinta all'eccesso. Dopo un po' iniziai a trovarla stranamente ossessiva. Desideravo ardentemente trovare un po' di luce al neon e un ristorante con un nome qualsiasi – Ernie's Chop House, Zweicker's New York Grille – dotato di un paio di insegne della birra che lampeggiano in vetrina. Un bowling o un cinema drive-in sarebbero stati l'ideale. Così il posto avrebbe avuto un'apparenza più reale. Invece sembrava che tutto fosse stato progettato a Manhattan, e trasportato lì con un camion.

Uno dei paesi che attraversai aveva tre o quattro negozi, uno di questi era un Ralph Lauren Polo Shop. Penso che non ci sia nulla di peggio di vivere in un posto dove ci si può comprare un maglione da 200 dollari, ma non una scatola di fagioli. È pur vero che esistono cose di gran lunga peggiori, ad esempio: avere il cancro al cervello, guardare tutte le puntate di una mini serie televisiva con Joan Collins, dover mangiare in un Burger Chef più di due volte all'anno, bere un bicchiere d'acqua nel cuore della notte e scoprire di aver preso la tazza della dentiera della nonna, e tante altre cose. Credo comunque che mi abbiate capito.

[2] Locanda della Locusta Nera, All'Amicizia, Locanda del Mirtillo, Locanda del Vecchio Boscaiolo [*N.d.T.*].

17

Passai la notte a Cobleskill nello stato di New York, ai margini settentrionali del Catskill e, al mattino seguente, andai a Cooperstown, piccola stazione turistica sul lago Otsego. Cooperstown è la città di James Fenimore Cooper, dalla cui famiglia il lago prende il nome. È un posto magnifico, come quelli che si trovano nel New England, forse più ricco di colori autunnali: sulla via principale si allineano edifici di mattoni rossi dai tetti quadrati, vecchie banche, una sala cinematografica, alcuni empori a conduzione familiare. Il Cooperstown Diner, dove andai per la prima colazione, era affollato, simpatico e a buon mercato, proprio come dovrebbero essere le piccole cafeterie. Quindi andai a fare una passeggiata per le vie residenziali, camminai tra le foglie con le mani in tasca fino alla riva del lago. Le case erano tutte belle e antiche; alcune, fra le più grandi, erano state convertite in locande e in *bed and breakfast* di lusso. La luce del mattino filtrava attraverso gli alberi proiettando la loro ombra sui prati e sui marciapiedi. È la più bella cittadina che abbia visto nel mio viaggio; era quasi Amalgama-City.

L'unica pecca di Cooperstown è l'incredibile numero di turisti, attratti in città dalla sua più famosa istituzione, la Baseball Hall of Fame[1], situata in un parco ombreggiato in fondo alla via principale. Ci andai, pagai 8.50 dollari per il biglietto, ed entrai in una calma da cattedrale. Per gli appassionati del baseball ma anche per gli agnostici, il luogo rappresenta la più elevata esperienza religiosa che uno possa fare. Passeggiai, serenamente, attraverso le sale silenziose, illuminate da luce discreta, guardando

[1] Museo del Baseball [*N.d.T.*].

gli indumenti sacri e le adorate reliquie del passato nazionale americano. Lì, perfettamente conservata in una teca, c'è la 'camicia indossata da Warren Spahn' quando conquistò la 350ª vittoria, che lo associò a Eddie Plank come battitori mancini. Dall'altra parte del corridoio è esposto 'il guanto usato da Sal Maglie, il 25 settembre 1958, no-hitter contro Phillies'. La gente si soffermava davanti a ogni teca, guardava con devozione e parlava a voce bassa. Una sala è dedicata ai dipinti commemorativi dei grandi momenti della storia del baseball, compreso quello che rappresenta il primo incontro notturno giocato sotto i riflettori, il 2 maggio 1930 a Des Moines, Iowa. Per me fu una notizia esaltante. Non avevo idea che Des Moines avesse svolto un ruolo capitale nella storia del baseball e dell'illuminazione. Osservai il dipinto da vicino per vedere se l'artista avesse ritratto mio padre nelle gradinate della stampa, poi mi resi conto che nel 1930 mio padre aveva solo quindici anni e viveva ancora a Winfield. Mi dispiacque un poco.

In una stanza al piano superiore riuscii a soffocare un urlo di gioia scoprendo intere vetrine di figurine sul baseball, quelle che mio fratello e io avevamo collezionato e catalogato con tanta passione e che i miei genitori, in un attacco di senilità precoce, avevano portato alla discarica in occasione delle pulizie pasquali del 1981. Avevamo la serie completa del 1959, in condizioni perfette; oggi vale qualcosa come 1500 dollari. Avevamo Mickey Mantle e Yogi Berra quando erano principianti, il Ted Williams dell'ultimo anno quando aveva battuto il record delle 400 iarde, le formazioni complete dei New York Yankees dal 1956 al 1962. Il valore dell'intera collezione doveva aggirarsi attorno agli 8000 dollari – somma comunque sufficiente per mandare la mamma e il babbo in clinica per una breve terapia anti-demenza. Ma che ci volete fare, tutti facciamo degli errori. Queste raccolte diventano così preziose perché sono pochi i tipi fortunati i cui genitori non trascorrano la vecchiaia sbarazzandosi delle cose che hanno accumulato nella loro vita. A ogni modo fu un grande piacere rivedere quelle vecchie figurine. Come andare a trovare un amico in ospedale.

La Hall of Fame è incredibilmente grande, molto più grande di quanto non sembri da fuori, e oltre a ciò gli oggetti sono presentati molto bene. La visitai in uno stato di completa euforia, lessi ogni targhetta, mi soffermai davanti a ogni vetrina, rivissi la mia giovinezza avvolto in un felice senso di nostalgia. Quando uscii, diedi un'occhiata all'orologio e rimasi sorpreso di notare che erano trascorse ben tre ore.

Accanto alla Hall of Fame c'è un negozio che vende i più fantastici souvenir del baseball. Ai miei tempi le uniche cose che si potevano trovare erano stendardi, figurine e penne scadenti a forma di berretto da baseball che già la seconda volta che le usavi non funzionavano più. Ora, i ragazzini trovano tutti gli articoli che sognano, con sopra il logo della loro squadra: lampade, asciugamani, orologi, tappetini, tazze, coperte e persino gli addobbi per l'albero di natale e, ancora, stendardi, figurine e le solite penne che continuano a non funzionare la seconda volta che le si usa. Non credo di aver mai provato un desiderio così pungente di tornare bambino. A parte ogni altra cosa, significherebbe riavere le mie figurine e metterle al sicuro in un posto dove i miei genitori non riescano a scovarle; arrivato alla mia età, mi potrei comprare una Porsche.

Fui talmente stregato da tutti quei souvenir che iniziai a riempirmi le mani di roba, quando notai che il negozio era pieno di cartelli SI PREGA DI NON TOCCARE, e che sul banco di vetro della cassa c'era un cartello NON APPOGGIARSI AL VETRO, SE LO ROMPETE COSTA 50 DOLLARI. Che cavolata scrivere una cosa del genere su un cartello. Come possono pensare che i bambini entrino in un posto pieno di oggetti meravigliosi, e non li tocchino? Francamente seccato, depositai tutto quello che avrei voluto acquistare e dissi alla ragazza che, alla fin fine, non desideravo nulla. Forse meglio così, perché non sono sicuro al cento per cento che mia moglie apprezzi le federe dei St Louis Cardinals.

Nel biglietto d'ingresso alla Hall of Fame era compresa la visita al Farmer Museum, situato ai bordi della città, dove una ventina di vecchi edifici – una scuola, una taverna, una chiesa e cose del genere – erano state conservate entro una grande area. Era tanto esaltante quanto il nome stesso, ma, avendo acquistato il biglietto, mi sentii come obbligato a dare un'occhiata. Se non altro la passeggiata nel sole autunnale era gradevole. Mi sentii sollevato di tornare all'auto e rimettermi in marcia. Uscii dalla città che erano le quattro. Proseguii per diverse ore il mio itinerario nello stato di New York, attraverso la Susquehanna Valley, estremamente suggestiva specie a quell'ora del giorno e in quel momento dell'anno, nella pallida luce di un pomeriggio autunnale: colline morbide, alberi dorati, cittadine sonnolente. Per recuperare la lunga giornata trascorsa a Cooperstown, guidai più a lungo del solito. Erano quasi le nove quando mi fermai in un motel alla periferia di Elmira.

Andai direttamente fuori a cena ma, poiché quasi tutti i locali che incontravo erano chiusi, finii per mangiare nel ristorante di un bowling – in aperta contravvenzione alla terza norma di Bryson sul cenare in una città sconosciuta. Generalmente non credo nel fare le cose per principio – e poi si tratta di un principio tutto mio – ma ho elaborato sei norme riguardanti la cena al ristorante che cerco di non trasgredire. Eccole:

1. Mai cenare nei ristoranti che espongono le fotografie delle specialità.
   (E se lo si fa, mai credere alle fotografie.)
2. Mai cenare nei ristoranti rivestiti con carta da parati ruvida.
3. Mai cenare nei ristoranti dei campi da bowling.
4. Mai cenare nei ristoranti dove si sente ciò che dicono in cucina.
5. Mai cenare nei ristoranti che offrono intrattenimento dal vivo, il cui nome contenga una delle seguenti parole: Hank, Rhythm, Swinger, Trio, Combo, Hawaiian, Polka.
6. Mai mangiare nei ristoranti che hanno i muri schizzati di sangue.

Nella fattispecie il ristorante del bowling risultò abbastanza accettabile. Attraverso le pareti si sentiva il rimbombo smorzato dei birilli che cadevano, le urla delle parrucchiere e dei carrozzieri di Elmira che si divertivano. Ero l'unico cliente del ristorante. Per cui ero l'unico ostacolo tra le cameriere e la fine del loro servizio. Mentre aspettavo di essere servito, le ragazze sparecchiarono gli altri tavoli, tolsero posacenere, zuccheriere e tovaglie, cosicché dopo un po' mi trovai a cenare solo, in una grande sala, con una tovaglia bianca, una candela baluginante in una lampada rossa, in mezzo a un'arida distesa di tavoli di laminato.

Le cameriere, appoggiate alla parete, mi osservavano mentre masticavo. Dopo un po' iniziarono a bisbigliare e ridacchiare, sempre senza togliermi lo sguardo di dosso, cosa che trovai francamente scocciante. Avrei dovuto immaginarmelo, ma ebbi anche la netta impressione che qualcuno stesse girando un interruttore, perché la luce della sala si abbassava gradatamente. Alla fine del pasto riconoscevo il cibo al tatto e, a volte, dovevo abbassare la testa sul piatto per annusare. Prima ancora di terminare, quando mi fermai un secondo per bere un bicchiere d'acqua ghiacciata, nel buio dietro il lume di candela, la cameriera mi sfilò via il piatto e mi lasciò il conto sul tavolo.

"Desidera altro?", mi chiese, con un tono che suggeriva che sarebbe stato meglio rispondere di no. "No, grazie", dissi gentilmente. Mi pulii la bocca con la tovaglia dato che il mio tovagliolo si era perso nell'oscurità, e aggiunsi la settima norma alla mia lista: mai andare nei ristoranti dieci minuti prima dell'orario di chiusura. Tuttavia, un pessimo servizio non mi dà mai fastidio. Non mi fa sentire in colpa se non lascio la mancia.

La mattina seguente mi svegliai di buon'ora e provai quella sensazione di smarrimento che ti prende quando apri gli occhi e ti rendi conto che, al posto di una giornata normale con le solite piccole soddisfazioni, ti aspetta una giornata priva del minimo piacere: stavo per attraversare l'Ohio.

Sospirai e uscii dal letto. Ciondolai per la stanza, proprio come faceva mio padre, racimolai le mie cose, mi lavai, mi vestii e, senza entusiasmo, tornai sull'autostrada. Ero diretto a ovest, quindi attraversai gli Allegheny per poi entrare in quello strano angolo della Pennsylvania. Per 360 chilometri il confine tra New York e la Pennsylvania è una linea retta, ma nel punto nord-occidentale, proprio dove mi trovavo, vira bruscamente ad angolo retto verso nord, come se qualcuno avesse dato un colpo alla mano del progettista. La ragione di questa curiosa irregolarità cartografica fu di dare alla Pennsylvania uno sbocco sul lago Erie senza dovere attraversare lo stato di New York. Questa rimane una prova ormai bicentenaria della poca fiducia che avevano riposto i singoli stati nel funzionamento dell'unione. Il fatto che abbia funzionato rappresenta un successo molto più grande di quanto non lo si consideri oggigiorno.

Appena oltre il confine della Pennsylvania la strada si unisce all'Interstate 90. Si tratta della principale arteria stradale del nord, quella che attraversa l'America per circa 5000 chilometri da Boston a Seattle, ed è molto frequentata da viaggiatori *coast to coast*. Questi ultimi si riconoscono sempre in quanto hanno la faccia di chi non è uscito dall'auto per intere settimane. Basta guardarli mentre passano, per vedere che hanno iniziato a trasformare l'interno dell'auto in una casa: panni stesi sul retro, cartocci, pasti avanzati sul cruscotto e, sparpagliati dappertutto, libri, riviste, cuscini. Di solito c'è sempre una signora grassa, con la bocca spalancata, addormentata accanto al guidatore, e sui sedili posteriori un numero imprecisato di marmocchi scatenati. Quando le due auto si affiancano, si scambia un'occhiata spenta, ma cordiale col padre, si osservano le reciproche targhe e si prova un sentimento di invidia o di compassione, proporzionale alla distanza da casa. Ho visto persino un'auto con la targa dell'Alaska. Incredibile! Era la prima volta che vedevo una targa di quello stato. Quell'uomo doveva aver percorso più di 7200 chilometri, come andare da Londra allo Zambia. Un tipo stranissimo. Di moglie o di figli neanche l'ombra. Presumo li avesse uccisi e chiusi nel baule.

Piovigginava. Continuai a guidare in quello stato di semistordimento che sempre si prova sulle Interstate. Dopo un po' sulla destra, apparve il lago Erie. Come tutti i Grandi Laghi è enorme, più simile a un mare interno che a un lago; dalla sponda occidentale a quella orientale ci sono 360 chilometri, mentre da quella settentrionale a quella meridionale 65. Venticinque anni fa il lago Erie fu dichiarato privo di vita. Percorsi la sponda meridionale e quella piatta immensità grigia, mi confermò l'entità dell'evento. Pare quasi impossibile che qualcosa di piccolo come l'uomo possa uccidere qualcosa di tanto immenso come uno dei Grandi Laghi. Ebbene, soltanto nel corso di un secolo l'uomo c'è riuscito. Grazie a permissivi regolamenti industriali e al trionfo dell'ingordigia sulla natura, in posti come Cleveland, Buffalo, Toledo, Sandusky e altri centri super inquinati, nell'arco di tre sole generazioni, il lago Erie si è trasformato da specchio d'acqua blu in cesso gigantesco. La responsabilità maggiore spetta a Cleveland che, grazie alla sua inettitudine, fece sì che il suo fiume, ormai una lenta fanghiglia di prodotti chimici e di rifiuti semi-solidi chiamato Cuyahoga, si incendiasse e bruciasse per quattro giorni consecutivi. Anche questo è un risultato fuori del comune, credo. Dicono che oggi la situazione sia migliorata. Secondo il *Cleveland Free Press*, che lessi durante una sosta per un caffè nei pressi di Ashtabula, una nota ufficiale della Direzione della Commissione Congiunta sulla Qualità delle Acque dei Grandi Laghi, redatta in modo incisivo, comunicava che era stata appena svolta un'analisi sulle sostanze chimiche presenti nel lago e che ne erano state individuate solo 362, rispetto alle migliaia della rilevazione precedente. A me sembrava una cifra esorbitante e fui sorpreso di vedere un paio di pescatori sulla riva, ricurvi sotto la pioggia, che lanciavano le lenze in quella poltiglia verdastra con lunghe canne da pesca. Probabilmente pescavano prodotti chimici.

Sotto una pioggia incessante attraversai i sobborghi di Cleveland, passai davanti a cartelli con indicazioni di località, i cui nomi erano tutti accompagnati dalla parola Heights[2]: Richmond Heights, Garfield Heights, Shaker Heights, University Heights, Warrensville Heights, Parma Heights. Stranamente, la caratteristica più saliente del paesaggio circostante era proprio l'assoluta mancanza di luoghi degni di nota. Evidentemente ciò che Cleveland era disposta a considerare *eccelso*, per altri sarebbe stato banalmente modesto. A ogni modo ciò non mi sorprese più di tanto. Più avanti l'Interstate 90 prese il nome di Cleveland Memorial Shoreway e iniziò a costeggiare la baia. I tergicristalli della Chevette si muovevano ipnoticamente sugli schizzi spruzzati dalle auto che mi sorpassavano. Fuori dal finestrino il lago si estendeva vasto e scuro, fino a fondersi con la foschia. Mi apparve il centro di Cleveland con i suoi palazzoni; mi venivano incontro come se stessi viaggiando su un tapis-roulant del supermercato. Cleveland ha sempre avuto la fama di essere una città sporca, brutta e noiosa, sebbene ora dicano sia molto migliorata. Con 'dicono' mi riferisco ai reporter di pubblicazioni serie, come il *Wall Street Journal*, *Fortune*, e il *New York Times Sunday Magazine*, che visitano la città a intervalli di cinque anni e scrivono storie dai titoli del tipo, *Cleveland si riprende* e *Rinascimento a Cleveland*. Nessuno legge mai quegli articoli, tanto meno io, quindi sono il meno indicato a dire se l'affermazione – improbabile e molto relativa – sulle migliorate condizioni attuali della città sia giusta o errata. Quel che posso dire è che la vista sul Cuyahoga, dal ponte della tangenziale, era un inferno di fabbriche fumose che non parevano né belle né troppo pulite. Non posso nemmeno affermare che il resto della città sia da mozzare il fiato. Forse è migliorata, ma questo parlare di rinascimento mi sembra comunque esagerato. Ho i miei dubbi che se facessero resuscitare il Duca di Urbino e lo portassero nel centro di Cleveland direbbe: "Cribbio! Mi fa pensare alla Firenze del Quattrocento e a tutti i suoi tesori".

Poi, abbastanza rapidamente, uscii da Cleveland e fui sul James W. Shocknessy Ohio Turnpike, nella dolce desolazione rurale che esiste tra Cleveland e Toledo e, ancora una volta, fui pre-

[2] Gioco di parole sul doppio significato della parola Heights: alture ed eccelso [*N.d.T.*].

so dalla monotonia incombente della Highway. Per ammazzare la noia accesi la radio. Era tutto il giorno che continuavo ad accenderla e a spegnerla. L'ascoltavo per un po', poi ci rinunciavo sconsolato. Se non l'avete provato, non potete capire il senso di disperazione che viene ascoltando *Hotel California* degli Eagles per la quattordicesima volta in tre ore. Ci si sente distruggere le cellule cerebrali. Ma è il disc-jockey che la rende intollerabile. Esiste al mondo una razza più irritante e imbecille dei disc-jockey? In Sud America c'è una tribù di indiani, gli Janamanos, che sono talmente arretrati che non sanno contare nemmeno fino a tre. Il loro sistema numerico fa: "Uno, due... Oh cribbio! Un mucchio". Ovviamente i disc-jockey si vestono meglio e sono un po' più socievoli, ma, quanto ad acutezza mentale, credo non siano molto superiori agli Janamanos. Cercavo instancabilmente qualcosa da ascoltare, ma non riuscii a trovare nulla. Non che pretendessi la luna nel pozzo. Tutto ciò che desideravo era una stazione che non trasmettesse solo interminabili canzonette ritmate, cantate da ragazzine dalla voce lagnosa, che non avesse dei disc-jockey impegnati a dire 'E-h-i-i-i-i' più di una volta ogni sei secondi, e che non continuasse a ripetermi quanto Gesù mi volesse bene. Una stazione così sembrava non esistere. Anche quando trovavo qualcosa di passabile, il suono iniziava a svanire e la vecchia canzone dei Beatles che stavo ascoltando beatamente, veniva a poco a poco rimpiazzata dalla voce di un mezzo demente che parlava del verbo divino e che diceva che avevo un amico nel Signore.

Molte stazioni radiofoniche americane, specialmente nell'hinterland, sono ridicolmente piccole e scadenti. Lo so per esperienza perché, quando ero ragazzino, andavo a dare una mano a quelli della K.C.B.C. di Des Moines. La K.C.B.C. aveva l'appalto per trasmettere gli incontri di baseball degli Iowa Oaks, ma era troppo squattrinata per inviare, al seguito della squadra, il proprio cronista, un giovane simpatico di nome Steve Shannon. Allora, quando gli Oaks erano a Denver o a Oklahoma City o da qualche altra parte, Shannon e io uscivamo dagli studi della radio – che erano solamente una baracca di latta, appoggiata a un trasmettitore molto alto, situata in un'azienda agricola a sud-est di Des Moines – e lui parlava ai microfoni come se fossimo stati a Omaha. Che buffo. Ogni due o tre inning qualcuno mi chiamava al telefono dallo stadio e mi faceva un riassunto succinto dell'incontro; io me lo appuntavo su un notes e lo passavo a Shannon così, sulla base di questo, lui riusciva a tenere una trasmissione di due ore.

Era una curiosa esperienza starsene seduti in una baracca di latta in una notte afosa d'agosto, ascoltando i grilli e osservando un uomo che parlava in un microfono dicendo cose di questo tipo: "Qui a Omaha è una sera fresca, c'è una leggera brezza che arriva dal fiume Missouri. Questa sera, tra la folla, c'è un ospite speciale, il Governatore Warren T. Legless seduto accanto alla giovane moglie carina, Bobbie Rae, sulle gradinate d'onore riservate alla stampa, proprio qui sotto di noi". Shannon era un genio in questo genere di trovate. Ricordo che una volta la telefonata dallo stadio non arrivò – il tipo dall'altra parte del telefono doveva essere rimasto chiuso in un cesso o qualche cosa del genere – e Shannon non sapeva che dire agli ascoltatori. Così parlò di un ritardo del gioco causato da un improvviso acquazzone, dal momento che un attimo prima aveva detto che era una bellissima serata senza una nuvola, e mandò in onda della musica; nel frattempo telefonò a qualcuno allo stadio e lo implorò che lo informasse di ciò che stava succedendo. La cosa più divertente è che, in seguito, lessi che la stessa cosa era successa a Ronald Reagan quando faceva il giovane cronista sportivo a Des Moines. Reagan però fece fare al battitore una cosa molto più assurda – colpire a vuoto la palla, una dopo l'altra, per mezz'ora di seguito – fingendo che non ci fosse nulla di riprovevole in un'azione del genere; il che, se ci si pensa bene, rispecchia un po' il modo in cui ha mandato avanti il paese da Presidente.

Nel tardo pomeriggio captai per caso un notiziario trasmesso da una stazione di Crudbucket, Ohio, o un nome del genere. I notiziari radiofonici americani durano di solito una trentina di secondi. Quello era una cosa di questo tipo: "Una giovane coppia di Crudbucket, Dwayne e Wanda Dreary, insieme ai loro sette figli Ronnie, Lonnie, Connie, Donnie, Bonnie, Johnny e Tammy-Wynette, hanno perso la vita in un incendio dopo che un aereo da turismo si è schiantato sulla loro abitazione ed è esploso. Walter Embers, capo dei vigili del fuoco, ha dichiarato che è stato impossibile domare l'incendio. A Wall Street il mercato ha registrato la caduta più repentina della storia, perdendo 508 punti. Passiamo ora alle condizioni del tempo per la zona di Crudbucket: cielo limpido con probabilità di precipitazioni del due per cento. Siete sintonizzati su radio K-R-U-D, poche chiacchiere e tanto buon rock". Poi mandarono in onda *Hotel California* degli Eagles. Fissai la radio, chiedendomi se le mie orecchie avessero sentito bene. Un crollo così repentino delle quotazioni della storia della borsa in una sola giornata? Lo sfascio dell'economia americana? Girai il sintonizzatore in cerca di un altro notiziario: "... Il Senatore Pootang ha negato che le quattro cadillac e i viaggi alle Hawaii siano in qualche modo collegati al contratto di 120 milioni di dollari per la costruzione del nuovo aeroporto. A Wall Street, il mercato ha registrato la caduta più repentina della storia, perdendo 508 punti in poco meno di tre ore. Passiamo alle condizioni del tempo per la zona di Crudbucket: cielo molto nuvoloso con probabilità di precipitazioni del novantotto per cento. Dopo il notiziario trasmetteremo ancora un brano degli Eagles".

L'economia americana stava andando a catafascio e tutto ciò che si sentiva erano le canzoni degli Eagles. Continuai a smanettare sulla radio, sicuro che qualcuno avrebbe parlato di una nuova Grande Depressione invece di limitarsi a un fugace accenno – e per fortuna qualcuno c'era. Sulla C.B.C., il network canadese, davano un meraviglioso programma intitolato *As it happens*[3], e la trasmissione della serata era dedicata al crollo di Wall Street. Lascio a voi lettori immaginare quale ironia sia, per un cittadino americano che viaggia nel proprio paese, doversi sintonizzare su un canale straniero per conoscere i particolari di una delle più preoccupanti notizie interne dell'anno. A onor del vero mi fu detto in seguito che anche i canali pubblici americani – forse l'organizzazione meno sovvenzionata nel mondo industrializzato – avevano dedicato lunghi dibattiti sull'argomento. Potrei scommettere che sono stati condotti da un tizio, chiuso in una baracca di latta sperduta in un campo, che leggeva appunti scarabocchiati su un pezzo di carta.

A Toledo imboccai l'Interstate 75, verso il nord e il Michigan. Ero diretto a Dearborn, un sobborgo di Detroit, dove intendevo passare la notte. Poco dopo mi ritrovai in una selva di capannoni, di scambi ferroviari, di enormi parcheggi collegati a distanti industrie automobilistiche. I parcheggi erano talmente vasti e pieni di auto, che mi chiesi se le fabbriche non funzionassero esclusivamente per produrre un numero di automobili sufficiente a riempire i parcheggi, e quindi eliminare la domanda da parte dei consumatori. Tutto intorno il paesaggio era punteggiato da giganteschi tralicci elettrici. Non vi siete mai domandati che fine fanno tutti quei tralicci allineati fino all'orizzonte in ogni paese del mondo, come un esercito di extraterrestri? Vanno tutti a finire in un cam-

[3] Notizie a caldo [*N.d.T.*].

po a nord di Toledo dove scaricano la tensione in un'enorme concentrazione di trasformatori elettrici, diodi e altri congegni che danno l'idea di un televisore sventrato, di proporzioni gigantesche. Quando attraversai l'area, il terreno vibrava notevolmente e pensai che l'auto fosse stata colpita da una scarica elettrostatica, cosa che mi fece venire i brividi alla nuca e mi lasciò una strana e piacevole sensazione sotto le ascelle. Fui quasi tentato di fare dietrofront al crocevia successivo, e ripetere l'esperimento. Ma era tardi e dovevo proseguire. Per alcuni minuti sentii un odore di carne bruciacchiata e continuai a toccarmi la testa con timore. Può darsi sia una sensazione che capita a chi passa troppo tempo, da solo, al volante.

A Monroe, una città a metà strada tra Toledo e Detroit, un grande cartello ai margini della strada diceva: BENVENUTI A MONROE, MICHIGAN – CITTÀ NATALE DEL GENERALE CUSTER. Dopo circa un chilometro, trovai un altro cartello, ancor più grande del primo, che diceva: BENVENUTI A MONROE – PATRIA DEI MOBILI LA-Z-BOY. Santi numi, pensai, non c'è mai limite all'esaltazione? Evidentemente sì, e il resto del viaggio si concluse senza drammi.

18

Passai la notte a Dearborn per due motivi. Primo, voleva dire non passare la notte a Detroit, la città con l'indice di omicidi più alto del paese. Nel 1987, a Detroit ne contarono 635; 58,2 ogni 100.000 persone, vale a dire otto volte superiore alla media nazionale. Solamente tra i minori, si registrarono 365 sparatorie nelle quali entrambi, vittima e assassino, erano sotto i sedici anni. Si parla di una città molto difficile – e tuttavia molto ricca. Non oso pensare che cosa diventerebbe se l'industria automobilistica americana crollasse. La gente incomincerebbe ad andare in giro con i bazooka per la propria difesa personale.

Il secondo motivo, inderogabile, per andare a Dearborne, era per vedere l'Henry Ford Museum, un posto in cui mio padre ci aveva portato da piccoli e che ancora ricordavo con piacere. Ci andai direttamente, dopo la colazione del mattino. Henry Ford passò gli ultimi anni della sua vita comprando intere camionate di oggetti della civiltà americana, e sistemando le casse nel suo museo, situato accanto alla Ford Motor Company Rouge Assembly Plant. Il parcheggio, all'esterno del museo, era enorme – come grandezza stava alla pari di quelli che avevo visto il giorno prima – ma in quel periodo non c'erano molte auto. La maggior parte di esse erano giapponesi.

Entrai e scoprii senza sorpresa che il biglietto era caro e salato: 15 dollari per gli adulti, e 7.50 per i bambini. Gli americani sono evidentemente disposti a stanziare cifre enormi per i divertimenti. Di malavoglia pagai il biglietto ed entrai. Dopo aver varcato il portone d'ingresso rimasi a bocca aperta. Se non altro per le dimensioni, che sono da mozzare il fiato. Ti ritrovi in un grande edificio, simile a un hangar, che copre dodici acri di terreno, stipato dal più indescrivibile ammasso di cose: macchinari, treni, frigoriferi, la sedia a dondolo di Abraham Lincoln, la limousine sulla quale si trovava J. F. Kennedy quando fu ucciso (per fortuna senza i brandelli di cervello sui sedili), il cassettone di campagna di George Washington, il tavolo da biliardo in miniatura del Generale Tom Thumb, una bottiglia contenente l'ultimo respiro esalato da Thomas Edison. Trovai quest'ultimo articolo particolarmente affascinante. Oltre a essere grottescamente morboso e sentimentale, mi chiedo come abbiano fatto a sapere quale fosse l'ultimo respiro di Edison. Mi immagino Henry Ford, al capezzale del moribondo, che continua a mettergli sotto il naso una bottiglia chiedendogli: "Ci siamo?".

Una volta la Smithsonian Institution era proprio così e dovrebbe ancora esserlo – un incrocio tra una soffitta e la bottega di un rigattiere. Era come se una sorta di geniale trovarobe avesse passato al setaccio la memoria collettiva di tutta la nazione, e avesse portato in quell'unico posto tutto ciò che riguardava l'*American life*, sempre che fosse splendido, bello e meritasse di essere ammirato. Si può trovare ogni oggetto legato alla mia gioventù: vecchi fumetti, cestini per il pranzo, figurine delle gomme da masticare, i libri di *Dick and Jane*, una cucina economica della Hotpoint identica a quella che aveva avuto mia madre, un distributore automatico di bibite – preciso a quello che c'era davanti alla sala da biliardo di Winfield.

C'è persino una collezione di bottiglie del latte identiche a quelle che Mr. Morrisey, il lattaio sordo, ci portava ogni mattina. Mr. Morrisey era il lattaio più rumoroso d'America. Aveva una sessantina d'anni e portava un enorme apparecchio acustico. Andava sempre in giro con il suo fedele cane di nome Skipper. Arrivavano, precisi come un orologio, poco prima dell'alba. Il latte doveva essere distribuito presto, si sa, perché nel Midwest va a male appena sorge il sole. Sapevi sempre quando erano le cinque e mezza del mattino perché Mr. Morrisey arrivava fischiettando e svegliando tutti i cani del circondario, il che faceva imbestialire Skipper che si metteva ad abbaiare. Dal momento che era sordo, Mr. Morrisey non udiva la propria voce tanto che, quando passava sotto al portico sul retro della casa con le bottiglie del latte tintinnanti, lo si sentiva parlare con Skipper: ALLORA, CHISSÀ COSA VOGLIONO OGGI I BRYSON? VEDIAMO UN PO'... QUATTRO QUARTI DI LATTE SCREMATO E DEI FIOCCHI DI FORMAGGIO. SKIPPER, SAI CHE STRONZATA HO COMBINATO? HO DIMENTICATO IL FORMAGGIO SU

QUEL MALEDETTO FURGONE! Poi, se ti affacciavi alla finestra, vedevi Skipper che faceva pipì sulla tua bicicletta e le luci delle case di tutto il vicinato che si accendevano. Nessuno voleva che Mr. Morrisey fosse licenziato, per quel suo sfortunato handicap, ma quando, intorno al 1960, la Flynn Diaries sospese il servizio a domicilio per le difficoltà economiche, la nostra fu una delle poche zone della città a non rimpiangerlo.

Mi aggirai nel museo in uno stato di improvvisa, profonda ammirazione per Henry Ford e per il suo fiuto. Sebbene fosse stato prepotente e antisemita, sicuramente riuscì a mettere in piedi un museo eccezionale. Avrei potuto allegramente passare intere ore a soffermarmi davanti a tanti oggetti. Ma l'hangar è solamente una parte del museo. All'esterno c'è un intero paese – una piccola città – con ottanta case di personaggi americani famosi. Si tratta delle case originali, non di copie. Ford attraversò il paese in lungo e in largo per comprare le case e le officine delle persone che più ammirava: Thomas Edison, Harvey Firestone, Luther Burbank, i fratelli Wright e, naturalmente, se stesso. Aveva impacchettato e inviato tutto il materiale a Dearborn, dove lo riutilizzò per costruire un parco di divertimenti su 250 acri – il prototipo di una piccola cittadina americana, una pittoresca comunità senza tempo dove ogni costruzione ospita un uomo di genio (quasi esclusivamente un uomo di genio bianco, cattolico, del Midwest). In quel posto perfetto, con gli ampi giardini, gli eleganti negozi e le chiese, i fortunati abitanti potrebbero rivolgersi a Orville e a Wilbur Wright per una camera d'aria della bicicletta, andare alla fattoria Firestone per acquistare uova e latte (non ancora la gomma – sapete, Harvey sta ancora lavorando al progetto!), chiedere un libro in prestito a Noah Webster e andare da Abraham Lincoln per un consiglio legale, sempreché non sia troppo occupato con la richiesta di brevetto per Charles Steinmetz o con la pratica per la liberazione dalla schiavitù di George Washington Carver, che vive in un alloggetto dall'altra parte della strada.

È veramente un posto incantevole. Per iniziare, sono stati scrupolosamente conservati sia il laboratorio di Edison sia la pensione dove abitavano i suoi dipendenti. Si può effettivamente vedere come questa gente lavorava e viveva. Inoltre rappresenta indubbiamente una certa comodità il fatto di aver raggruppato le case. A chi mai passerebbe per la testa di andare a Columbania, Ohio, per vedere il luogo di nascita di Harvey Firestone, oppure a Dayton per vedere dove vivevano i fratelli Wright? A me no di certo! Raggruppando tutti questi luoghi, l'autore ci rende consapevoli di quanto l'America del passato sia stata incredibilmente inventiva, di quanta genialità abbia espresso nelle innovazioni commerciali che sfociavano, quasi sempre, in un indicibile benessere; e ci si rende conto che la maggior parte delle comodità e dei piaceri della vita moderna affondano le loro radici nelle piccole cittadine del Midwest. Mi sentii dunque orgoglioso.

Proseguii il mio viaggio verso nord-ovest, attraverso il Michigan, perso in questa delicata soddisfazione data dal museo. Avevo superato Lansing e Grand Rapids e stavo entrando nella Manistee National Forest; avevo percorso 170 chilometri senza accorgermene. Il Michigan ha la forma di un guanto da forno e ti dà lo stesso eccitamento. La foresta del Manistee è fitta e tetra – distese interminabili di pini – e l'autostrada, che l'attraversa, è monotona e diritta. Di tanto in tanto si scorge una baita o un laghetto fra i boschi, entrambi visibili attraverso gli alberi, comunque nulla di straordinario. Le città sono rare e fondamentalmente squallide – qua e là qualche abitazione isolata e qualche orrenda costruzione prefabbricata dove si costruiscono e vendono orrende baite, anch'esse prefabbricate, cosicché le persone possano acquistare il loro pezzo di bruttura e portarselo in mezzo ai boschi.

Dopo Baldwin la strada divenne più ampia e più vuota e le imprese commerciali ancora più isolate. A Mainstee l'autostrada scendeva fino al lago Michigan per poi seguire, a tratti, la costa, attraversando piccoli insediamenti molto carini, composti per la maggior parte di case per le vacanze disabitate: Pierport, Arcadia, Elberta ('A Peach of a Place'[1]), Frankfort. A Empire feci una sosta per guardare il lago. Faceva un freddo incredibile. Dal Wisconsin, 113 chilometri al di là di quella distesa d'acqua grigio metallo, proveniva un vento gelido, che alzava grandi onde bianche. Tentai di fare una passeggiata, ma rimasi fuori soltanto cinque minuti prima che il vento mi respingesse verso l'auto. Proseguii a Traverse City, dove il tempo era più clemente, forse perché era un posto più riparato. Traverse City sembrava una meravigliosa cittadina antica, rimasta ferma al 1948 circa. Aveva ancora un Woolworth's, un J. C. Penney, un vecchio cinematografo chiamato The State e un meraviglioso ristorante d'epoca, il Sid-

[1] Una chicca di posto [*N.d.T.*].

ney, con dei separé neri e un lungo bancone-bar. Di locali del genere non se ne vedono più. Presi un caffè e provai una sensazione di piacere a trovarmi lì. Dopo di che proseguii il mio viaggio verso nord su una strada che saliva lungo un lato della Grand Traverse Bay e scendeva dall'altro, cosicché si poteva sempre vedere dove si stava andando o da dove si arrivava, talvolta con deviazioni nell'entroterra che per un paio di chilometri portavano accanto a fattorie e a giardini di ciliegi, per poi ritornare sulla costa. Col passare del pomeriggio, il vento si calmò e uscì il sole, dapprima indeciso, come un ospite timido; poi il sole rimase nel cielo proiettando sul lago brillanti chiazze argentee e blu. Al largo, sull'acqua, forse a 30 chilometri di distanza, alcune nuvole scure scaricavano pioggia, formando un sipario di colore grigio pallido. Nel cielo, invece, spuntò un debole arcobaleno. Tutto era di un'inenarrabile bellezza. Proseguii stregato.

Nel tardo pomeriggio arrivai a Mackinaw City, sull'estremità del guanto da forno, il punto in cui le sponde meridionali e settentrionali del Michigan si uniscono e formano gli Straits of Mackinac, separando il lago Michigan dal lago Huron. Un ponte sospeso, lungo 8 chilometri, unisce i due versanti. Mackinaw City – la gente qui è abbastanza elastica sull'ortografia di questo nome – è una cittadina disordinata e sgraziata, piena di negozi di souvenir, motel, gelaterie, pizzerie, parcheggi e di società dei traghetti di collegamento con l'isola Mackinac. Quasi ogni negozio, motel compresi, era chiuso per l'inverno. L'Holiday Motel, sulla sponda del lago Huron, sembrava fosse aperto, per cui entrai e suonai il campanello della reception. Il giovane che arrivò sembrò sorpreso di avere un cliente. "Stavamo giusto per chiudere per questa stagione", disse. "Difatti sono andati tutti fuori a cena a festeggiare. Se però sta cercando una camera, c'è."

"Quanto costa?", chiesi.

Sembrò buttare lì una cifra a caso. "20 dollari?", disse.

"Mi sta bene", dissi e diedi le mie generalità. Sebbene la stanza fosse piccola, era carina e ben riscaldata, già una buona cosa. Uscii a fare una passeggiata, in cerca di qualcosa da mangiare. Erano da poco passate le sette, ma faceva già buio e l'aria fredda era più simile a quella di dicembre che a quella di ottobre. Vedevo la condensa del mio fiato. Era strano trovarsi in un luogo così pieno di edifici e tuttavia così morto. Era chiuso persino il Mc Donald, con un cartello in vetrina che augurava buon inverno.

Arrivai fino al terminal dello Shelper's Ferry – sul serio pari alla grandezza di un parcheggio con pensilina – per vedere gli orari delle partenze del traghetto per Mackinac Island, il mattino successivo. Era la ragione per cui mi trovavo lì. Ce n'era uno alle undici. In piedi accanto al molo, con il volto verso il vento, guardai a lungo il lago Huron. L'isola Mackinac si trova a un paio di chilometri da terra, ed è simile a una nave da crociera illuminata. A poca distanza c'è la Bois Blanc Island, più grande ma senza illuminazione. A sinistra il ponte di Mackinac, illuminato come un addobbo natalizio, si protendeva sullo stretto. Ovunque le luci si riflettevano sull'acqua. Strano che una cittadina insignificante possa offrire una vista così magnifica.

Cenai in un ristorante praticamente vuoto, e poi ingurgitai un paio di birre in un bar altrettanto vuoto. Entrambi i locali avevano il riscaldamento acceso. Mi sentivo bene, rassicurato. Fuori, il vento ululava facendo tremare i vetri delle finestre. Quel bar tranquillo mi piaceva. La maggior parte dei bar in America sono bui e pieni di persone malinconiche – gente sola che beve con lo sguardo fisso. Non esiste quella gradevole atmosfera da cafeteria che si trova nei bar europei. I bar americani, in generale, sono luoghi bui per ubriacarsi. Per quanto non li ami molto, quello mi andava bene. Era accogliente, tranquillo, ben illuminato, tanto che riuscii persino a leggere. Dopo un po' ero alticcio. Anche questo andava bene.

Al mattino seguente mi svegliai di buon'ora e passai la mano sul vetro appannato della finestra coperto di condensa, per vedere come si preannunciava la giornata. La risposta fu: non buona. Il mondo era pieno di nevischio, che volteggiava nelle folate di vento come uno sciame d'insetti bianchi. Accesi la televisione e mi rintanai nel tepore delle coperte. L'apparecchio era sintonizzato sulla rete locale della P.B.S. La P.B.S. è il canale nazionale, quello che una volta si chiamava canale culturale. Dovrebbe trasmettere programmi di un certo livello ma, dal momento che è sempre a corto di fondi, le trasmissioni si risolvono in melodrammi della B.B.C. con Susan Hampshire, oppure in programmi fatti in casa la cui produzione costa 12 dollari – programmi di culinaria, dibattiti religiosi, incontri di lotta libera di scuole superiori locali. Di solito è inguardabile, ora mi sembra stia peggiorando. Difatti, sul canale che guardavo, c'era un programma di beneficenza per autofinanziarsi. Due signori di mezza età vestiti con abiti sportivi, seduti su poltrone girevoli e con un paio di telefoni sul tavolo davanti a loro, chiedevano soldi. Cercavano di sembrare gagliardi e allegri, ma nei loro occhi si leggeva una strana disperazione.

"Non sarebbe tragico per i vostri bambini non vedere più Sesame Street?" stava chiedendo uno dei due davanti alle telecamere.

"Coraggio, mamme e papà! Chiamateci subito e fateci un'offerta!" Ma nessuno chiamava. I due conduttori osannavano i programmi della P.B.S. Evidentemente la conversazione durava da un po'. A un certo punto arrivò una telefonata. "Ho la mia prima chiamata", disse il primo mentre riagganciava. "Era di Melanie Bitowski di Traverse City, che oggi compie quattro anni. Buon compleanno, tesoro. Ma tesorucci belli, la prossima volta che chiamate, dite ai vostri genitori di fare un'offerta." Quei tizi stavano chiaramente cercando di salvare i loro posti di lavoro e l'intero Michigan settentrionale era sordo ai loro appelli.

Feci una doccia, mi vestii e feci la valigia, sempre tenendo d'occhio la tivù nel caso qualcuno facesse un'offerta. Invano. Proprio mentre la spegnevo, uno dei conduttori stava dicendo, con una punta di stizza: "Su, non posso credere che nessuno ci stia guardando. Qualcuno dev'essere pur sveglio. Ci deve pur essere qualcuno che voglia conservare un canale pubblico di qualità per se stesso e per i suoi figli". Evidentemente si sbagliava.

Feci una colazione veramente abbondante nello stesso posto in cui avevo mangiato la sera precedente e poi, dato che non c'era assolutamente nulla da fare, uscii e andai sul molo, in attesa del traghetto. Non c'era più vento. Gli ultimi fiocchi di neve si scioglievano al contatto col suolo, poi smise del tutto di nevicare. Il rumore del gocciolio si sentiva ovunque: dai tetti, dagli alberi, da me. Erano soltanto le dieci e sul molo non accadeva nulla – la Chevette, coperta di nevischio, era stranamente sola nel grande parcheggio – così me ne andai a fare una passeggiata nei dintorni, vicino al posto in cui sorgeva l'antico Fort Mackinac, e nelle vie residenziali lì attorno, piene di prati senza alberi e di case basse stile ranch. Quando tornai al molo, una quarantina di minuti dopo, la Chevette era in compagnia di altre auto e c'era un bel gruppo di persone – venti o trenta almeno – che stavano già imbarcandosi.

Ci accomodammo tutti in una piccola stanza con i sedili in fila. L'aliscafo accese i motori facendo un rumore di aspirapolvere, poi uscì e scivolò sulla distesa tetra e verdognola del lago Huron.

Il lago era mosso, come una pentola d'acqua che bolle a fuoco basso, comunque il viaggio filò liscio. Le persone attorno a me erano stranamente eccitate. Continuavano ad alzarsi in piedi a scattare fotografie e a indicarsi l'un l'altro delle cose. Mi venne in mente che forse molti di loro non erano mai stati su un traghetto e che non avevano mai visto un'isola, comunque non un'isola abbastanza grossa da essere abitata. Sfido che erano eccitati. Anch'io lo ero, ma per un'altra ragione.

Ero già stato all'isola Mackinac. Mio padre ci aveva portati quando avevo quattro anni circa e me lo ricordo con nostalgia. Quasi sicuramente dev'essere il ricordo più remoto e chiaro che conservo. Ricordavo che c'era un grande albergo bianco con un lungo portico e tante aiuole di fiori, veramente abbacinanti nella luce di luglio, e un grande fortino sulla collina; ricordo che sull'isola non circolavano automobili, ma solo carrozze; che ovunque c'era sterco di cavallo; che ne calpestai uno, tiepido e scivoloso; che mia madre mi pulì la scarpa con un ramoscello e un Kleenex ridendo delicatamente; che appena mi rimisi la scarpa, ne calpestai un altro con l'altro piede; e che lei non si arrabbiò affatto. Mia madre non si arrabbiava mai. Non che fosse al settimo cielo, capite, ma non urlava né si imbestialiva, e non sembrava mai stesse soffocando per una crisi di apoplessia, come faccio io coi miei bambini quando vanno a finire – e succede sempre – su qualcosa di tiepido e scivoloso. Mia madre mi guardava con un'espressione di commiserazione, poi sorrideva dicendo che lo faceva per amore. Mi amava moltissimo. Mia madre era una vera santa, specialmente quando si trattava di cacca di cavallo.

L'isola Mackinac è davvero piccola – lunga circa 8 chilometri e larga 3 – ma, come molte altre isole, sembra più grande quando ci si è sopra. Dal 1901 è vietato l'accesso alle auto e a qualsiasi altro mezzo motorizzato così, quando si sbarca dal traghetto e si arriva sulla via principale, ci si trova davanti a un parcheggio di carrozze a cavallo: una speciale per i clienti del Grand Hotel, alcuni biroccini turistici per i giri costosi dell'isola e uno strano rimorchio per i bagagli. Il paese di Mackinac era perfetto, proprio come lo ricordavo, una fila di edifici vittoriani bianchi lungo la via principale digradante, deliziosi cottage abbarbicati sulla ripida collina che porta al vecchio Fort Mackinac, costruito nel 1780 per difendere lo stretto e fare da guardia alla città.

Passeggiai per la città facendo attenzione a non calpestare i mucchietti di sterco di cavallo. Senza automobili, il silenzio era quasi totale. L'intera isola sembrava fosse sul punto di sprofondare in un letargo di sei mesi. Quasi tutti i negozi e i ristoranti sulla Main Street erano chiusi per la stagione. Credo che quel posto debba essere orrendo durante l'estate, quando viene invaso da migliaia di visitatori giornalieri. Un dépliant che presi al porto elencava sessanta negozi di souvenir e, fra ristoranti, gelaterie, pizzerie e bancarelle di dolciumi, più di trenta. Ma in quel periodo dell'anno tutto sembrava pittoresco, pacifico e incredibilmente bello.

Per un certo periodo la Mackinac Island fu il più grande luogo di scambio del Nuovo Mondo – la società di commercio di pelli di John Jacob Astor aveva lì la sua base – anche se il momento di massimo splendore iniziò alla fine del diciannovesimo secolo, quando i ricchi di Chicago e di Detroit vi andarono per sfuggire al caldo cittadino e per godere quell'aria senza polline. Dapprima sorse il Grand Hotel, il più grande e antico albergo per le vacanze d'America, in un secondo tempo i ricchi industriali costruirono ville estive, sfarzosamente decorate, sui promontori con la vista sul paesino e sul lago Huron. Andai in quella direzione. Se la vista sul lago era fantastica, quella delle ville era addirittura mozzafiato. Si tratta di costruzioni di legno, tra le più elaborate che il mondo vittoriano conoscesse – almeno venti stanze – e tra le più sofisticate sotto il profilo decorativo: cupole, torri, volte, torrette, timpani e porticati sui quali si poteva andare in bicicletta. Alcune delle cupole erano sormontate da altre cupole. Queste ville sono incredibilmente belle, ce ne sono una ventina, una dopo l'altra, sulle scogliere che costeggiano Fort Mackinac. Dev'essere fantastico per i bambini giocare a nascondino in quelle case, avere una camera nella torre, poter rimanere a letto e godersi la vista di un lago di quella bellezza, andare in bicicletta su strade senza auto, raggiungere le piccole spiagge e le calette nascoste e, soprattutto, esplorare i boschi di faggi e di betulle che coprono tre quarti dell'isola.

Feci un giro tra i boschi seguendo uno dei numerosi sentieri lastricati, come un bambino di sette anni che inizia una grandiosa avventura. Ogni angolo del sentiero riserva sorprese esotiche: la Skull Cave[2], dove, secondo un cartello posto accanto all'entrata, un commerciante inglese di pelli si era nascosto dagli indiani nel 1763; Fort Holmes, un'antica ridotta inglese, sul punto più alto

[2] Grotta del Teschio [*N.d.T.*].

dell'isola, 100 metri sul lago Huron; due antichi cimiteri coperti di muschio, in mezzo al nulla, uno cattolico e uno protestante. Entrambi parevano esageratamente grandi per un'isola così minuscola. Le lapidi riportavano i nomi di alcune famiglie, sempre le stesse per generazioni intere: Truscott, Gable, Sawyer. Bighellonai felicemente per tre ore senza vedere anima viva, e senza nemmeno sentire un rumore prodotto dall'uomo; e con ciò avevo solamente visitato una piccola parte di isola. Ci sarei rimasto volentieri giorni e giorni. Ritornai alla cittadina passando per il Grand Hotel, l'istituzione più favolosa e pretenziosa che io abbia mai visto: un edificio bianco, mal progettato, con la più grande veranda del mondo (21 metri).

È senza dubbio elegante e caro. Una camera singola costava 135 dollari a notte. Su un cartello nella via che conduce all'hotel si legge: GRAND HOTEL – DOPO LE SEI È DI RIGORE GIACCA E CRAVATTA. NON SI AMMETTONO SIGNORE IN PANTALONI. Forse è l'unico posto al mondo che impone alla gente come vestirsi, anche solo per camminare sulla strada. Un altro cartello avverte che è prevista una multa per chi va all'albergo solo a curiosare. Dico sul serio. Credo che i visitatori giornalieri creino loro un sacco di problemi. Camminai furtivamente verso l'hotel, quasi aspettandomi di trovare un cartello con sopra scritto: CHIUNQUE OLTREPASSI QUESTO PUNTO CON PANTALONI SCOZZESI O CON SCARPE BIANCHE SARÀ ARRESTATO. Non lo trovai. Avevo deciso di varcare la porta d'ingresso solo per vedere come vivono i ricchi ma, poiché c'era un portiere in livrea, dovetti battere in ritirata.

Per tornare sulla terra ferma presi l'ultimo traghetto del pomeriggio, poi attraversai il ponte Mackinac e mi diressi verso quel tratto di terra che la gente chiama 'Upper Peninsula'[3]. Prima della costruzione del ponte, nel 1957, questo lembo di Michigan era molto isolato dal resto dello stato, e ancora oggi vi aleggia un incombente senso di lontananza. Si tratta per lo più di una penisola sabbiosa spazzata dal vento, lunga 240 chilometri, stretta fra tre dei Grandi Laghi: Superior, Huron e Michigan. Ancora una volta mi trovai quasi in Canada. Sault Sainte Marie si trova poco più a nord. I suoi enormi canali collegano il lago Huron con il lago Superior; sono quelli che hanno il traffico più intenso del mondo perché qui passa, ci crediate o no, un volume di merci superiore a quello di Suez e Panama messi assieme. Mi trovavo sulla Route 2,

[3] Penisola Superiore [*N.d.T.*].

che costeggia quasi tutta la sponda settentrionale del lago Michigan. È impossibile esagerare parlando dell'immensità dei Grandi Laghi. Ce ne sono cinque, Erie, Huron, Michigan, Superior e Ontario, misurano 1126 chilometri da nord a sud e, 1448 da est a ovest, e coprono una superficie di 244.755 chilometri quadrati, un'estensione quasi pari al Regno Unito. Tutti insieme formano il bacino di acqua dolce più grande del mondo. In mezzo al lago imperversava una tempesta, nel punto in cui mi trovavo però non pioveva. A circa una ventina di chilometri dalla riva c'è un arcipelago: Beaver Island, High Island, Whiskey Island, Hog Island e diverse altre. Un tempo High Island apparteneva a una setta religiosa chiamata *The House Of David*[4]. Gli adepti portavano tutti la barba e – incredibile! – erano tutti giocatori di baseball. Negli anni Venti e Trenta andavano in giro per il paese giocando contro squadre locali e pare che non siano quasi mai stati battuti. High Island aveva la fama di essere una sorta di colonia penale per gli adepti che commettevano peccati gravi – come imprecare troppo spesso o altre cose del genere. Si raccontava di persone che erano andate a finire là e delle quali non si era più saputo nulla. Beaver, invece, come tutte le altre isole dell'arcipelago, è disabitata. Provai una sorta di strano rammarico per non poter andare a esplorarle. Inspiegabilmente i Grandi Laghi esercitavano su di me uno strano fascino. C'era un non so che di seducente intorno a quest'idea di un grande mare interno, al pensiero che con una barca avrei potuto passare interi anni navigando da un lago all'altro, passando da Chicago a Buffalo, da Milwaukee a Montreal, esplorando isole, baie e città dal nome curioso, come Deadman's Point, Egg Harbor, Summer Island. Molti lo fanno, credo – comprano una barca e scompaiono. Li capisco.

In tutta la penisola continuavo a incontrare chioschi per il cibo lungo la strada, grandi cartelli che dicevano: PASTIES. Quasi tutti però erano chiusi per la stagione, ma a Menominee, l'ultima città che incontrai prima di entrare in Wisconsin, passai di fronte a uno che era ancora aperto e, d'istinto, feci marcia indietro e vi entrai. Dovevo vedere se si trattava di vere Cornish Pasties o di qualcos'altro con lo stesso nome. Il proprietario era eccitato di avere un vero inglese nel suo locale. Faceva pasties da trent'anni ma non aveva mai visto né una vera Cornish Pasty né un vero inglese, pensate un po'. Non ebbi il coraggio di dirgli che in verità

[4] La Casa di Davide [*N.d.T.*].

venivo dall'Iowa, uno stato pressappoco confinante. Nessuno si eccita nell'incontrare una persona dell'Iowa. Le pasties, una cosa eccezionale, erano state portate in questo angolo sperduto del Michigan da alcuni operai arrivati nel 1800 dalla Cornovaglia per lavorare nelle miniere della zona. "Qui nella penisola superiore le mangiano tutti", mi disse l'uomo. "Ma altrove non se ne sente parlare. Se attraversa il confine e va in Wisconsin, solo dall'altra parte del fiume, la gente non sa nemmeno cosa siano. È un fatto molto strano."

L'uomo mi servì la pasty in un sacchetto di carta e mi incamminai all'automobile. Sembrava effettivamente una vera Cornish Pasty, se non fosse per il fatto che era grande come un pallone da rugby. Nella confezione era compreso un piatto e una forchetta di plastica, e alcune confezioni monodose di ketchup. Cominciai a divorarla con entusiasmo. Anche perché stavo morendo di fame.

Era terribile. Non che fosse nulla di schifoso – era una pasta casalinga, accurata in ogni particolare – solo che, dopo più di un mese passato a mangiare schifezze americane, quella aveva un sapore insipido e vago, come di cartone riscaldato. "Dov'è l'unto?", pensai. "Dov'è il formaggio fuso e il condimento del pollo fritto? E la salsa al cioccolato?" C'erano soltanto carne e patate, soltanto sapori naturali senza additivi. "Non mi meraviglio che qui non abbia avuto successo", brontolai. Poi la rimisi nel sacchetto.

Presi l'auto e andai nel Wisconsin, in cerca di un motel e di un ristorante che servisse cibo vero – qualcosa che schizzasse sul mento e sbrodolasse addosso quando lo si addentava. Questa è la caratteristica che dovrebbe avere il cibo.

19

"Al Northern Wisconsin General Hospital, vi aiuteremo a raggiungere gli scopi della vostra esistenza", disse una voce per radio. Oh Dio, pensai. Questa è un'altra novità da quando ho lasciato l'America: la pubblicità delle cliniche. Ovunque si vada ci sono réclame di ospedali. A chi sono dirette? Un tizio viene investito da un autobus, allora dice: "Presto portatemi al Michigan General. Lì c'è la risonanza magnetica". Non capisco. Ma dopo tutto non capisco come funzioni il sistema sanitario americano.

Poco prima di partire per questo viaggio, venni a sapere che una mia amica era stata ricoverata al Mercy Hospital di Des Moines. Allora cercai il numero sulla guida telefonica; sotto Mercy Hospital vi erano elencate novantaquattro linee diverse. L'elenco iniziava con il numero dell'Accettazione e procedeva in ordine alfabetico : Biofeedback, Emergenza Cancro, Impotenza, Emergenza Apnea Infantile, Osteoporosi, Pubbliche Relazioni, Consultorio Problemi del Sonno, qualcosa chiamato Share Care Ltd[1], Anonima Fumatori e così via. Il servizio sanitario americano è diventato un'industria monolitica totalmente incontrollata.

La persona che ero andato a trovare, una vecchia amica di famiglia, aveva appena saputo di avere un cancro alle ovaie. E, a complicare le cose, le era venuta la polmonite. Come potete immaginare aveva il morale in fondo ai piedi. Mentre ero da lei, entrò in camera un assistente sociale che, garbatamente, le illustrò i costi del *trattamento*. La mia amica poteva, ad esempio, scegliere tra il Farmaco A, che sarebbe costato 5 dollari a dose, e somministrato quattro volte al giorno, oppure il Farmaco B, che sarebbe

[1] Servizio Azionisti [*N.d.T.*].

costato 18 dollari a dose, ma che veniva somministrato solamente una volta al giorno. Quello era il compito dell'assistente sociale, fare da tramite tra il medico, il paziente e la compagnia assicurativa, e cercare di evitare che sul paziente gravassero spese non coperte dalla polizza. Naturalmente, alla mia amica sarebbe stata fatturata anche questa consulenza. Sembrava così pazzesco, così incredibile, vedere una vecchia amica con la maschera dell'ossigeno, più di là che di qua, che muoveva flebilmente la testa per dire sì o no, a domande concernenti il proseguimento della sua esistenza, basato sulla sua possibilità di pagare. Contrariamente a ciò che si pensa all'estero, in America è possibile, e a dir la verità abbastanza semplice, ricevere cure gratuite facendosi ricoverare all'ospedale di contea. Non sono posti molto allegri, anzi direi abbastanza deprimenti, ma non tanto peggio di quelli inglesi. In un paese dove quaranta milioni di persone non hanno l'assicurazione malattia, l'assistenza medica gratuita deve esistere per forza. In ogni modo, che il Signore vi protegga se cercate di farvi ricoverare in un ospedale di contea e avete dei soldi in banca. Una volta lavorai un anno nell'ospedale di contea di Des Moines e posso garantirvi che l'amministrazione dispone di schiere di avvocati e di addetti al recupero crediti, il cui unico compito è quello di indagare nel privato della gente che usa le loro strutture, per assicurarsi che siano tanto indigenti quanto sostengono.

Malgrado le evidenti follie del sistema sanitario privato americano, non si può negare che la qualità delle cure sia la migliore del mondo. La mia amica fu curata egregiamente e premurosamente (e, non a caso, le curarono sia il cancro sia la polmonite). Aveva una camera singola con bagno, televisore con telecomando, videoregistratore e telefono. L'intero ospedale era riccamente arredato con moquette, palme esotiche e quadri con soggetti gioiosi. Negli ospedali statali inglesi l'unico millimetro di moquette o il televisore a colori si trovano nella sala privata degli infermieri. Anni fa lavorai anche in un ospedale inglese e una volta, a notte fonda, entrai di soppiatto nella stanza delle caposala per vedere com'era. Ebbene, sembrava il salotto della Regina: divani di velluto e scatole di cioccolatini mezzi sbocconcellati.

I degenti però dormivano in camerate fredde e desolate, illuminate da nude lampadine, e passavano il loro tempo a risolvere puzzle che avevano almeno un quinto dei pezzi mancanti, in attesa dell'ultrarapida visita quindicinale di una squadra di medici e di assistenti frettolosi. Mi riferisco ovviamente ai tempi d'oro del servizio sanitario inglese. Ora la situazione non è così idilliaca.

Perdonatemi. Mi pare di essere andato un po' fuori tema. Avrei dovuto guidarvi attraverso il Wisconsin, raccontarvi fatti interessanti sul primo produttore americano di latticini, e invece ho divagato ed espresso commenti poco costruttivi sul sistema sanitario inglese e americano. Ciò è imperdonabile.

A ogni buon conto, il Wisconsin è il primo produttore americano di latticini, con il diciassette per cento del totale di formaggio e di latte. Alla faccia! Quando attraversai le sue piacevoli colline, non rimasi particolarmente colpito dall'abbondanza di mucche da latte. Guidai per ore e ore verso sud, passai Green Bay, Appleton e Oshkosh, poi mi diressi a ovest, verso l'Iowa. È il tipico paesaggio rurale del Midwest, una scala di marroni, una distesa di alture coperte di boschi, alberi nudi, pascoli sbiaditi e campi di stoppie di grano. Aveva un non so che di delicata bellezza. Le grandi fattorie, sparse qua e là, avevano un'aria opulenta. Ogni mezzo chilometro circa, trovavo una fattoria dall'aspetto accogliente, con dondolo in veranda e giardino pieno di alberi. Accanto a queste costruzioni c'è sempre un fienile rosso col tetto tondeggiante, e un grande silo per il grano. Ovunque si vedevano covoni di paglia da bruciare. Gli uccelli migratori riempivano il cielo pallido. Il granturco nei campi sembrava secco e friabile; spesso incontravo enormi mietitrici che inghiottivano file di granturco e sputavano pannocchie color giallo vivo.

Guidai nella luce sbiadita del pomeriggio per strade secondarie. Sembrava ci volesse un'eternità per attraversare lo stato, ma non mi dispiacque perché tutto era molto affascinante e riposante. C'era qualcosa di stranamente seducente nella giornata, nella stagione, la sensazione che l'inverno fosse alle porte. Già alle quattro la luce si affievoliva. E alle cinque il sole era uscito dalle nubi e calava dietro le colline all'orizzonte, come una moneta in un salvadanaio. In un posto chiamato Ferryville, mi trovai improvvisamente dinanzi al fiume Mississippi. Mi mozzò il fiato, era davvero grande, nobile, piatto e tranquillo. Alla luce del tramonto sembrava acciaio inossidabile liquido.

Dall'altra sponda, a circa un chilometro di distanza, c'era l'Iowa. Casa. Provai uno strano guizzo d'eccitazione che mi fece inclinare verso il volante. Percorsi una trentina di chilometri lungo la riva orientale, senza perdere di vista gli scuri promontori scoscesi dell'Iowa dall'altra parte. A Prairie du Chien attraversai il fiume su un ponte di ferro pieno di puntoni e tiranti. Ero giunto in Iowa. A dir la verità mi sentii aumentare il battito del cuore. Ero a casa. Quello era il mio stato. La mia targa era uguale a quella di tutti gli altri. Nessuno mi avrebbe guardato come per dire: "Che cosa ci fai qui?". Appartenevo.

Nella luce sfumata, proseguii quasi a caso nel nord-est dell'Iowa. Ogni tre chilometri, incontravo un contadino su un trattore che sobbalzava lungo la strada, diretto a casa per la cena, in una di quelle fattorie sconfinate tra le colline oltre il Mississippi. Era venerdì, una delle giornate più importanti per il contadino. Si lava braccia, collo e siede con tutta la famiglia attorno a una tavola con ogni ben di dio. Tutti insieme ringraziano il signore. Dopo cena vanno a Hooterville e siedono all'aperto, nella fredda aria d'ottobre e, attraverso il vapore del respiro, guardano gli Hooterville High Blue Devils che sconfiggono, a football americano, i Kraut City per 28 a 7. Il figlio del contadino Merle segna tre dei *touchdown*. Dopo di che Merle Senior va alla Ed's Tavern per festeggiare (due birre, non di più) e riceve i complimenti della comunità per la bravura di suo figlio. Poi va a casa a dormire e si alza presto nell'alba gelata per andare a caccia di cervi con i suoi migliori amici, Ed, Art e Wally, e attraversa i campi a maggese, assaporando l'aria tersa e la compagnia. Fui invaso da una profonda invidia per queste persone e per la loro vita alla buona. Dev'essere fantastico vivere in un posto sicuro e senza tempo, dove conosci tutti, tutti ti conoscono e puoi contare su tutti. Invidiai loro il senso di comunità, i loro incontri di football, le loro torte fatte in casa, gli amici della parrocchia. Provai un senso di colpa nel burlarmi di loro. Erano brave persone.

Continuai a guidare attraverso l'oscurità più profonda, passai per Millville, New Vienna, Cascade e Scotch Grove. Di tanto in tanto vedevo in lontananza qualche fattoria isolata, le cui finestre creavano macchie di luce gialla, calda e invitante. Talvolta c'era una cittadina più grande, con macchie di luce molto più grandi che fendevano l'oscurità – il campo sportivo di una scuola superiore dove stavano disputando l'incontro della settimana. I campi da football illuminano le tenebre; sono visibili a chilometri di distanza. Man mano che attraversavo ogni città, era chiaro che tutti erano allo stadio. Per strada non c'era anima viva. A eccezione di una strana ragazzina dietro il banco della cremeria locale, in attesa della folla del dopo incontro, in città erano tutti alla partita. Nell'Iowa, durante un incontro sportivo delle scuole, si potrebbe arrivare in una città con una fila di camion e saccheggiarla; far saltare, con l'esplosivo, la porta della banca e portare via i soldi a carrellate, senza paura di essere visti. Ma naturalmente a nessuno verrebbe in mente una cosa del genere poiché nell'Iowa rurale la criminalità non esiste. Per loro sarebbe un crimine perdersi l'incontro di calcio del venerdì. Cose più gravi di questa, esistono soltanto in televisione e sui giornali, in una distante terra semimitica chiamata la Grande Città.

Avevo in programma di arrivare fino a Des Moines ma, spinto da un impulso, mi fermai a Iowa City. È una città universitaria, sede della University of Iowa. Avevo ancora un paio di amici che ci vivevano – gente che era andata lì al college e poi non aveva mai trovato nessuna ragione per trasferirsi altrove. Quando arrivai, sebbene fossero solo le dieci, le strade erano gremite di studenti che facevano baldoria. Chiamai il mio vecchio amico John Horner da un telefono pubblico all'angolo di una strada. Mi diede appuntamento al Fitzpatrick's Bar. Fermai uno studente che passava e gli chiesi la strada, ma era così ubriaco che aveva perso il dono della parola. Si limitò a fissarmi inebetito. Dimostrava quattordici anni. Fermai un gruppo di ragazze, ugualmente sbronze, e chiesi loro indicazioni. Tutte dissero di conoscere il locale ma ognuna mi indicò una direzione diversa, poi iniziarono a sghignazzare in modo così convulso che per poco non caddero a terra. Ondeggiarono dinanzi a me come una nave in tempesta. Anche loro dimostravano più o meno quattordici anni.

"Siete sempre così allegre?" chiesi.

"Solo per il raduno", rispose una di loro.

Ah, ciò spiegava tutto. Il raduno degli ex studenti. Il grande evento sociale dell'anno scolastico. Ci sono tre stadi rituali legati ai festeggiamenti del raduno nelle università americane: 1) ubriacarsi vergognosamente; 2) vomitare in luoghi pubblici; 3) svegliarsi senza sapere né dove ci si trova né come si è arrivati lì, magari con le mutande al contrario. Probabilmente ero arrivato in città tra il primo e il secondo stadio, poiché alcuni dei più accaniti festaioli stavano vomitando l'anima piegati sui canali di scolo. Mi feci strada tra la calca ondeggiante di *downtown*, chiedendo a caso come arrivare al Fitzpatrick's Bar. Pareva che nessuno ne avesse mai sentito parlare. Ma la maggior parte di quelli che incontrai, probabilmente non sarebbero riusciti a riconoscere la propria immagine allo specchio. Alla fine, per puro caso, andai a finire nel posto giusto. Come tutti i bar di Iowa City al venerdì sera, era una scatola di sardine. Tutti dimostravano circa quattordici anni, tranne una sola persona – il mio amico John Horner che, in piedi davanti al banco, dimostrava tutti i suoi trentacinque anni. Non c'è nulla come una città universitaria per farti sentire vecchio prima del tempo. Raggiunsi Horner al banco. Non era cambiato molto. Era diventato farmacista e un membro rispettabile della comunità, sebbene nei suoi occhi si leggesse ancora un briciolo di sregolatezza. Da giovane era stato uno dei drogati più convinti della comunità studentesca. A dire il vero, sebbene lo negasse con tutta la sua forza, tutti sapevano che il motivo per cui studiava farmacia era di poter creare un potente miscuglio di sostanze allucinogene. Siamo amici da sempre, fin dalla prima elementare. Ci scambiammo gran sorrisi, calorose strette di mano e cercammo di fare due chiacchiere, ma c'era talmente tanto frastuono e musica assordante che riuscivamo solo a capirci guardando il reciproco movimento delle labbra. Allora rinunciammo a parlare e bevemmo una birra sorridendoci l'un l'altro come due deficienti, nel modo in cui si fa con chi non si vede da anni, e osservammo le persone attorno a noi. Non riuscivo a credere quanto tutti sembrassero giovani e freschi. Tutto ciò che li riguardava sembrava nuovo e intatto – vestiti, volti, corpi. Finite le birre uscimmo dal bar e ci incamminammo verso la sua auto. L'aria fresca era fantastica. Ovunque si vedeva gente che vomitava piegata contro le case. "Hai mai visto tante piccole teste di cazzo in vita tua?", mi domandò Horner in tono retorico.

"E tutti hanno solamente quattordici anni", aggiunsi. "Fisicamente ne dimostrano quattordici", mi corresse Horner. "Ma emotivamente e intellettualmente a mala pena otto."

"Anche noi eravamo così alla loro età?"

"Me lo sono chiesto molte volte anch'io, ma non credo. Posso essermi comportato così solo una volta, ma non sono mai stato così vuoto. Questi ragazzi portano camicie con i bottoni al colletto e mocassini con la monetina da un penny. Sembra che stiano andando a un concerto degli Osmonds. E poi non sanno proprio *niente*. Se parli con loro al bar, ti accorgi che non sanno nemmeno chi siano i candidati alla Casa Bianca. Non hanno mai sentito parlare di Nicaragua. Fa paura."

Camminammo pensando quanto fosse preoccupante questo fenomeno. "Ma c'è di peggio", aggiunse Horner. Eravamo arrivati alla sua auto. Lo guardai dall'altra parte del tettuccio. "E cioè?"

"Non si fanno le canne. Ci credi?"

A dir la verità no. L'idea che studenti dell'University of Iowa non si facciano le canne è... semplicemente inconcepibile. Nella scala di priorità per frequentare la University of Iowa, lo spinello rientrava tra le prime cinque. "Allora cosa ci stanno a fare qui?"

"Ricevono una *formazione*", disse Horner con un tono di meraviglia. "Ci credi? Vogliono diventare agenti assicurativi e programmatori di computer. È il sogno della loro vita. Fare un sacco di soldi per comprarsi, presumo, altri mocassini col penny e altri album di Madonna. Talvolta l'idea mi spaventa."

Salimmo in auto e percorremmo alcune strade buie in direzione di casa sua. Horner mi spiegò come era cambiato il mondo. Quando mi ero trasferito in Inghilterra, Iowa City era piena di *hippies*. Difficile a credersi, là fuori in mezzo ai campi di granturco, la University of Iowa fu per molti anni la più radical del paese, superata soltanto da Berkeley e dalla Columbia. Tutti erano *hippies*, i professori tanto quanto gli studenti. Non era solo per il fatto che fumassero erba e si azzuffassero frequentemente; erano anche di larghe vedute e intellettuali. La gente si occupava di politica, di ambiente e delle sorti del mondo. Ora, stando a quanto mi diceva Horner, era come se a tutti gli abitanti di Iowa City avessero fatto un lavaggio del cervello al Ronald McDonald Institute of Mental Readjustment[2].

"Allora, cos'è successo?", chiesi a Horner quando fummo a casa sua davanti a una birra. "Cos'è stata la molla che ha fatto cambiare tutti?"

"Con esattezza non lo so", disse. "La cosa principale, credo sia stata la fobia della droga dell'amministrazione Reagan. Non c'è più distinzione tra droghe leggere e droghe pesanti. Se fai lo spacciatore e ti beccano con dell'erba, ti rinchiudono come se si fosse trattato di eroina. Così ora nessuno vende più erba. Tutti quelli che una volta vendevano erba, ora trattano crack e eroina perché il rischio non è minore e i profitti sono decisamente più allettanti."

"Ha del pazzesco", dissi.

"Infatti è pazzesco!", disse Horner, un po' infervorato. Poi si calmò. "A dir la verità molti non fanno più gli spacciatori. Ti ricordi Frank Dortmeier?"

Frank Dortmeier era un tizio che si faceva come un disperato,

[2] Gioco di parole fra Ronald Reagan e la catena di hamburger McDonald's [*N.d.T.*].

avrebbe sniffato coca con la pompa dell'acqua, se gli fosse capitata l'occasione.

"Come no", dissi.

"Una volta mi riforniva di erba. Poi hanno approvato questa legge che se ti beccano a spacciare nel raggio di mille metri da una scuola, ti sbattono in prigione per sempre. Non importa se stai vendendo uno spinello a tua madre, finisci dentro per l'eternità, proprio come se ti avessero beccato sui gradini della scuola a regalare spinelli a tutti i mocciosi che passano. Ecco, quando approvarono questa legge, Dortmeier iniziò a preoccuparsi perché all'angolo di casa sua c'era una scuola. Allora una notte, protetto dall'oscurità, uscì con un metro a nastro per misurare la distanza da casa sua alla scuola, ma sfortunatamente c'era dentro per soli tre centimetri. Così ha smesso di vendere erba, di punto in bianco." Horner bevve con aria triste la sua birra. "È veramente frustrante. Voglio dire, hai mai tentato di guardare la tivù americana senza esserti fatto una canna?"

"Deve essere duro", convenni.

"Dortmeier mi diede il nome del suo fornitore in modo che potessi andare a rifornirmi direttamente. Sai, quel tizio stava a Kansas City. Mi feci tutta la strada fin là come un cretino, solamente per comprare un paio di grammi di roba. Fu un'esperienza allucinante. La casa era piena di pistole. Il tizio continuava a guardare fuori dalla finestra come se stesse aspettando la polizia che gli intimava di uscire con le mani in alto. Sospettava che fossi un agente della narcotici in borghese. Allora mi sono chiesto se vale la pena per un padre di famiglia di trentacinque anni, con cultura universitaria e un lavoro rispettabile, farsi saltare le cervella a 290 chilometri da casa unicamente per procurarsi qualcosa per sopportare le riproposte televisive di *Love Boat.* Era troppo folle. C'è bisogno di un tipo come Dortmeier per affrontare situazioni del genere – qualcuno perso per la droga e senza cervello." Horner scosse la lattina di birra vicino all'orecchio per assicurarsi che fosse vuota, poi mi guardò. "Non avresti per caso un po' di erba?", domandò.

"No, John, mi spiace", dissi.

"Peccato", disse Horner e andò in cucina a prendere altre birre.

Passai la notte a casa di Horner, nella stanza per gli ospiti, e il mattino seguente rimasi con lui e la sua simpatica moglie in cucina a bere caffè e chiacchierare, mentre i bambini si aggiravano tra le nostre gambe. La vita è curiosa, pensai. Sembrava così strano per Horner avere moglie, figli, la pancia, il mutuo, ed essere, come me, vicino alla china della mezza età. Eravamo stati ragazzi assieme così a lungo che credo di aver pensato che non saremmo mai invecchiati. Mi resi conto, con un senso di terrore, che la volta successiva che ci saremmo visti, avremmo probabilmente discusso di operazioni di calcoli alla cistifellea e dei relativi pregi e difetti delle diverse marche di finestre coi doppi vetri. Ciò mi mise d'umore melanconico e non mi passò fino a quando non ripresi l'auto dal parcheggio in città e tornai in autostrada.

Presi la vecchia Route 6, che una volta era la strada principale per Chicago e che ora, con l'Interstate 80 a soli 5 chilometri più a sud, era quasi dimenticata, e non incontrai che qualche rara automobile per tutto il tragitto. Guidai per un'ora e mezza senza pensare a nulla di preciso, pervaso solamente da un vago desiderio di arrivare a casa, vedere la mia mamma, fare una doccia, e non toccare più un volante per tanto, tanto tempo.

Nella luce del mattino Des Moines pareva splendida. La cupola del municipio brillava. Gli alberi erano ancora pieni di colori. La città è completamente cambiata – ora il *downtown* è tutto palazzi moderni e fontane spumeggianti. Ogni volta che ci vado, devo continuamente guardare i nomi delle strade per non perdermi – tuttavia avevo la sensazione di essere a casa. Credo che sarà sempre così. Almeno spero. Attraversai la città, felice di trovarmi lì, orgoglioso di farne parte.

Sulla Grand Avenue, vicino alla casa del governatore, mi resi conto che stavo guidando dietro mia madre, che evidentemente stava usando l'auto di mia sorella. La riconobbi perché la freccia a destra continuava a lampeggiare senza una ragione precisa. Mia madre di solito mette la freccia dopo essere uscita dal garage e la lascia lampeggiare per il resto della giornata. Un tempo glielo facevo notare, poi mi resi conto che, in realtà, è una cosa positiva perché avverte gli altri che stanno avvicinandosi a un guidatore non molto esperto. Continuai a seguirla. All'altezza della 31ª Strada la freccia passò dalla destra alla sinistra – dimenticavo che a mia madre talvolta piace spostarla da una parte all'altra – mentre svoltammo nella strada che porta a casa, poi continuò a lampeggiare allegramente sulla sinistra in quell'ultimo chilometro, giù per la 31ª e su per Elmwood Drive.

Dovetti parcheggiare a una discreta distanza da casa e poi,

malgrado il desiderio infantile di rivedere mia madre, mi ci volle un minuto per appuntare gli ultimi dettagli del viaggio in un notes che portavo sempre con me. Mi faceva sempre sentire stranamente importante e professionale, come il pilota di un jumbo-jet alla fine di un volo transcontinentale. Erano le dieci e trentotto del mattino, e avevo percorso 11.009 chilometri da quando ero partito, 34 giorni prima. Feci un cerchio attorno a questo numero, poi uscii, presi il bagaglio dal baule e mi incamminai velocemente verso casa. Mia madre era già arrivata. Dalla finestra sul retro riuscivo a vederla, mentre si muoveva in cucina, metteva via la spesa canticchiando. Canticchia sempre. Aprii la porta, feci cadere la valigia a terra e dissi ad alta voce quelle quattro parole tipicamente americane: "Ehi, mamma, sono a casa!".

Sembrava molto contenta di vedermi. "Ciao, caro!", esclamò e mi abbracciò. "Mi stavo proprio chiedendo quando ti saresti fatto vivo di nuovo. Vuoi un sandwich?"

"Fantastico", dissi, anche se non avevo molta fame.

Che bello essere a casa!

PARTE SECONDA

OVEST

20

Ero diretto in Nebraska. C'è una frase che non bisognerebbe ripetere troppo spesso, a meno che non se ne possa fare a meno. Il Nebraska dev'essere il più anonimo fra tutti gli stati. Al confronto, l'Iowa è un paradiso. L'Iowa almeno è fertile, verde e ha una collina. Il Nebraska è invece un arido appezzamento di 194.755 chilometri quadrati. Nel mezzo dello stato scorre un fiume, il Platte, che in alcuni periodi dell'anno è largo tre o quattro chilometri. Fa un certo effetto, fino a quando non ci si rende conto che è profondo circa quaranta centimetri. Lo si potrebbe attraversare su una sedia a rotelle. In un paesaggio senza avvallamenti o profili montuosi che lo caratterizzino, il fiume è semplicemente lì, come un liquido rovesciato sul piano di un tavolo. È la cosa più emozionante dello stato.

Quando ero adolescente, mi chiedevo come mai la gente si fosse insediata in Nebraska. Voglio dire, i primi coloni che attraversarono l'America in carovana, devono essere passati attraverso l'Iowa, che è verde, fertile e ha, come ho detto, una collina, ma si fermarono prima di arrivare in Colorado che è verde, fertile e ha una catena montuosa, e si accontentarono invece di un posto piatto, marrone, pieno di stoppie e di cani delle praterie. Non è molto sensato, vero? E sapete con che cosa costruirono le case? Con l'argilla secca. E sapete che cosa succedeva a tutte quelle case d'argilla quando regolarmente arrivava la stagione delle piogge? Ebbene, è proprio come pensate, andavano a finire direttamente nel fiume Platte.

Per lungo tempo non seppi decidermi se i primi coloni del Nebraska fossero pazzi o semplicemente stupidi, ma un sabato sera mi capitò di vedere uno stadio pieno di tifosi scatenati della squadra della University of Nebraska e mi resi conto che dovevano aver avuto entrambe le tare. Può darsi che sia rimasto indietro di una decina d'anni, ma quando lasciai l'America, la University of Nebraska non giocava tanto a football, quanto era piuttosto dedita a massacri settimanali. Giocavano contro dei brocchi e totalizzavano sempre un punteggio di 53 a 3. La maggior parte delle scuole, quando raggiunge un buon vantaggio, manda in campo un gruppo di giocatori più deboli con tenute pulite per farli correre un po' qua e là, a sporcarsi e soprattutto dare ai perdenti la possibilità di arrivare a un punteggio decoroso. Questo è *fair play*.

Non in Nebraska. La University of Nebraska, se fosse permesso, manderebbe in campo degli schiacciasassi. Guardare tutte le settimane gli incontri di football del Nebraska era come guardare delle iene che squartano una gazzella. Era indecente. Contro l'etica sportiva. E naturalmente i fan non ne avevano mai abbastanza. Stare seduti in mezzo a loro con un punteggio di 66 a zero, e osservarli gridare per chiedere altro sangue è proprio un'esperienza stressante, specialmente se si pensa che la maggior parte di quelle persone lavora al Comando Aereo Strategico di Omaha. Se mai l'Iowa disturbasse il Nebraska, non mi stupirei affatto se rispondessero buttando un'atomica su Ames. Tutti questi pensieri mi passarono per la mente in quella particolare mattinata e, onestamente, mi lasciarono turbato.

Ero nuovamente in viaggio. Erano le sette e mezza passate da poco di un lunedì mattina di aprile, limpido ma ancora invernale. Mi trovavo sull'Interstate 80, appena fuori Des Moines, ed ero diretto a ovest. Intendevo attraversare velocemente la parte occidentale dell'Iowa e tuffarmi nel cuore del Nebraska. Tuttavia non me la sentivo di affrontare subito la situazione, almeno non di mattina presto. Così a De Soto uscii bruscamente dall'Interstate, a soli 20 chilometri a ovest di Des Moines, e iniziai a vagabondare su strade secondarie. Dopo un paio di minuti mi ero perso. Ciò nel complesso non mi sorprese. Perdersi è una caratteristica di famiglia.

Mio padre, quando era al volante, si perdeva più o meno perennemente. Di solito si perdeva solo un po', ma ogni qual volta ci avvicinavamo al posto che intendevamo visitare, si perdeva del tutto. Di norma gli ci voleva un'ora per rendersi conto che era passato dal livello uno al livello due. In quel lasso di tempo, poiché andava alla cieca per città sconosciute, faceva svolte improvvise e inconsulte, andava contromano o esitava nel bel mezzo di un incrocio trafficato costringendo gli altri a suonare il clacson; mia madre si permetteva di suggerirgli che forse, la cosa migliore da fare era accostare e chiedere indicazioni. Mio padre però faceva finta di non sentirla e proseguiva in quello stato di semiossessione che tende a impossessarsi dei padri quando le cose non vanno per il loro verso.

Alla fine, dopo aver percorso contromano la stessa via così tante volte che i bottegai uscivano sulla porta dei negozi a osservarlo, mio padre arrestava l'auto e annunciava solennemente: "Bene, credo che sia meglio chiedere a qualcuno", con un tono che faceva capire che questa era sempre stata la sua intenzione.

Senza dubbio un apprezzabile sviluppo. Si rivelava però poco più di una parziale conquista, perché, o mia madre usciva e fermava la persona meno indicata per un'informazione – di solito una suora in visita dal Costa Rica – e ritornava con indicazioni del tutto confuse, oppure mio padre partiva alla ricerca di qualcuno e non faceva più ritorno. Il problema di mio padre è che era un gran chiacchierone. Caratteristica pericolosa per una persona che si perde frequentemente. Entrava in un bar per chiedere la strada per il Parco Nazionale del Fungo Gigante e un secondo dopo sapevi che era seduto a bersi un caffè e a fare due chiacchiere col proprietario o che il proprietario lo portava fuori a vedere la sua nuova fossa settica o altre cose del genere. Nel frattempo noi restavamo chiusi nell'automobile, che lentamente si abbrustoliva sotto il sole, con nient'altro da fare se non sudare, aspettare e osservare annoiati una coppia di mosche che copulava sul parabrezza.

Mio padre rispuntava dopo un'eternità, togliendosi le briciole dalla bocca e con un'espressione veramente baldanzosa. "Perbacco!", diceva, abbassandosi verso il finestrino per parlare a mia madre. "Il tizio là dentro colleziona dentiere. Ne ha più di settecento in cantina. Era così contento di farle vedere a qualcuno che non ho potuto dirgli di no. Poi sua moglie ha insistito che mangiassi una fetta di crostata ai mirtilli e vedessi le foto del matrimonio della figlia. Del Parco Nazionale del Fungo Gigante non ne hanno mai sentito parlare, temo, ma quel tizio mi ha detto che suo fratello, il benzinaio della Conoco vicino al semaforo, sicuramente lo sa. Colleziona cinghie di ventilatori di tutti i tipi, e pare che abbia la più grande collezione di cinghie anteguerra del Midwest settentrionale. Ora vado a vedere." Poi, prima che uno di noi riuscisse a fermarlo, spariva per la seconda volta. Quando finalmente ritornava, aveva conosciuto quasi tutta la città e le mosche sul cruscotto avevano dato alla luce una nidiata di piccoli.

Alla fine trovai ciò che stavo cercando: Winterset, la città che ha dato i natali a John Wayne. Girai per la città fin quando non trovai la sua casa – Winterset è talmente piccola che mi ci volle solo un minuto – poi rallentai per osservarla dal finestrino. La casa era piccola e la vernice esterna era in cattive condizioni. Wayne, o Marion Morrison come si chiamava allora, era vissuto lì circa un anno, prima che la famiglia si trasferisse in California. Ormai è una casa-museo, ma era chiusa. Ciò non mi lasciò sorpreso, poiché in città era quasi tutto chiuso e, a giudicare dallo stato delle cose, pareva che i locali lo fossero permanentemente. L'Iowa Movie Theatre sulla piazza era senza dubbio fallito, il cartellone dei titoli era bianco. Molti degli altri negozi erano o falliti o sul punto di esserlo. Era una visione deprimente perché Winterset è veramente una cittadina abbastanza attraente, con il palazzo del tribunale di contea, la piazza e lunghe vie di case vittoriane. Scommetto che, al pari di Winfield, quindici o vent'anni fa era un posto completamente diverso. Ripresi a guidare verso la Highway, passai davanti al Gold Buffet (Serate danzanti) e provai una strana sensazione di vuoto.

Le città che attraversavo erano tutte simili – vernice scrostata, negozi falliti, un mortorio. Il sud-ovest dell'Iowa è sempre stato la parte più povera dello stato, e si vede. Non mi fermai perché nulla ne valeva la pena. Non riuscii nemmeno a trovare un locale per prendere un caffè. Alla fine, stupito, mi ritrovai, prima su un ponte che attraversava il fiume Missouri, poi a Nebraska City, in Nebraska. E non era niente male. Era proprio gradevole – di gran lunga meglio dell'Iowa, dovetti ammettere con imbarazzo. Le città hanno un'aria più ricca e sono più curate, ovunque le strade sono costeggiate da cespugli pieni di fiori color crema. Tutto era molto carino, sebbene in modo piuttosto monotono. Ecco qual è il problema del Nebraska. È tutto così e perfino gli angoli migliori diventano subito tediosi. Proseguii per ore e ore lungo una strada insignificante, passai attraverso Auburn, Tecumseh, Beatrice (una città di appena diecimila abitanti ma che diede i natali a due star di Hollywood, Harold Lloyd e Robert Taylor), Fairbury, Hebron, Deshler e Ruskin.

A Deshler mi fermai per un caffè e mi stupii di quanto freddo facesse. Per quanto riguarda il tempo, nel Midwest c'è il peggio dei due mondi. In inverno il freddo è tagliente come la lama di un coltello. Soffia giù dall'Artico e ti penetra nelle ossa. Ulula, turbina e batte contro le case. Con sé porta montagne di neve e un freddo cane. Da novembre a marzo si cammina piegati in avanti di venti gradi, anche in casa, e si passa la vita a scaldare l'auto, a liberarla dalla neve o a raschiare inutilmente il ghiaccio dai finestrini che sembra sia stato incollato con l'attaccatutto. Poi un giorno arriva la primavera. La neve si scioglie, si va in giro in maniche di camicia, e ci si bea al sole. E poi, di punto in bianco, la primavera finisce ed è estate. È come se Dio girasse l'interruttore nella grande centralina celeste. Allora, il clima subisce le influenze dell'emisfero opposto, dei tropici, del lontano sud, e un'ondata di afa si abbatte su di te. Per sei mesi, la canicola ti si riversa addosso. Sudi come in sauna. I pori ti si dilatano. L'erba diventa marrone. I cani sembra che muoiano. Quando cammini in città, senti che il calore del marciapiede passa attraverso le suole delle scarpe. Proprio quando pensi di essere sul punto di impazzire, arriva l'autunno e per un paio di settimane l'aria è mite e la natura non avversa. E poi arriva l'inverno e il ciclo ricomincia. Allora pensi: "Appena sono abbastanza grande, mi trasferisco lontano, molto lontano da qui".

A Red Cloud, città di Willa Cather, imboccai la US 281 e proseguii verso sud in direzione del Kansas. Proprio al di là del confine si trova Smith Center, la città del Dr Brewster M. Higley, autore del testo di *Home on the Range*. Credereste mai che *Home on the Range* sia stata scritta da un tizio con un nome come Brewster M. Higley? Si può vedere la capanna di legno dove la compose. Avevo in programma di vedere qualcosa di molto più eccitante: il centro geografico degli Stati Uniti. Ci si arriva uscendo dall'autostrada subito dopo aver superato il paesino di Lebanon, seguendo una strada secondaria per circa un chilometro attraverso i campi di grano. Poi si giunge a uno strano parco con tavoli da picnic e un monumento di pietra con in cima una bandiera e sotto una placca che dice che quello è il punto più centrale degli Stati Uniti. Caspita! Accanto al parco, tanto per aumentare il senso di inquietudine, c'è un motel fallito, costruito con l'evidente speranza che la gente volesse passare la notte in quel posto desolato e mandasse cartoline agli amici dicendo: "Indovinate dove siamo?". Evidentemente il proprietario aveva mal interpretato le richieste del mercato.

Salii su un tavolo da picnic e immediatamente riuscii a vedere chilometri e chilometri di distese di grano ondeggiante. Una folata di vento mi colpì come un treno in corsa. Ebbi la sensazione di essere la prima persona ad andare lì dopo anni di abbandono. Faceva un certo effetto pensare che su 230 milioni di persone negli Stati Uniti, ero la più distinta dal punto di vista geografico. Se l'America fosse stata invasa, sarei stato l'ultimo a essere catturato. Tutto qui, l'ultimo avamposto; scesi dal tavolo, mi diressi verso l'auto con uno scomodo senso di colpa per aver lasciato sguarnito il posto di difesa.

Guidai nel buio della sera. Le nubi erano basse e veloci. Il paesaggio era un mare di erba bianca, sottile come i capelli di un bimbo, ma stranamente bellissimo. Quando arrivai a Russel, era buio e pioveva. I fari illuminarono un cartello che diceva: BENVENUTI NEL PAESE DI BOB DOLE. Russel è la città natale di Bob Dole, che in quel momento era uno dei candidati in lizza per la Casa Bianca. Mi fermai e presi una camera per la notte, immaginando che, se Dole fosse stato eletto Presidente, avrei potuto dire ai miei figli che una volta avevo passato la notte nella sua città e forse, per questo, aumentare il loro rispetto verso di me. Inoltre, ogni volta che nei quattro anni successivi Russel fosse apparso in tivù, avrei potuto dire: "Ehi! Io ci sono stato!", facendo fermare tutti nella stanza mentre enunciavo le cose che avevo visto. Nel caso specifico, Dole uscì dalla corsa alla presidenza due giorni dopo, perché nessuno poteva sopportarlo, fatta eccezione per la sua famiglia e per alcune altre persone nei dintorni di Russel, e anche la città, ahimè, perse la possibilità di diventare famosa.

Il mattino successivo la giornata si preannunciava più promettente: sole splendente e cielo sereno. Insetti colorati si spiaccicavano contro il parabrezza, un chiaro segno di primavera nel Midwest. Alla luce del sole, il Kansas sembrava nel complesso un posto più piacevole, il che mi lasciò un tantino sorpreso. Da sempre avevo creduto che una delle cose peggiori che la gente potesse dirmi fosse: "La trasferiamo in Kansas". Il Kansas ha scelto come nomignolo 'Lo stato del grano'. Il che spiega tutto, no? Ti fa venire la voglia di rinunciare a quel viaggio alle Barbados, vero? Ma in realtà il Kansas è passabile. Tutte le città hanno un aspetto ordinato, ricco e tipicamente americano. Tutto sommato però, il Kansas è lo stato più tipicamente americano. Dopo tutto, è il posto dove crebbero Superman e Dorothy del Mago di Oz. Tutte le città che attraversai avevano un'aria accogliente, verdeggiante e senza tempo. Sembravano quei generi di cittadine dove ci si può far portare a domicilio la spesa dal garzone e dove la gente usa espressioni del tipo: 'Santo cielo' e 'Perbacco'. A Great Bend mi fermai sulla piazza accanto al Barton County Courthouse e feci due passi.

Era come fare un viaggio nella macchina del tempo. Il paese sembrava non fosse stato modificato di una virgola dal 1965. Il Crest Movie Theatre prosperava. Poco lontano da lì, il *Great Bend Daily Tribune* e il Brass Buckle Clothing Store, con fuori un gran cartello che diceva FOR GUYS 'N GALS[1]. Perbacco! Sul marciapiede mi passò affianco un signore con la moglie, che mi augurò una 'buona giornata' come se fossimo stati vecchi amici. L'uomo persino accennò a sollevarsi il cappello. Da un'auto che passava arrivò un motivo degli Everly Brothers. Mi aspettavo che da un momento all'altro spuntasse da dietro a un albero Rod Serling e dicesse, "Bill Bryson non lo sa, ma è appena arrivato in una comunità che non esiste nel tempo e nello spazio. Ha appena iniziato un viaggio senza ritorno nella.... *Twilight Zone*"[2].

Diedi un'occhiata alla vetrina del Family Pharmacy and Gift Shop che esponeva un insolito e interessante insieme di oggetti: una sedia a rotelle, un pacchetto di mutande assorbenti usa e getta (non è comune trovare un negozio che si preoccupi degli impulsi incontinenti della clientela), orsacchiotti, tazze da caffè con sani messaggi di affetto come 'La Nonna migliore del Mondo', biglietti augurali per il giorno della mamma e innumerevoli animali di porcellana. In un angolo della vetrina un poster di un concerto di – mai ci crederete – Paul Revere e dei Raiders. Incredibile! Eccoli lì, ancora vestiti da militari, impettiti e sorridenti, esattamente come quando andavo alle medie. Due settimane dopo avrebbero dato un concerto al Civic Auditorium di Dodge City. I biglietti partivano da 10.75 dollari. Stava diventando troppo per me. Fui contento di tornare all'auto e di andare a Dodge City che, per lo meno, è volutamente irreale.

In un punto imprecisato dei cento chilometri tra Great Bend e Dodge City, si lascia il Midwest e si entra nel West. La gente

[1] Per Ragazzi e Ragazze [*N.d.T.*].
[2] Serie televisiva degli anni Cinquanta dal titolo italiano *Ai confini della realtà* [*N.d.T.*].

nelle cittadine lungo la strada non indossa più berretti da baseball, né cammina con quell'andatura strascicata e piacevolmente imbesuita tipica del Midwest, ma inizia a portare cappelli e stivali da cow-boy, a camminare con un lazo, un'espressione vagamente sospettosa e accigliata, come se dovesse spararti da un momento all'altro. Nel West alle persone piace sparare. Quando vi arrivarono, iniziarono a sparare ai bufali[3]. Un tempo le praterie erano popolate da 70 milioni di bufali, poi la gente del West iniziò a decimarli. I bufali sono semplicemente delle vacche dalla testa grossa. Se avete mai guardato una mucca negli occhi e visto l'inenarrabile profondità, fiducia e stupidità che esprimono, potrete immaginare quanto dev'essere stato difficile per la gente del West rincorrere i bufali e massacrarli. Nel 1895 erano rimasti soltanto ottocento esemplari, la maggior parte dei quali negli zoo o portati in giro in quegli spettacoli del selvaggio West. Quando non ebbero più bufali da far fuori, iniziarono a sparare agli indiani. Tra il 1850 e il 1890 ridussero gli indiani da due milioni a novantamila.

Oggigiorno, grazie a Dio, entrambi hanno recuperato, in quanto ci sono trentamila bufali e trecentomila indiani e, naturalmente, è vietato sparare a entrambi. Così tutti quelli del West non possono far altro che sparare ai cartelli stradali oppure spararsi l'un l'altro, due cose che fanno abbastanza frequentemente. Questa, in soldoni, è la storia del West.

Quando non sparavano alle cose, quelli del West andavano in città come Dodge City per vedere altra gente e fare sesso. Al suo apogeo, Dodge City era la città più importante del West per le vacche e per i bordelli, piena di sbandati, mandriani, cacciatori di bufali e quel genere di donne che soltanto un cow-boy può trovare attraente. Ma non è mai stata né violenta né tanto meno pericolosa quanto si era indotti a credere vedendo *Il dominatore* e tutti quei film su Bat Masterson e Wyatt Earp. Per dieci anni fu il mercato del bestiame più grande del mondo; tutto qui.

In tutti quegli anni, nel cimitero di Boot Hill[4], erano state sepolte soltanto trentacinque persone, la maggior parte delle quali erano semplicemente vagabondi morti assiderati o per cause naturali. Questo lo so per certo perché pagai 2.75 dollari per visitare

[3] Molta gente vi dirà che non si chiamano bufali, poiché in realtà sono bisonti. I bufali, vi dirà la gente, a dir la verità, vivono in Cina o in qualche altro paese lontano, e sono una specie di animali completamente diversa. Quella è la stessa gente che vi dirà di chiamare i gerani pelargoniums. Ignorateli [*N.d.A.*].

[4] Nel West il cimitero era chiamato Boot Hill [*N.d.T.*].

Boot Hill e la vicina 'Historic Front Street', che è stata ricostruita come ai tempi in cui Dodge City era una città di frontiera e Bat Masterson e Wyatt Earp facevano gli sceriffi. Rimasi deluso di sapere che Matt Dillon non era mai esistito, anche se Bat Masterson e Wyatt Earp erano entrambi abbastanza verosimili. Bat Masterson finì a fare il giornalista sportivo per il *New York Morning Telegraph*. Curioso no? Un altro fatto interessante, che non vi ho raccontato prima perché volevo riservarvi la chicca: Wyatt Earp era originario di Pella, la piccola cittadina dell'Iowa con i mulini a vento. Non è fantastico?

Ottanta chilometri dopo Dodge City, c'è Holcomb, Kansas, un posto che ha acquisito un briciolo di notorietà come scena dei delitti narrati con dovizia di particolari da Truman Capote nel libro *A sangue freddo*. Nel 1959, due malviventi si introdussero nella casa di un ricco allevatore di bestiame di Holcomb di nome Herb Clutter poiché avevano saputo che aveva la cassaforte piena di soldi. Ma in verità non lo era. Così, delusi, legarono la moglie di Clutter a una sedia, i due bambini al letto e portarono Clutter in cantina, e li uccisero tutti. All'allevatore tagliarono la gola (Capote descrisse i rantoli con piacere morboso) e agli altri spararono a bruciapelo in testa. Dato che Clutter era stato un personaggio di rilievo nella politica dello stato, il *New York Times* pubblicò un piccolo articolo sulla vicenda. Capote lesse la storia, ne fu intrigato e passò cinque anni a intervistare tutti quelli che avevano conosciuto le vittime: amici, vicini, parenti, investigatori di polizia e gli assassini stessi. Nel 1965, quando uscì il romanzo, fu considerato subito un classico, principalmente perché Capote aveva detto a tutti che lo era. In realtà la storia era così in embrione, come dicevamo noi all'università, da lasciare un segno duraturo. Mi balenò l'idea che avrei potuto proficuamente rileggerlo, andare a Holcomb e fare un sacco di taglienti osservazioni sulla criminalità e la violenza in America.

Mi sbagliavo. Ben presto mi resi conto che non c'era nulla di tipico sulla strage dei Clutter: oggi sarebbe ugualmente scioccante quanto allora. E il romanzo di Capote non era poi così in embrione. Era solo la macabra, ma sensazionale cronaca di un omicidio, che intendeva soddisfare gli istinti più primitivi del lettore, in un modo trasgressivamente rispettabile. Tutto ciò che avrei ottenuto da un viaggio a Holcomb sarebbe stato procurarmi un brivido morboso nel contemplare la casa dove, tanto tempo prima, una famiglia era stata barbaramente uccisa. È tutto ciò che chiedo dalla vita; alla fin fine si rivelò essere di gran lunga più interessante dell'Historic Front Street di Dodge City.

Nel libro di Capote, Holcomb era un tranquillo villaggio polveroso, pieno di persone oneste e decorose, un posto in cui la gente non fumava, né beveva né mentiva né imprecava, né mancava una messa; un posto in cui il sesso fuori del matrimonio era imperdonabile e il sesso prima del matrimonio inconcepibile, in cui al sabato sera i ragazzi rientravano a casa alle undici, in cui cattolici e metodisti non si frequentavano a meno che non ne fossero obbligati, in cui nessuno chiudeva mai la porta a chiave, in cui ai bambini di undici-dodici anni era permesso guidare l'auto. In un certo qual modo, trovai che l'idea di bambini al volante fosse particolarmente scioccante. Nel libro di Capote la città più vicina era Garden City, a otto chilometri di strada. Le cose erano evidentemente cambiate. Oggi Holcomb e Garden City formano più o meno un'unica città, e sono collegate da un cordone ombelicale di stazioni di servizio e fast-food. Holcomb è ancora polverosa, ma non è più un paese. Ai margini della città c'è un'enorme scuola superiore ovviamente nuova e, tutt'attorno case popolari, anch'esse nuove, con bambini messicani che corrono a piedi nudi nel cortile antistante. Senza troppi problemi, trovai la casa dei Clutter. Il libro diceva che si trovava ai margini della città, in un viale alberato. Ora il viale è costeggiato da case. Quella dei Clutter non dava segni di essere abitata. Le tende erano tirate. Esitai per un lungo istante, poi andai a bussare alla porta. Francamente fui sollevato dal fatto che nessuno venne ad aprire. Cosa avrei potuto dire? "Salve, sono uno straniero di passaggio con un interesse morboso in omicidi sensazionali. Volevo sapere come si stava in una casa dove hanno fatto schizzare sulle pareti il cervello di alcune persone. Per esempio, non ci pensate mai durante i pasti?"

Ritornai all'auto e feci un giro nei dintorni, in cerca di qualcosa che fosse descritto nel libro, ma sembrava che tutti i negozi e le cafeterie non esistessero più o avessero cambiato nome. Mi fermai alla scuola superiore. Il portone principale era chiuso – erano le quattro del pomeriggio – ma alcuni studenti della squadra di atletica bighellonavano nel campo sportivo. Lungo il perimetro, mi avvicinai a due tipi e chiesi se potevo fare due chiacchiere sulla strage dei Clutter. Era palese che non avevano la più pallida idea di cosa stessi parlando.

"Lo conoscete, no?", chiesi in tono stimolante. "*A sangue freddo*. Il libro di Truman Capote."

Mi guardarono con aria inebetita.

"Non avete mai sentito parlare di *A sangue freddo* di Truman Capote?" Non ne avevano mai sentito parlare. Non potevo crederci. "Non avete mai sentito parlare dell'omicidio dei Clutter – un'intera famiglia massacrata in una casa là in fondo, dietro la cisterna dell'acqua?"

Uno di loro si illuminò. "Ah sì", esclamò. "Un'intera famiglia fatta fuori. Storia strana."

"Ci vive qualcuno in quella casa ora?"

"Boh", disse lo studente. "Credo che una volta ci vivesse qualcuno. Ma ora credo di no. Boh." Chiaramente non aveva il dono della retorica, anche se a confronto col secondo studente, era un vero e proprio Cicerone. Credo di non aver mai incontrato due ragazzi tanto ignoranti, ma poi ne fermai altri tre, e nemmeno loro avevano mai sentito parlare di *A sangue freddo*. Vicino al palo per il salto in alto trovai l'allenatore, un giovane e simpatico insegnante di scienze sociali di nome Stan Kennedy. Stava sorvegliando tre giovani atleti mentre questi, a turno, correvano lungo la pista con una lunga asta in mano e poi si schiantavano con testa e spalle contro una barra orizzontale, a un paio di metri da terra. Se in Kansas dare zuccate contro una barra orizzontale fosse lo sport nazionale, quei tre sarebbero stati campioni. Chiesi a Kennedy se non gli paresse strano che così tanti studenti non avevano mai sentito parlare di *A sangue freddo*.

"Otto anni fa, quando arrivai qui per la prima volta, anch'io ne ero rimasto sorpreso", disse. "Dopo tutto, è il fatto più clamoroso che sia mai avvenuto in città. Ma lei deve rendersi conto che la gente del posto odia quel libro. L'hanno bandito dalle biblioteche pubbliche e molti non vogliono nemmeno sentirne parlare."

Ciò mi lasciò perplesso. Alcune settimane prima avevo letto un articolo su una vecchia rivista, *Life*, su come la gente del posto avesse preso a cuore Truman Capote anche se era un finocchietto lezioso che parlava con la lisca e indossava strani cappellini. In realtà, invece, non solo si scopre che lo disprezzano per essere un finocchietto lezioso, ma anche per essere un ficcanaso di una grande città che ha lucrato sul loro dolore privato. Molti vollero dimenticare il fatto e scoraggiarono i loro figli a interessarsene. Una volta, Kennedy chiese alla sua classe migliore quanti degli studenti avessero letto quel libro, e tre quarti non l'aveva neanche mai visto.

Dissi che pensavo fosse una cosa sorprendente. Se fossi cresciuto in un posto dove era successo qualcosa di eclatante, avrei voluto saperne di più. "Anch'io", disse Kennedy. "Come molta gente della nostra generazione. Ma i ragazzi, oggigiorno, sono diversi. Molti sanno a mala pena leggere. E più di tanto non imparano. Non sono motivati. È come se gli anni passati davanti alla tivù li avessero ipnotizzati. Alcuni non riescono a formulare una frase sensata."

Convenimmo che il fenomeno era proprio strano.

Non c'è molto da dire sulla parte occidentale del Kansas tranne che le città sono piccole e isolate, e le strade poco frequentate. Ogni 16 chilometri circa si incrocia una strada laterale, e all'imbocco di ogni strada laterale c'è un camioncino scassato fermo allo stop. Lo si individua a distanza – tutto in Kansas si vede a distanza – che brilla sotto il sole. A tutta prima, pensi che sia rotto o abbandonato, ma quando gli arrivi a una quindicina di metri, questo si immette sulla tua strada davanti a te, facendoti passare bruscamente da 100 chilometri all'ora a 15, e testare l'elasticità del volante sulla fronte. Capita di continuo. Curioso di vedere chi ti fa questo scherzetto, in un posto in capo al mondo, acceleri per superarlo e ti accorgi che al volante c'è un vecchietto di ottantasette anni, con in testa un cappello da cow-boy di tre misure più abbondante, il quale fissa con occhi sbarrati la strada vuota come se pilotasse un aereo da turismo attraverso un temporale. Naturalmente non ti nota neppure. Ci sono più guidatori di questo tipo in Kansas che in qualsiasi altro stato, molti più di quanti ne risulterebbero da un calcolo demografico. Credo che gli altri stati mandino qui i loro anziani, forse con la promessa di ricevere un cappello da cow-boy all'arrivo.

21

Avrei dovuto saperlo, ma mi ero messo in testa che in Colorado non ci fossero altro che montagne. Non so come mai mi immaginavo che nel momento in cui avrei lasciato il Kansas, mi sarei trovato nelle Montagne Rocciose dalle alte cime coperte di neve, in mezzo a distese di ranuncoli ondeggianti, dove il cielo è blu e l'aria frizzante come l'acqua minerale. Ma non trovai nulla del genere. Era piatto, marrone e pieno di cittadine sperdute con nomi poco affascinanti come Swink, Ordway e Manzanola. Queste, a loro volta, erano piene di gente dall'aspetto modesto e di cani spelacchiati che gironzolavano fuori dagli spacci di bevande alcoliche e dalle stazioni di servizio. Cocci di bottiglie scintillavano tra gli arbusti secchi nei fossati, ai margini delle strade, e i cartelli stradali, usati come tiro a segno, erano malridotti. Senza dubbio non corrisponde a quel Colorado che John Denver osanna da sempre.

Stavo impercettibilmente salendo di quota. Ogni città lungo la strada indicava l'altitudine; da un cartello all'altro si notava un dislivello di una trentina di metri, ma fu solo quando arrivai a Pueblo, cioè a circa 200 chilometri all'interno, che riuscii finalmente a vedere le montagne. Improvvisamente le vidi dinanzi a me, blu, frastagliate e imbiancate di neve. Il mio progetto era di prendere la Highway 67 Nord, fino a Victor e a Cripple Creak, due vecchie città minerarie. Sulla mia cartina, il percorso era indicato come panoramico. Non mi resi conto, però, che non era asfaltata e che conduceva attraverso un passo sinistramente chiamato Phantom Canyon[1]. È la strada più desolata e più 'scuoti-os-

[1] Canyon Fantasma [*N.d.T.*].

sa' che abbia mai percorso, piena di buche e pietre – il tipo di strada che fa ballare tutto nell'auto e fa spalancare le portiere. Malauguratamente non c'era modo di tornare indietro. Da un lato della strada si ergeva un muro di roccia simile a un grattacielo, dall'altro invece uno strapiombo a picco su un ruscello di acqua ribollente. Continuai con prudenza, guidando a passo d'uomo nella speranza che, dopo un po', la situazione sarebbe migliorata. Ma, naturalmente, non fu così. La strada divenne sempre più ripida e pericolosa; qua e là si restringeva e correva fra due pareti di roccia, tanto che a volte mi ritrovavo chiuso fra rocce appuntite che sembravano essere state prese a martellate. Poi si allargava nuovamente, rivelando vedute di precipizi da far rizzare i capelli in testa.

Ovunque, sopra di me, mastodontici massi, grandi come una casa, appoggiati a vette aguzze, aspettavano soltanto di rotolare lungo il fianco della montagna e schiantarsi su di me. Le cadute massi sono evidentemente comuni. Il fondovalle è un cimitero di macigni. Pregai di non incontrare un veicolo in discesa ed essere quindi obbligato a far marcia indietro fino all'imbocco della strada. Ma è inutile preoccuparsi perché naturalmente in tutto il Nord America non esisteva un'altra persona stupida al punto da attraversare in auto la Phantom Valley in quel periodo dell'anno, quando un improvviso temporale può inondare il fondo stradale di fango e seppellire l'auto per mesi o farla scivolare giù nel vuoto. Non sono abituato ad affrontare paesaggi che possono uccidere. Cautamente continuai.

Sperduto tra le montagne, attraversai un ponte di legno traballante da far paura, sopra un profondo burrone. Era il tipico ponte che si vede nei film, sul quale si rompe un'asse e l'eroina rimane aggrappata nel vuoto con le gambe penzoloni, finché l'eroe non arriva a salvarla con le frecce dei nemici che piovono attorno. Quando avevo dodici anni, non riuscivo mai a capire perché l'eroe, che agiva da una posizione di superiorità, non diceva alla donna: "OK io ti salvo la vita ma poi tu devi metterti nuda. D'accordo?".

Al di là del ponte cominciò a scendere nevischio. Si mescolava con le migliaia di insetti spiaccicati sul parabrezza nel tragitto dal Nebraska (che inutile spreco di vita!) e si era trasformato in fanghiglia marrone. Provai a spruzzare del detergente per vetri, ma passò da fanghiglia marrone a fanghiglia beigeolina, impedendomi comunque di vedere. Mi fermai, uscii dall'auto per pulire il vetro con la manica della camicia, sicuro che da un momento all'altro un puma, vedendosi di fronte l'unica occasione della sua vita, mi saltasse sulle spalle e mi strappasse lo scalpo con un suono simile a due strisce di velcro. Mi immaginai di rotolare, senza scalpo, giù nel precipizio, con il puma che mi azzannava le caviglie. Quest'immagine era talmente vivida nella mia mente che mi affrettai a rientrare in auto, anche se avevo pulito soltanto una piccola superficie di vetro, della grandezza di una busta. Era come guardare fuori da una garitta.

L'auto non voleva più rimettersi in moto. Naturalmente. Seccamente esclamai: "Signore, ti ringrazio". Lassù nell'aria sottile, la Chevette scoppiettava, ansimava e velocemente si riempì d'acqua. Mentre aspettavo che si asciugasse, fui deluso di scoprire che mancavano ancora 30 chilometri. Fino a quel punto avevo soltanto percorso 13 chilometri e impiegato oltre un'ora. L'idea che forse la Chevette non ce l'avrebbe fatta ad arrivare fino a Victor e a Cripple Creak continuava ad assillarmi. Per la prima volta mi balenò il sospetto che forse nessuno passasse mai lungo quella strada. Se fossi morto, pensai cupamente, sarebbero trascorsi anni prima che qualcuno avesse trovato me o la Chevette, il che sarebbe stato ovviamente una tragedia. A parte tutto la batteria era ancora in garanzia.

Naturalmente non morii. In effetti, a dir la verità, non intendo morire mai. L'auto si rimise in moto, mi arrampicai sopra l'ultimo tornante del passo e arrivai finalmente a Victor, senza ulteriori incidenti. Victor aveva una vista fantastica, una città con edifici stile western abbarbicati incongruamente su un'alta vallata verde di incredibile bellezza. Una volta, Victor e Cripple Creak, a 8 chilometri di distanza, erano due famose *Boom Towns*[2]. Al loro apogeo, nel 1908, avevano cinquecento miniere d'oro e una popolazione di centomila persone. I minatori erano pagati in oro. In venticinque anni circa, le miniere produssero 800 milioni di dollari e arricchirono molta gente. Jack Dempsey visse e iniziò la sua carriera a Victor. Oggi sono ancora aperte un paio di miniere e la popolazione raggiunge a malapena il migliaio. Victor ha l'aspetto di una città fantasma, ma almeno le strade sono asfaltate. Gli scoiattoli saltavano da un edificio all'altro e l'erba cresceva attraverso le fessure dei marciapiedi. La città era piena di negozi

[2] Città che sorgono e muoiono all'improvviso, la cui sorte è determinata dalla presenza di oro [*N.d.T.*].

d'antiquariato e di artigianato ma la maggior parte di questi erano chiusi, evidentemente attendevano la stagione estiva. Molti erano vuoti e uno, l'Amber Inn, era chiuso per non aver pagato le tasse. Così diceva un grosso cartello in vetrina. Ma l'ufficio postale era aperto e anche una cafeteria, piena di vecchi in tute da lavoro e di giovanotti con barba e coda di cavallo. Tuttí gli uomini portavano berretti da baseball, benché qui pubblicizzassero marche di birra – Coors, Bud Lite, Olympia – piuttosto che di fertilizzanti.

Decisi di proseguire per Cripple Creek e fermarmi a pranzo, poi desiderai non averlo fatto. Cripple Creek si trova alle pendici del Mount Pisga e del Pice Peak ed era molto più turistico di Victor. I negozi, sebbene non lavorassero molto, erano quasi tutti aperti. Parcheggiai sulla via principale davanti al Salsaparilla Saloon, e andai a fare un giro. Dal punto di vista architettonico, Cripple Creek è molto simile a Victor, ma qui i negozi sono fatti per i turisti: negozi di souvenir, snack bar, gelaterie, un fiumiciattolo artificiale dove i bambini possono setacciare la sabbia in cerca di oro e un minigolf. Era abbastanza obbrobrioso, il tutto peggiorato da un tempo uggioso. La neve turbinava ancora. Faceva freddo e l'aria era pungente. Cripple Creek si trova quasi 4 chilometri più in su. A quell'altitudine, se non si è abituati, si fa molta fatica a respirare e quasi sempre si prova un senso di nausea. Di sicuro l'ultima cosa che desideravo era un gelato o una partita a minigolf. Così me ne tornai all'auto e proseguii.

All'incrocio con la US 24, svoltai a sinistra e puntai verso ovest. Qui il tempo era magnifico. Il sole brillava e il cielo era blu. Dall'ovest, arrivava un flotta di nubi, soffici e benevole, che lambivano le cime delle montagne. L'asfalto era rosa e sembrava di guidare su una striscia di gomma da masticare. La strada conduceva al Wilterson Pass, poi scendeva lungo una valle di colline coltivate, con ruscelli scintillanti e capanne di legno appoggiate ai piedi di poderose montagne. Sembrava di essere in una pubblicità di un deodorante. Era fantastico, ed era quasi tutto per me. Vicino a Buena Vista la terra si abbassava gradatamente per rivelare una pianura e, dietro a questa, i maestosi Collegiate Peaks, la catena montuosa più alta degli Stati Uniti, con sedici cime che superano 4300 metri disposte lungo un tratto di 50 chilometri. Costeggiai la strada in discesa lungo la montagna e attraversai la pianura verso il gruppo dei Collegiate Peaks, blu, imponenti e imbiancati di neve. Era come guidare nell'immagine iniziale di un film della Paramount.

Avevo in programma di andare ad Aspen, ma all'incrocio di Twin Lakes trovai uno sbarramento bianco e un cartello che diceva che l'autostrada per Aspen attraverso l'Independence Pass era chiusa a causa della neve. Aspen era solamente a 30 chilometri dallo sbarramento, ma per raggiungerla in un altro modo, percorrendo la strada settentrionale, sarebbe stata necessaria una deviazione di 200 chilometri. Deluso, cercai qualche altro posto dove fermarmi per la notte e proseguii per Leadville, una cittadina di cui non sapevo nulla e di cui in verità non avevo mai sentito parlare. Leadville era magnifica. I sobborghi della città erano sordidi e malconci – la povertà è incredibile in Colorado – ma la via principale era ampia e costeggiata da massicce costruzioni vittoriane con torri e torrette. Leadville è un'altra città legata alle miniere d'oro e d'argento; fu qui che l'intramontabile Molly Brown iniziò la sua ascesa, così come Meyer Guggenheim. Al pari di Cripple Creek e Victor, anche Leadville era turistica – ogni posto nelle Montagne Rocciose è esclusivamente turistico – ma aveva un'aria molto più genuina. La popolazione è di 4000 persone, abbastanza per darle una vita indipendente, a parte il turismo.

Presi una camera nel Timberline Motel, feci due passi in città e gustai un ottimo pasto al Golden Burro Cafè – non il miglior cibo del mondo, forse nemmeno il migliore di Leadville, ma per 6 dollari servono una minestra, un'insalata, una cotoletta di pollo con puré, fagiolini, un caffè e una fetta di torta. Che volete di più? – Dopo di che feci una passeggiata sotto la luna e rientrai al motel, feci una doccia calda, guardai un po' di tivù. Magari la vita potesse essere sempre così semplice e serena. Alle dieci già dormivo, e feci dei bei sogni, feroci puma che affrontavo virilmente, ponti di legno traballanti, e parabrezza coperti di insetti spiaccicati. L'eroina si tolse persino i vestiti. Che notte memorabile!

Avevo in programma di andare ad Aspen, ma all'incrocio di Twin Lakes trovai uno sbarramento con un uomo e un cartello che [illegible] per Aspen attraverso l'Independence Pass era chiuso a causa della neve. Aspen era soltanto a 40 chilometri dallo sbarramento, ma [illegible] in un altro modo, avrei [illegible] una quarantina di chilometri. [illegible] dove [illegible] la notte e proseguii per Leadville, una cittadina di cui non sapevo nulla e di cui [illegible] mai sentito parlare. Leadville era magnifica. [illegible] della città [illegible] malinconica [illegible] incredibile in Colorado – ma la via [illegible] era ampia e fiancheggiata da massicce costruzioni vittoriane [illegible]. Leadville [illegible] alle [illegible]. Fu qui che [illegible] Molly Brown [illegible] così come Meyer Guggenheim [illegible] Leadville era [illegible] nelle Montagne Rocciose [illegible] esclusivamente [illegible] molto più [illegible]. La popolazione era [illegible] persone, abbastanza per [illegible].

[illegible] Leadville [illegible] Café – non il migliore [illegible] del mondo, [illegible] un'insalata, [illegible] un caffè e una fetta di torta. [illegible]

22

Il mattino seguente, il meteorologo alla televisione annunciò che sarebbero caduti parecchi centimetri di neve sulle Montagne Rocciose. Sembrava felice. Glielo si leggeva in faccia, da come gli brillavano gli occhi. La sua cartina indicava una spiacevole cappa, ferma come una maledizione, sopra più o meno tutto l'ovest. Disse che avrebbero chiuso le strade – con un ghigno sottile – e che avrebbero diffuso notizie sulla viabilità. Perché i meteorologi in televisione sono così infidi? Perfino quando cercano di essere sinceri, si capisce che è solo una facciata – che dietro a quell'immagine si nasconde una persona che ha passato l'infanzia a strappare le ali agli insetti e a ridacchiare quando un altro bambino veniva investito da un'auto.

Decisi, sui due piedi, di dirigermi verso sud, verso le aride montagne del New Mexico sulle quali le previsioni del tempo non indicavano nessuna particolare perturbazione. In un prestigioso college di Santa Fe avevo una nipote, che non vedevo da molto tempo. Ero sicuro che sarebbe stata contenta che i suoi amici del campus vedessero un signore obeso e trasandato uscire da un'auto, polverosa e sgangherata, e abbracciarla, così decisi di andarci direttamente.

Proseguii verso sud sulla US 285, la strada che corre lungo la linea dello spartiacque continentale. Ero circondato da un paesaggio di incredibile bellezza naturale, sebbene puntualmente rovinato da interventi umani: orrendi parcheggi per case mobili, appezzamenti incolti e persino discariche. Tutte le città sono una collezione di fast-food e di stazioni di servizio e, lungo tutta la strada, per molti chilometri, non si vedono che cartelli grandi come fienili con scritto: CAMPING, MOTEL, RAFTING.

Più mi spingevo a sud e più il paesaggio diventava arido; poi, a un certo punto, i cartelli sparirono. Oltrepassata Saguache, l'ampia pianura tra le montagne divenne una distesa di salvia color porpora, intervallata da zolle marroni bruciate. Qua e là, alcuni appezzamenti verdi, strappati all'aridità con l'aiuto di mastodontici impianti di irrigazione. Nel mezzo di queste oasi, si vedevano fattorie linde e pulite. Per il resto il paesaggio, delimitato dalle catene montuose in lontananza, era insignificante come il letto di un fiume in secca. Tra Saguache e Monte Vista corre uno dei più lunghi rettilinei degli Stati Uniti, dieci o dodici in tutto: una sessantina di chilometri senza una curva o una svolta. Sulla carta non fa molto effetto, ma mentre lo si percorre sembra interminabile. Non c'è niente come una strada che si allunga verso un punto costantemente irraggiungibile che ti dia la sensazione di essere diretto verso il nulla. A Monte Vista la strada si piega sulla sinistra – cosa che ti fa rinvenire e aggrappare al volante – poi prosegue per altri 30 chilometri di nuovo dritta come una linea tirata col righello. E così via. Due o tre volte all'ora si incontrano piccole città polverose – una stazione di servizio, tre case, un albero, un cane – oppure si incontra un curvatura infinitesimale che ti obbliga a muovere il volante di un paio di centimetri a destra o a sinistra, per una frazione di secondo; questa è l'unica eccitazione per quell'ora. Per il resto non muovi un muscolo. Ti si intorpidiscono le chiappe, ti sembra addirittura che appartengano a un'altra persona.

Nel primo pomeriggio entrai nel New Mexico – uno degli avvenimenti importanti della giornata – e sospirai nel constatare che era noioso come il Colorado. Accesi la radio. Ero così lontano da tutto che captavo soltanto brandelli di stazioni, tutti in lingua spagnola e tutti con programmi di canzoni aye-y-y messicane, quelle che di solito cantano musicanti ambulanti con baffi spioventi ed enormi sombrero nei tipici ristoranti dove gli insegnanti delle medie portano le mogli per il tredicesimo anniversario – quel genere di locali dove le specialità vengono messe in bella vista per colpire i clienti. In trentasei anni non avevo mai pensato che qualcuno ascoltasse musica messicana per diletto. Eppure c'erano una dozzina di stazioni che ne trasmettevano a non finire. Alla fine di ogni brano, un disc-jockey cominciava a blaterare in spagnolo per qualche minuto, con il tono di voce di un uomo che si è appena chiuso le palle in un cassetto. Poi c'era l'intervallo della pubblicità, letta da uno con un tono di voce ancora più pressante e concitato – probabilmente lo speaker si stava dando delle martellate sulle palle – poi seguiva un'altra canzone. O meglio, sempre la stessa canzone per quanto mi riusciva di capire. Questa è la sfortuna dei musicisti messicani. Sembra che conoscano un solo motivo. Ciò spiega perché abbiano difficoltà a trovare lavoro ovunque, tranne che in ristoranti di secondo rango.

In un villaggio chiamato Tres Piedras – nel New Mexico quasi ogni posto ha un nome spagnolo – imboccai la Highway 64 per Taos, e le cose iniziarono a migliorare. Le colline divennero più scure, la salvia più folta e lussureggiante. Si parla sempre del cielo di Taos e, in effetti, è straordinario. Non avevo mai visto un cielo così intenso, così blu, così liquido. L'aria in questo tratto di deserto è così limpida che talvolta si può vedere a 200 chilometri di distanza, secondo la mia guida. In ogni caso, si può capire perché Taos abbia sempre attirato artisti e scrittori – o almeno fino a quando uno non arriva proprio a Taos. Mi ero aspettato di trovare una piccola e deliziosa colonia di artisti, piena di gente con camicie ricamate e cavalletti, e invece era solamente una trappola per turisti, con ingorghi di traffico, e con empori di orrende porcellane indiane, di enormi fibbie d'argento e di cartoline. C'erano un paio di gallerie interessanti ma tutte più o meno calde, polverose e piene di *hippies* dai capelli bianchi. Era abbastanza divertente vedere che gli *hippies* esistevano ancora – in realtà ora sono nonni – ma non valevano la pena di un viaggio. Così proseguii per Santa Fe con il timore di incontrare un'altra città simile. Non fu così. In realtà Santa Fe è molto bella e ne rimasi immediatamente conquistato.

La cosa più bella di Santa Fe è quella di avere gli alberi. Ha gli alberi, l'erba, l'ombra e fresche *plaza* piene di fiori, piante e acqua corrente. Dopo giorni di guida attraverso le distese aride del West, questa è davvero una sorpresa. L'aria è tiepida e pulita, e le montagne Sangre de Cristo, con i riflessi rossicci sullo sfondo, sono a dir poco sensazionali, specialmente al tramonto, quando sembrano incandescenti, come fossero illuminate internamente, come lanterne magiche. La città in sé è troppo ricca e carina per riuscire a descriverla. È la città più antica d'America – fu fondata nel 1610, dieci anni prima che i Padri Pellegrini partissero da Plymouth – e ne è molto orgogliosa. Tutto a Santa Fe, e intendo dire tutto, è fatto di adobe. C'è un Woolworth's di adobe, un silos parcheggio di adobe, un hotel di sei piani di adobe. Quando si passa la prima stazione di servizio di adobe e il primo supermarket di adobe, si è indotti a pensare, "Forse sarebbe meglio tagliare la corda da questo posto", ma poi ci si rende conto che non è solo una banale trovata per turisti. L'adobe è un materiale locale, usato in ogni costruzione; esso dà alla città una uniformità di stile che pochi altri posti riescono a conquistare. Inoltre Santa Fe è vergognosamente ricca, per cui tutto è fatto bene e con buon gusto.

Guidai sulle colline in cerca del St John's College, dove studiava mia nipote. Erano le quattro del pomeriggio e nelle strade iniziavano a profilarsi le prime ombre. Il sole stava scendendo dietro le montagne e ogni casa di adobe, sui dorsali delle colline, assumeva una tonalità arancione scura. Il St John's è un piccolo college abbarbicato su in collina, con la migliore vista della città; si affaccia su Santa Fe e sulle morbide alture che si vedono in lontananza. Ci sono solamente trecento studenti in quel campus sonnolento. Ma mia nipote, in quel bel pomeriggio primaverile, non era fra essi. Nessuno sapeva dove fosse, ma tutti promisero di farle sapere che un tizio obeso e trasandato, con scarpe polverose e ascelle tropicali, era venuto a cercarla, e che sarebbe tornato l'indomani mattina.

Tornai in città, presi una camera, feci un lungo bagno caldo, mi misi addosso dei vestiti puliti, e passai la serata a gironzolare felicemente nelle tranquille stradine del centro di Santa Fe; osservando le vetrine delle costose boutique e gallerie, godendomi l'aria tiepida della sera e sconcertando la gente dei ristoranti più esclusivi appoggiavo la fronte contro la vetrina e guardavo beffardamente ciò che avevano nel piatto. Il cuore di Santa Fe è la Plaza, una piazza in stile spagnolo, con panchine bianche e un alto obelisco per commemorare la battaglia di Valverde o qualcosa di simile. Alla base c'era incisa un'iscrizione in cui la parola *February* è scritta erroneamente *Febuary*; questo mi fece molto piacere. Un'altra cosa piacevole della Plaza è un locale sull'angolo chiamato Ore House. Al piano di sotto c'è un ristorante, al piano di sopra c'è un bar che si affaccia su un porticato dove ci si può sedere – e dove in realtà mi sedetti – in pace, per molte ore, a bere birra servita al tavolo da una cameriera belloccia con un bel sedere, mentre mi godevo la dolce serata e osservavo le stelle che cominciavano a brillare nel cielo blu pallido del deserto. Attraverso la porta del bar potevo anche vedere il pianista, un ragazzo molto azzimato che eseguiva un'interminabile serie di accordi e di arpeggi, elaborati ed apparentemente uguali che non sfociavano mai in qualcosa che si potesse definire una canzone; strimpellava soavemente sfoggiando un sorriso accattivante e dei bei denti, che credo siano la cosa principale per un pianista di piano-bar. Fatto sta che alle signore piaceva molto.

Non so quante birre bevvi, ma – e qui voglio essere onesto – senz'altro troppe. Non avevo previsto che nella leggera aria di montagna di Santa Fe, ci si ubriaca molto velocemente. In ogni modo fui sorpreso di scoprire, quando me ne andai un paio d'ore dopo, che gli impulsi motori del mio cervello, che di solito funzionano bene, erano in panne. Inoltre muovevo le gambe in modo scoordinato. Una gamba iniziò a scendere le scale come desideravo, mentre l'altra, in un impeto di petulanza, decise di dirigersi verso la toilette. Il risultato fu che barcollai attraverso il bar come se fossi stato sui trampoli, e sfoggiai un sorriso da idiota come per dire: "Lo so che sembro un cretino, buffo no?".

En route andai a sbattere contro il tavolo di un gruppo di ricchi di mezza età, feci cadere i bicchieri e riuscii solamente a sorridere in modo ancor più stupido e a farfugliare che mi dispiaceva tanto. Con quella schietta familiarità che mi ritrovo quando sono ubriaco, battei affettuosamente dei colpetti sulla spalla di una delle signore e la usai a mo' di molla per lanciarmi verso l'uscita. Arrivato alla scale agitai la mano per salutare la gente nella sala – ormai tutti mi stavano osservando con interesse – e feci la rampa in un colpo solo. Per essere precisi, non fu esattamente una caduta ma neppure una discesa vera e propria. Fu più che altro come fare il surf sulla suola delle scarpe; credo comunque di non essere passato inosservato. Dopo tutto sfoggio sempre il meglio delle mie acrobazie quando sono brillo. Una volta, molti anni fa, durante una festa in casa di John Horner, caddi all'indietro da una finestra del primo piano e rimbalzai sui piedi con un *élan* di cui si parla ancora a sud della Grand Avenue.

Al mattino, rintronato dai postumi della sbornia, ritornai al campus, trovai mia nipote e la misi in imbarazzo con un abbraccio, – magari le feci venire anche la nausea. Andammo a far colazione in un ristorante elegante del centro. Mia nipote mi raccontò tutto sul St John's, su Santa Fe e poi mi portò a fare il giro turistico della città: St Francis's Cathedral (molto bella), il palazzo dei Governatori (molto noioso, pieno di documenti sui governatori territoriali) e la famosa scala della Loretto Chapel. Si tratta di una scala in legno che si inerpica per 6 metri e mezzo in una doppia spirale verso il coro. Ti colpisce perché non è sostenuta da nulla tranne che dal suo stesso peso e sembra debba cadere da un momento all'altro. La storia è che le suore della cappella pregarono che qualcuno costruisse loro una scala; si presentò un anonimo falegname, lavorò alla scala per sei mesi, poi sparì misteriosamente come era arrivato, senza essere pagato. Per cento anni le suore raccontarono la storia per quel che valeva, poi un bel giorno di qualche anno fa, improvvisamente, vendettero la cappella a una società privata che ora la gestisce a fini di lucro e fa pagare un biglietto d'entrata di cinquanta centesimi. In un certo senso provai un certo dispiacere, ma non migliorò la mia disposizione verso le suore.

In generale – anche se generalizzare è cosa sempre pericolosa – gli americani venerano il passato fintanto che sia fonte di denaro e non manchi di aria condizionata, di parcheggio gratuito e di altre comodità essenziali. Conservare il passato per il passato non è un concetto molto diffuso. Al sentimento viene lasciato poco spazio. Quando qualcuno arriva e offre a un gruppo di suore un bel gruzzolo per la loro scala, queste non rispondono: "Assolutamente no, è una reliquia sacra costruita per noi da un misterioso e affascinante corriere di Gesù". Ma dicono: "Quanto ci date?". E se l'offerta è abbastanza allettante vendono, e impiegano il denaro per costruire un convento più grande altrove, con aria condizionata, ampio parcheggio e sala giochi. Non intendo nemmeno per un attimo pensare che le monache siano peggio di tutti gli altri americani in faccende di questo tipo. Si comportano semplicemente come ci si comporta in America. Lo trovo molto triste. Non mi meraviglio che in questo paese poche cose durino per più di una generazione.

Partii da Santa Fe e imboccai l'Interstate 40. Tempo fa era la Route 66. La Route 66 una volta era molto amata. A essa erano state dedicate persino delle canzoni. Purtroppo aveva soltanto due corsie e non era dunque adatta all'era dello spazio, irrimediabilmente scomoda per gente con case mobili; in aggiunta ogni cinquanta metri circa, essa attraversava una piccola cittadina con semaforo e un segnale di stop – che perdita di tempo! Allora la seppellirono sotto al deserto e costruirono una nuova Highway, super-rapida a quattro corsie, che taglia di netto il paesaggio come un laser e non si ferma dinanzi a nulla, nemmeno alle montagne. così un'altra cosa, bella e piacevole, è scomparsa per sempre perché non era pratica – come i treni passeggeri, il latte in bottiglia, i negozi all'angolo e i cartelli del Burma Shave. Anche in Gran Bretagna sta succedendo la stessa cosa. Stanno eliminando tutte le cose belle perché non sono pratiche, come se fosse una ragione valida – le cabine rosse del telefono, le banconote da una sterlina, e a Londra quegli autobus aperti che permettono di salire e scendere al volo. Non esiste una sensazione più soave che salire e scendere giù da un autobus in corsa. Ma non sono pratici. Richiedono due addetti (uno al volante e uno per impedire ai fanatici indiani di strane sette integraliste di far fuori il bigliettaio pakistano) e neppure economici, per questo devono sparire. Tra poco non consegneranno a domicilio nemmeno più il latte in bottiglia, spariranno quei sonnacchiosi pub di campagna e il paesaggio rurale consisterà essenzialmente di centri commerciali e parchi a tema. Perdonatemi. Non intendo scompormi. Ma mi stanno portando via il mondo, pezzo dopo pezzo e questo talvolta mi fa proprio incazzare. Scusate.

Guidai verso ovest lungo l'Interstate 40, attraverso un paesaggio depauperato. I centri erano rari. Quando li incontravi, ti accorgevi che per la maggior parte erano composti da case mobili abbandonate lungo la strada, come se fossero state sganciate da grande altezza. Non avevano giardino, né staccionata, niente che le separasse dal deserto. La maggior parte di quel territorio era stata resa alle riserve indiane. Ogni 30 o 40 chilometri incontravo un autostoppista solitario, spesso un indiano, ma generalmente un bianco, insieme al bagaglio. Prima di allora non mi era quasi mai capitato di trovare autostoppisti, ma lì ce n'erano tanti; gli uomini parevano pericolosi, le donne folli. Stavo entrando nel territorio degli svitati – sognatori, perdenti, barboni, pazzi – che in America sono sempre diretti a ovest. Hanno sempre la convinzione disperata di arrivare sulla costa e fare fortuna come star del cinema o del rock oppure partecipare a giochi televisivi o cose di questo genere. E se le cose non vanno nel senso sperato possono sempre diventare assassini professionisti. Strano che nessuno vada mai verso est, che non si incontri mai nessuno che faccia l'autostop fino a New York alla ricerca del sogno folle e ambizioso di diventare revisore dei conti o di arricchirsi smodatamente rilevando una società.

Il tempo peggiorò. Nuvoloni di polvere inghiottivano la strada. Stavo attraversando la tempesta di cui il meteorologo aveva parlato in tivù la mattina precedente. Passata Albuquerque, il cielo si incupì e iniziò a scendere una pioggia mista a grandine. Cespugli di erba mobile rimbalzavano sulla strada, e a ogni raffica di vento l'auto sbandava di lato.

Avevo sempre pensato che i deserti fossero caldi e secchi tutto l'anno. Ora posso assicurarvi che non lo sono. Dal momento che eravamo sempre andati in vacanza tra giugno e agosto, mi ero convinto che in America, fuori dal Midwest, facesse caldo tutto l'anno. In estate ovunque si andasse era un suicidio. C'erano sempre trenta gradi. Se si chiudevano i finestrini si arrostiva, e se li si lasciava aperti volava tutto – fumetti, carte stradali, indumenti. Se si indossavano i bermuda, come facevamo sempre, la pelle nuda delle gambe diventava parte del sedile, come il formaggio fuso su un toast e, quando ci si alzava, si sentiva un rumore di lacerazione e una straziante sensazione di bruciante agonia, come quando si stacca un cerotto. Se in questo infernale delirio distrattamente appoggiavi un braccio contro il metallo del finestrino, dove ci batteva il sole, la pelle, al suo contatto, si raggrinziva e scompariva, come un sacchetto di plastica in fiamme. Rimanevi paralizzato, era veramente sorprendente, e al tempo stesso stranamente indolore, assistere alla scomparsa di una parte del proprio corpo. Non sapevi se urlare: "Mamma!" come se fossi stato gravemente ferito, o ripetere l'esperimento, con lo spirito del ricercatore scientifico. Alla fine, di solito, non facevi nessuna delle due azioni, e rimanevi seduto inerme, troppo accaldato per fare altro.

Così fui sorpreso di trovarmi in un tempo invernale, in un paesaggio freddo e cupo. La pioggia battente si intensificò sul tratto di strada vicino alle Zuni Mountains. Dietro Gallup si trasformò in neve. Umidi e pesanti, i fiocchi parevano piume, e il pomeriggio divenne buio come la notte.

Trenta chilometri oltre Gallup, entrai in Arizona; più mi spingevo nell'interno, più era evidente che stavo entrando in una perturbazione di ampia portata. La neve sul ciglio della strada dapprima arrivò alle caviglie, poi alle ginocchia. Strano pensare che soltanto un paio d'ore prima ero in giro per Santa Fe con un bel sole e in maniche di camicia. La radio trasmetteva notizie sulle strade chiuse e sulle terribili condizioni atmosferiche – neve in montagna, pioggia torrenziale ovunque. Era il peggior temporale da decenni, diceva il meteorologo con gioia mal celata. I Los Angeles Dodgers avevano dovuto rimandare la partita per il terzo giorno consecutivo – era la prima volta che succedeva da quando si erano trasferiti da Brooklyn, trent'anni prima. Non c'era modo di evitare la bufera. Cautamente, proseguii in direzione di Flagstaff, a 160 chilometri a ovest.

"A Flagstaff sono caduti 35 centimetri di neve – e si prevede un ulteriore intensificarsi delle precipitazioni", disse il meteorologo con un tono molto soddisfatto.

23

Non c'è nulla che possa prepararvi al Grand Canyon. Indipendentemente da quanto abbiate letto sull'argomento o da quante immagini abbiate visto, la visione è sempre mozzafiato. La mente, incapace di concepire uno spettacolo di questa portata, semplicemente soccombe e, per lunghi istanti, vi sentite una nullità, rimanete senza parole né fiato, e provate solo un inenarrabile sgomento davanti a un fenomenale spettacolo così immenso, meraviglioso e silenzioso.

Anche i bambini rimangono ammutoliti. Da piccolo, ero un bambino particolarmente chiacchierone e pestifero, ma anch'io rimasi di colpo senza parole. Ricordo di aver girato un angolo e di essere rimasto lì, tutto eccitato, mentre una frase che stava per essere pronunciata, ritornò indietro senza riaffiorare mai più. Avevo sette anni e – da quanto mi si dice – era solamente la seconda volta che mi capitava di smettere di blaterare, a eccezione di quando dormivo o guardavo la televisione. L'altra occasione nella quale ero diventato muto fu quando vidi mio nonno morto, nella bara aperta. Fu una cosa talmente inaspettata – nessuno mi aveva detto che sarebbe stato messo in mostra – che mi mozzò semplicemente il fiato. Il nonno era là, fermo e silenzioso, incipriato e in giacca e cravatta. Ricordo in particolar modo che aveva gli occhiali (cosa credevano gli servissero, considerato il posto dove stava andando?) e che erano storti. Penso sia stata mia nonna ad averli messi fuori posto, nell'ultimo abbraccio piagnucolante, e sono sicuro che tutti gli altri erano troppo timidi per rimetterglieli a posto. Per me fu uno shock rendermi conto che il nonno non avrebbe più riso guardando *I love Lucy*, riparato l'auto o parlato a bocca piena (cosa per la quale era molto famoso in famiglia). Fu terrificante.

Ma non tanto terrificante quanto il Grand Canyon. Ovviamente dal momento che non posso più sperare di rivivere il funerale di mio nonno, il Grand Canyon fu un'esperienza vivida della mia infanzia che potevo sperare di sperimentare ancora, e che pregustavo da molti giorni. Avevo passato la notte a Wilson, Arizona, 80 chilometri prima di Flagstaff, dato che le strade stavano diventando impraticabili. Alla sera la neve non scendeva quasi più, e al mattino aveva smesso quasi del tutto, sebbene il cielo fosse ancora cupo e carico. Guidai attraverso un paesaggio imbiancato verso il Grand Canyon.

Difficile credere che fosse l'ultima settimana di aprile. La strada era invasa da nebbia e foschia. Non riuscivo a vedere né davanti né di lato, tranne gli occasionali aloni luminosi dei fari delle auto in senso contrario. Quando raggiunsi l'entrata del Grand Canyon National Park, e pagai il biglietto di 5 dollari, aveva ripreso a nevicare forte con fiocchi di neve talmente grandi che ingombravano il parabrezza.

La strada del parco costeggiava per 50 chilometri il bordo meridionale del Canyon. Mi fermai due o tre volte nei belvedere e andai sul ciglio, nella speranza di intravedere qualcosa nel buio silenzioso, conscio che il Canyon era lì, proprio sotto il mio naso, ma non riuscii a vedere nulla. La nebbia era ovunque – intrappolata tra gli alberi, ai lati della strada, spuntava persino dall'asfalto. Era così fitta che si poteva tagliare col coltello. Tristemente proseguii verso il paesino del Grand Canyon, dove c'era un ufficio turistico, un hotel rustico e alcuni uffici amministrativi sparpagliati qua e là. C'era un'infinità di pullman e vetture da turismo nei parcheggi, e gente che gironzolava vicino ai punti di accesso, facendosi strada tra la neve scivolosa, passando da un edificio all'altro. Andai nel bar dell'hotel e presi un caffè eccessivamente caro; ero inzuppato e mi sentivo abbattuto. Avevo ardentemente sperato di riuscire a vedere il Grand Canyon. Mi sedetti vicino alla finestra e tristemente osservai la neve che continuava a scendere.

Dopo di che, faticosamente, mi incamminai verso l'ufficio turistico a circa 200 metri di distanza, ma prima di arrivarci, trovai un cartello mezzo coperto di neve che indicava un punto di belvedere a mezzo chilometro lungo un sentiero tra gli alberi. Istintivamente lo seguii, principalmente per prendere una boccata d'aria. Il sentiero era scivoloso e mi ci volle un bel po' di tempo per percorrerlo; poi, mentre camminavo, smise di nevicare. L'aria era fresca e pulita. Alla fine arrivai su uno spiazzo roccioso che segnava il bordo del canyon. Siccome c'era la staccionata di sicurezza, avanzai cautamente e guardai giù, ma non riuscii a vedere nulla se non una poltiglia grigia. Mi si avvicinò una coppia di mezza età, e mentre commentavamo la deprimente esperienza accadde un miracolo.

La nebbia si aprì. Silenziosamente si ritirò, come il sipario di un teatro che si apre, e improvvisamente ci accorgemmo di essere sul ciglio di un precipizio, un burrone da capogiro, profondo almeno 300 metri. "Gesù!", esclamammo e con un balzo ci ritraemmo, mentre lungo tutto il bordo del canyon si sentiva la gente che diceva: "Gesù!", come un passaparola. Poi per qualche minuto tutto tacque, tranne l'impercettibile fruscio della neve, dato che dinanzi a noi c'era la visione più terrificante e più ammutolente che esista sulla faccia della terra.

Le proporzioni del Grand Canyon sono oltre l'umana comprensione. Misura un chilometro di profondità, 10 di larghezza e 130 di lunghezza. Dentro al canyon si potrebbe adagiare l'Empire State Building e avanzerebbero ancora 300 metri per coprirlo. In verità ci starebbe l'intera Manhattan e dal bordo si sarebbe ancora talmente alti che si vedrebbero gli autobus grandi come formiche e la gente sarebbe invisibile, e inoltre non si sentirebbe il minimo rumore. La cosa che ti colpisce – che colpisce chiunque – è il silenzio. Il Grand Canyon inghiotte i rumori. Regna un incombente senso di spazio e di vuoto. Là in mezzo non succede nulla. Giù giù in fondo al canyon, scorre il fiume che l'ha scavato: il Colorado River. Seppure sia largo un centinaio di metri, dall'alto appare sottile e insignificante. Sembra una vecchia stringa. Tutto è rimpicciolito da questa immensa voragine.

Poi, velocemente e silenziosamente come si era aperta, la cortina di nebbia si richiuse e inghiottì nuovamente il Grand Canyon. Ero riuscito a vederlo solamente per venti o trenta secondi, ma almeno l'avevo visto. Sentendomi quasi soddisfatto, feci dietrofront verso l'auto, felice di riprendere il mio viaggio. Lungo il sentiero incontrai una giovane coppia diretta verso il ciglio. Mi chiesero se ero stato fortunato, e io raccontai loro che la cortina di nebbia si era aperta per alcuni secondi.

Parvero abbattuti. Dissero che erano venuti dall'Ontario e che erano in luna di miele; che per tutta la vita avevano desiderato vedere il Grand Canyon, e che nel corso di quella settimana, tre volte al giorno si erano messi i moonboot, i vestiti pesanti e avevano camminato mano nella mano fino al bordo del canyon, ma l'unica cosa che erano riusciti a vedere fino a quel momento era un muro di nebbia immobile.

"In ogni modo", dissi per aiutarli a vedere le cose dal lato positivo, "scommetto che il tempo l'avete usato in altro modo..." In verità non dissi esattamente così. Non oserei. Mi limitai a emettere suoni di circostanza, dissi che era un vero peccato trovare un tempo simile e feci loro i miei auguri. Proseguii verso l'auto riflettendo e pensando ai due poveri sposini. Ripensai alle parole di mio padre: "Vedi, ragazzo mio, c'è sempre qualcuno che sta peggio di te". Al che ho sempre pensato, "E allora?".

Mi diressi a nord sulla Highway 89 verso lo Utah. La radio continuava a trasmettere notizie relative al maltempo nella zona delle Montagne Rocciose e della Sierra Nevada; e informazioni sulle strade chiuse per caduta massi e per le abbondanti nevicate, anche se di neve, dove mi trovavo nell'Arizona del nord, non ce n'era proprio. Neanche un briciolo. Sedici chilometri dopo il Grand Canyon la neve scomparve e fatti alcuni chilometri sembrava primavera. Uscì il sole. L'atmosfera era tiepida. Abbassai un po' il finestrino.

Guidai e guidai. È quello che si fa nel West. Guidi, guidi e guidi ancora, passando da una città sperduta all'altra e attraversando il paesaggio come Nettuno. Durante tante ore vuote l'unico fine della vita sembra essere quello di arrivare a Dry Gulch, a Cactus City o in altri posti simili. Seduto osservi la Highway che si srotola interminabile davanti a te; il contachilometri avanza come una lumaca e l'unica cosa che pensi è quella di arrivare a Dry Gulch sperando nel miracolo impossibile di trovare un Mc Donald's o almeno una cafeteria. E alla fine, quando ci arrivi, le uniche cose che trovi sono due pompe di benzina e una bancarella con una vecchia indiana che vende ciondoli Navajo. Allora ti rendi conto che devi ricominciare a sperare nel prossimo paese assurdamente isolato e per di più con un nome deprimente e poco promettente: Coma, Doldrum, Dry Well e Sunstroke[1].

Le distanze sono a dir poco inconcepibili. Spesso ci sono 50 chilometri da casa a casa, e più di 160 tra una città e l'altra. Che

[1] Coma, Calma equatoriale, Pozzo secco, Colpo di sole [*N.d.T.*].

cosa ti può spingere ad andare a vivere in un posto dove devi fare 130 chilometri solo per comprarti un paio di scarpe – e alla fine comprare scarpe tanto brutte da far paura?

La risposta alla mia domanda, naturalmente, è che ben pochi vivono in un posto simile, tranne gli indiani, ai quali non è mai stata data la possibilità di scegliere. Stavo attraversando la più grande riserva indiana d'America – una riserva Navajo che si allunga 240 chilometri da nord a sud e 200 da est a ovest – e la maggior parte delle rare auto sulla strada erano guidate proprio da indiani. Quasi senza eccezione si trattava di vecchi carcassoni tipo Detroit in pessime condizioni, con la carrozzeria malandata e almeno una portiera scompagnata, sotto l'auto penzolavano brandelli di motore, apparentemente indispensabili, che a contatto con l'asfalto producevano un fracasso infernale, molte scintille e un denso fumo nero. Pareva che non riuscissero a fare più di 70 chilometri all'ora; nonostante ciò, era difficile superarle in quanto sbandavano.

A volte quando si spostavano completamente sulla destra, sollevando nuvoloni di polvere del deserto, provavo a superarle. Si vedeva sempre la stessa scena: un'auto piena di uomini e ragazzi indiani e un guidatore irrimediabilmente ubriaco, seduto con l'espressione, stampata in faccia, di chi ha avuto una polluzione notturna – lo sguardo di un uomo che è a mala pena cosciente ma che si sta divertendo lo stesso.

A Page, Arizona, città del Glen Canyon Dam, entrai nello Utah e subito il paesaggio migliorò. Le colline assunsero toni rossi e violetti, e anche il deserto si tinse di rosso. Dopo alcuni chilometri i cespugli di salvia divennero più fitti e le colline più scure e irregolari. Mi sembrava stranamente familiare. Poi consultai la mia *Guida Mobil* e scoprii che quello era il posto dove girano tutti i film western. Più di un centinaio di compagnie cinematografiche e televisive avevano usato Kanab, la città che avrei incontrato poco dopo, come base per le riprese esterne.

Questo fatto mi eccitò, e quando arrivai a Kanab, mi fermai in una cafeteria per saperne di più. Una voce dal retro mi urlò di aspettare un minuto per cui detti un'occhiata al menù affisso al muro. Era il menù più strano che avessi visto, pieno di cibi di cui non avevo mai sentito parlare: tronchi di patate ('piccole, grandi e formato famiglia'), bastoncini di formaggio a 89 centesimi, fagottini di pizza a 1.35 dollari, *frappé* Oreo a 1.25 dollari. L'offerta speciale era un 'tronco da due etti e mezzo, panino e cavoli in insalata a 7.49 dollari'. Decisi di prendere un caffè. Dopo un momento spuntò la signora che gestiva il locale mentre si asciugava le mani con una salvietta. Mi parlò di alcuni film e di telefilm che erano stati girati a Kanab: *Duello al Diablo, Butch Cassidy, Flicka, The Rifleman*, alcuni con Clint Eastwood. Le chiesi se fosse mai venuta una star di Hollywood a mangiare i tronchi di patate e i bastoncini di formaggio. Scosse la testa malinconicamente e rispose di no. In qualche modo, non ne rimasi stupito.

Passai la notte a Cedar City e, il mattino seguente, andai al Bryce Canyon National Park che a causa della nebbia e della nevicata era invisibile; allora, incavolato, optai per lo Zion National Park dove sembrava fosse estate. Era molto strano dato che i due parchi distano soltanto 70 chilometri l'uno dall'altro, e tuttavia pare che si trovino in continenti diversi per quel che riguarda il tempo. Per quanto io possa vivere, non capirò mai come funziona il tempo nel West.

Zion era di incredibile bellezza. Mentre il Grand Canyon va visto dall'alto, lo Zion lo si visita dal basso. È un lungo, lussureggiante canyon fitto di pioppi neri che coprono il fondo della valle con pareti di pietra color rame – il tipo di valle buia e proibita che ti aspetteresti di attraversare alla ricerca dell'Eldorado. Qua e là, dalla parete rocciosa, scaturivano cascate, lunghe e sottili, che, dopo un salto di 900 metri o più, finivano a valle, o direttamente nel Virgin River, ricco di mulinelli, oppure in varie pozze d'acqua. All'estremità della valle le alte pareti di roccia si stringevano fino a toccarsi. Nell'umida penombra le piante crescono dalle fessure della roccia, e conferiscono all'insieme l'effetto di giardini pensili. Molto pittoresco ed esotico.

Sembrava che dalle pareti a strapiombo dovessero piovere macigni da un momento all'altro – in verità a volte succede. A metà del sentiero, il fiume era improvvisamente pieno di massi, alcuni dei quali grandi come una casa. Un cartello diceva che il 16 luglio 1981 erano precipitate nel fiume più di 15.000 tonnellate di roccia, da un'altezza di 300 metri, ma non diceva se erano rimaste schiacciate delle persone. Oserei dire di sì. Persino allora, nel mese di aprile, si incontravano gruppi di persone lungo il sentiero; in luglio devono essercene a centinaia. Almeno un paio devono, quindi, averci lasciato la pelle. Quando le rocce rotolano giù, non c'è via di scampo.

Ero lì che riflettevo su questo triste pensiero, quando mi accorsi di udire un ronzio irritante dietro le mie spalle: un signore stava filmando le rocce con una videocamera. Dal momento che si trattava di uno dei primi modelli, il signore aveva su di sé ogni genere di batterie di scorta e di diavolerie di supporto. La cinepresa di per sé era enorme. Come andare in vacanza con l'aspirapolvere. In ogni modo, ben gli sta. Secondo me, la prima regola del consumismo è: non comprare mai niente che i miei figli non riescano a portare.

L'uomo aveva un'aria esausta ma, avendo egli speso una cifra ridicolmente esagerata per quell'aggeggio, era determinato a filmare qualsiasi cosa che gli passasse davanti agli occhi, anche a rischio di farsi venire l'ernia (nel qual caso, avrebbe ovviamente obbligato la moglie a filmare l'operazione). Non capirò mai la gente che corre a comprare i nuovi gadget; sicuramente, nel giro di un anno, si renderanno conto di fare la figura degli idioti appena i produttori usciranno con versioni più leggere e compatte dello stesso articolo, e a metà prezzo. Come quelli, ad esempio, che hanno speso 200 dollari per i primi calcolatori tascabili, gli stessi che qualche mese dopo venivano regalati ai distributori di benzina. Oppure quelli che hanno comprato i primi televisori a colori.

Nel 1958 un nostro vicino, il signor Sheitelbaum, aveva comprato un televisore a colori, quando trasmettevano solamente un paio di programmi a colori al mese. Noi andavamo a sbirciare dalla finestra quando sapevamo che ne andava in onda uno, ed era sempre la stessa solfa – gente dal volto arancione e vestiti che cambiavano continuamente colore. Il signor Sheitelbaum continuava ad alzarsi per smanettare sul televisore, mentre sua moglie, dall'altra parte della stanza, gli lanciava grida d'incoraggiamento.

Per alcuni secondi, il colore era abbastanza decente – non esattamente preciso, ma nemmeno troppo sgradevole, poi appena il signor Shietelbaum riappoggiava le chiappe sul sofà, tutto si rimescolava e noi vedevamo di nuovo cavalli verdi e nuvole rosse; e lui tornava al pannello dei comandi del televisore. Era una cosa patetica. Avendo speso una cifra esorbitante per quell'apparecchio, il signor Shietelbaum non si arrendeva mai e, per i quindici anni successivi, ogniqualvolta si passava davanti alla finestra del suo soggiorno, lo si vedeva armamentare davanti alla tivù, borbottando.

Nel tardo pomeriggio proseguii fino a St George, una piccola cittadina non lontana dal confine. Presi una camera all'Oasis Motel e cenai al Dixies Café. Dopo di che andai a fare due passi. St

George conserva quell'atmosfera di vecchia cittadina, sebbene in realtà la maggior parte degli edifici siano nuovi, a eccezione del Gaiety Movie Theater (TUTTI I POSTI A 2 DOLLARI) e del Dixie Drugstore, alla porta accanto. Sebbene il drugstore fosse chiuso, rimasi colpito nel vedere, attraverso la vetrina, un distributore di bevande: un autentico distributore di bevande in marmo, con sgabelli girevoli e cannucce incartate – si strappa un'estremità, si tiene la cannuccia tra i denti, si soffia forte, e così si fa volare la bustina, a mo' di bussolotto, dall'altra parte del negozio, nel reparto cosmetici.

Ero affranto. Quello doveva proprio essere l'ultimo distributore di bevande in un drugstore in America e il negozio era chiuso. Avrei dato un occhio della testa per entrare e ordinare dei cocktail: un *green river* o una *chocolate soda*; per soffiare nella bustina, sfidando poi il mio vicino in una gara di giri sullo sgabello. Il mio record personale è di quattro. So che non sembra un gran che, ma è molto più difficile di quanto si pensi. Bobby Wintermeyer ne fece cinque e poi vomitò. È uno sport molto pericoloso, credetemi.

All'angolo c'era una chiesa mormona o tempio o tabernacolo o come diavolo la chiamano loro, tutta in mattoni rossi. Portava iscritta la data del 1871 e sembrava abbastanza grande per contenere l'intera città – cosa che probabilmente succedeva spesso dato che nello Utah sono tutti mormoni. Sembra un fatto abbastanza allarmante, finché non ci si rende conto che lo Utah è l'unico posto al mondo dove non ci si deve preoccupare di quei ragazzi che tentano di convertirti alla loro religione. Qui ti credono già uno dei loro.

Fintanto che tieni i capelli molto corti e non dici 'Cazzo!' in pubblico, quando qualcosa va storto, puoi farla franca per anni; ciò ti fa sentire un po' come Kevin McCarthy in *L'invasione degli ultracorpi*, oltre a essere stranamente liberatorio. Dietro la chiesa mormona, iniziava un quartiere prevalentemente residenziale. Dopo le recenti piogge, tutto era verde e fresco. La città profumava di primavera, di lillà, di erba appena tagliata. Stava calando la sera. Era quella parte tranquilla della giornata, quando la gente finisce di cenare e va a fare due passi in giardino o in garage, senza combinare nulla di particolare, se non prepararsi poco dopo a fare ancora meno.

Le strade sono le più ampie che abbia mai visto, più che in qualsiasi altra città, persino nella zona residenziale. Evidentemente i mormoni amano le strade spaziose. Il perché non lo so. Strade spaziose e un sacco di mogli per divertirsi sono le basi della loro religione. Quando Brick Ham Young fondò Salt Lake City, una delle prime cose che fece fu di decretare che le strade dovevano avere un'ampiezza di 30 metri. Deve aver detto qualcosa di simile anche alla gente di St George. Young conosceva bene la città, aveva la sua casa di montagna – così se la gente del posto avesse mai tentato di violare la norma, lui sarebbe piombato immediatamente lì.

24

Vi faccio un indovinello. Che differenza passa tra il Nevada e un gabinetto? Risposta: in un gabinetto tiri lo sciacquone.

Il Nevada ha l'indice di criminalità più alto di qualsiasi altro stato. Sta al primo posto, quanto a violenze carnali, al secondo per la violenza in generale (superato di poco da New York), al primo per gli omicidi, al secondo per la gonorrea (l'Alaska ne detiene il primato), e al primo per la percentuale di persone di passaggio – quasi l'ottanta per cento dei residenti dello stato è nato infatti altrove. Ci sono più prostitute che in qualsiasi altro stato d'America. Ha una lunga tradizione di corruzione e solidi legami col crimine organizzato. Il più popolare intrattenitore è Wayne Newton. Detto questo, potete capire perché attraversai il confine dello Utah con un vago senso di inquietudine.

Poi, arrivato a Las Vegas, il mio disagio svanì. Ero frastornato. Impossibile non esserlo. Era pomeriggio tardi, il sole era basso, la temperatura attorno ai 28°, e lo Strip[1] era già invaso da gruppi di allegri escursionisti, con abiti vacanzieri e tasche visibilmente stracolme di denaro, che passeggiavano davanti ai casinò grandi come terminal dell'aeroporto. Tutto sembrava divertente e stranamente salubre. Mi aspettavo di trovare soltanto prostitute e macrò in cadillac smisurate, il genere di persone che portano le scarpe bianche di pelle e la giacca sopra le spalle. Mentre quelle erano persone comuni come voi e me, gente che si veste con tanto nylon e velcro. Presi una stanza in un motel nella parte povera dello Strip, feci una lunga doccia, mi cosparsi di borotalco, tirai

[1] L'arteria principale della città [*N.d.T.*].

fuori la maglietta più pulita e velocemente ritornai in strada, pervaso da un'eccitazione infantile. Dopo giorni di guida attraverso il deserto si è pronti per un po' di movimento, e questo a Las Vegas certamente non manca. Ora, nell'aria secca della sera, simile a un phon, stavano accendendosi le luci dei casinò – milioni e milioni di scintille colorate lampeggiavano, dardeggiavano, scoppiettavano, tutto per attirare la mia attenzione e i soldi che avevo in tasca. Non avevo mai visto una cosa del genere: un orgasmo visivo, un'allucinazione tridimensionale, una vera libidine per elettricisti. Esattamente come me l'aspettavo, soltanto moltiplicato per dieci.

I nomi degli hotel e dei casinò mi erano stranamente familiari: Caesar's Palace, Dunes, Sands, Desert Inn. Ciò che mi sorprese di più – e che sorprende la maggior parte della gente – è la quantità di appezzamenti di terreno liberi. Qua e là, tra gli svettanti monoliti, si aprono spiazzi grandi un quarto di chilometro, come dei deserti silenziosi, piccole oasi tranquille di buio calmo che aspettano di essere sviluppate. Dopo che si è entrati in un paio di case da gioco e si è visto quanti soldi vi si riversano, come ghiaia scaricata da un camion, è difficile credere che esista così tanto denaro al mondo da poterne alimentare altre. Tuttavia continuano a costruirne. L'avidità dell'uomo è praticamente insaziabile, la mia compresa.

Entrai al Caesar's Palace. Rispetto alla strada, si trova molto all'interno; ci arrivai su un tapis-roulant che mi impressionò molto. All'interno regnava un'atmosfera irreale. L'arredamento dovrebbe richiamare un tempio romano o qualcosa del genere. Molte statue di gladiatori e di statisti disseminate nelle sale, le coniglietta e le signore addette al cambio, vestite con toghe succinte, anche se vecchie e sformate. Lo erano quasi tutte; mentre si muovevano i loro fianchi sobbalzavano, sembravano budini di gelatina con le gambe. Andai a zonzo per le sale, piene di gente intenzionata a perdere soldi – incessantemente, con il solo scopo di introdurre monete nelle slot machine o di osservare la danza della pallina d'acciaio nella roulette, o di giocare a blackjack; tutto era senza inizio né fine, ma continuo, come il tempo. Tutto aveva un ritmo monotono e al tempo stesso ansioso. Non c'era alcun senso di piacere o di divertimento. Non vidi nessuno parlare con altri, tranne che per ordinare un drink o per incassare denaro. Il rumore era intenso – lo schiocco delle slot machine, il ruotare di migliaia di roulette, il tintinnio delle monete di chi vinceva.

Quando una signora di gelatina, addetta al cambio, mi passò vicino, cambiai 10 dollari in quarti di dollaro. Ne giocai uno in una slot machine, era la prima volta; sono dell'Iowa – tirai la maniglia e osservai le figure che giravano e si sistemavano sulla linea. Ci fu una breve pausa, poi la macchina sputò sei quarti. Rimasi stregato. Puntai altre monete, se perdevo ne inserivo altre, se invece vincevo mi giocavo la vincita. Dopo cinque minuti avevo finito le monete. Feci un segno a una vestale dai fianchi larghi, e cambiai altri 10 dollari. Questa volta ne vinsi subito dodici. Ci fu un sacco di rumore. Mi guardai attorno orgoglioso ma nessuno faceva attenzione. Poi vinsi altri 5 dollari. Ehi! Mi... mi va bene, pensai. Misi tutti i soldi che mi occhieggiavano in una coppetta di plastica con sopra scritto Caesar's Palace; dopo venti minuti circa il contenitore era vuoto. Cambiai altri 10 dollari, e iniziai a inserirli nella macchina. Ne vinsi e ne persi.

Stavo iniziando a rendermi conto che le macchine seguivano uno schema preciso: in media ogni quattro monete inserite, ne vincevo tre, talvolta tutte insieme, talvolta alla spicciolata. Il braccio destro cominciò a farmi un po' male. In verità era noioso tirare ripetutamente l'asta, osservare le figure che ruotavano e sentire il rumore ripetitivo della macchinetta. Con l'ultima moneta vinsi 3 dollari. Fui leggermente deluso perché avevo sperato di andare a cena. Ma mi era rimasta ancora una manciata di quarti. Allora doverosamente rigiocai e vinsi ancora. Mi stavo proprio stufando. Alla fine, dopo circa mezz'ora, mi sbarazzai dell'ultima moneta e riuscii a partire alla ricerca di un ristorante.

Uscendo notai una macchina che faceva un baccano infernale. Una signora aveva appena vinto 600 dollari. La slot machine andò avanti a sputare soldi per novanta secondi, una cascata di monete. Quando si arrestò, la signora osservò la montagna, poi riprese a giocare. Mi spiacque per lei. Avrebbe dovuto passare la notte intera a sbarazzarsi di tutti quei soldi.

Mi aggirai per la sala in cerca dell'uscita; ma il posto è progettato di proposito per lasciare la gente disorientata. Non ci sono finestre né indicazioni per l'uscita, solamente una sfilza di stanze, tutte immerse in una luce soffusa e ovattate da una moquette che sembrava fosse stata ordinata, sgarbatamente, al telefono, da qualche dirigente: "Mi mandi 20.000 metri del modello più orrendo". Sembrava del vomito tessuto. Mi aggirai per un'eternità senza sapere se stavo allontanandomi o avvicinandomi all'uscita; passai di fronte a un piccolo shopping center, ad alcuni ristoranti, a un buffet, a un cabaret, a molti bar bui e silenziosi dove la gente rimuginava, davanti all'orchestra e a showmen scadenti ("E mentre c'è, mi mandi anche un po' di showmen da quattro soldi") e di fronte a una grande sala dalle pareti tappezzate di schermi televisivi giganti che trasmettevano incontri sportivi in diretta – baseball, basket, boxe, ippica. Un'intera parete di atleti stava silenziosamente giocando per il divertimento di un solo spettatore, per di più addormentato.

Non so quante sale ci siano, senza dubbio molte. Spesso era difficile dire, da un'angolatura diversa, se quella che vedevo era una sala nuova o vecchia. A ogni modo tutto è uguale: lunghe file di persone che perdono soldi tristemente e meccanicamente. Sembravano ipnotizzati. Nessuno di loro capisce che tutto va a loro discapito.

Che tutto è un'incredibile trappola. Alcune delle case da gioco guadagnano 100 milioni di dollari l'anno; in pratica le stesse cifre che riescono a guadagnare le società più importanti – e senza dovere far nulla se non aprire i battenti. Per gestire un casinò non ci vogliono né particolare abilità, né intelligenza, né classe. Ho letto su *Newsweek* che il proprietario dell'Horseshoe Casino non ha mai imparato né a leggere né a scrivere. Ci credereste? Ciò è sufficiente per darvi una vaga idea del livello intellettuale che occorre per aver successo a Las Vegas. Improvvisamente odiai il luogo. Ero arrabbiato con me stesso per essere entrato nell'ingranaggio, per aver perso 30 dollari con tanta velocità e così a cuor leggero. Con quei soldi avrei potuto comprare un berretto da baseball con uno stronzo di plastica sulla visiera, e un posacenere a forma di W.C. con la scritta: 'Appoggiate qui la vostra sigaretta. Souvenir di Las Vegas, Nevada'[2]. Ciò mi rese depresso.

Andai a mangiare al buffet del Caesar's Palace sperando che un po' di cibo avrebbe migliorato il mio umore. Il buffet costava 8 dollari, ma dal momento che si poteva mangiare a piacere, presi una montagna di ogni cosa, intenzionato a recuperare parte della mia perdita. Il piatto era una tale mistura di cibi, salse e salsine varie che sembrava un pastone senza gusto, eppure lo divorai ugualmente. Come dessert ordinai un pastone al cioccolato e alla fine mi sentii veramente male. Come se avessi mangiato un rotolo di materiale isolante. Tenendomi la pancia gonfia, raggiunsi l'uscita. Non trovai più il tapis-roulant che conduceva alla strada – a

[2] Gioco di parole sul doppio significato di 'butt': sedere e sigaretta [*N.d.T.*].

Las Vegas non c'è spazio per i perdenti o per chi non vuole giocare. Dovetti percorrere un lungo tratto di strada fino alla via illuminata che conduceva allo Strip.

L'aria fresca mi aiutò un poco, anzi, solo un pochino. Camminai con difficoltà attraverso la folla lungo lo Strip, sembrava facessi una pietosa imitazione di Quasimodo. Entrai in altri due casinò, sperando che avrebbero stimolato la mia avidità facendomi dimenticare la pancia piena. Erano praticamente identici al Caesar's Palace: stesso rumore, stessa gente stupida che perde soldi, stessa moquette orrenda. Mi dava un gran mal di testa. Dopo un po' diedi forfait e tornai al motel. In camera, mi buttai sul letto e guardai la televisione con quella rigidità da mummia che ti prende quando lo stomaco è troppo carico, quando non c'è il telecomando e col piede non arrivi a premere i pulsanti per cambiare canale. Allora guardai il telegiornale locale. Consisteva principalmente di un elenco degli omicidi della giornata a Las Vegas, seguito da reportage filmati sulle varie scene del delitto.

C'era sempre una casa con la porta aperta, degli investigatori di polizia e, ai margini, un gruppo di bambini del vicinato che agitavano allegramente le mani davanti alle telecamere e dicevano ciao alla mamma.

Tra un reportage e l'altro i due conduttori sparavano una serie di battute senza senso, poi aggiungevano con tono gioviale notizie del tipo: "Oggi a Boulder City una mamma e i suoi tre bambini sono stati fatti a pezzi a colpi di ascia da un boscaiolo impazzito. Tra poco seguirà un reportage filmato sull'accaduto". Dopo un lungo intervallo pubblicitario, principalmente di prodotti antistitichezza, seguivano i servizi filmati sui disastri locali: incendi, aerei da turismo schiantati, tamponamenti a catena sulla Highway a Boulder, e altri accenni a stragi locali con il relativo servizio che mostrava case bruciate, cadaveri coperti da lenzuola e, ai margini della scena, un gruppetto di bambini che agitavano allegramente la mano e dicevano ciao alla mamma. Forse era solamente la mia fantasia, ma giurerei che erano sempre gli stessi bambini. Forse la violenza americana ha fatto nascere un nuovo tipo di personaggio: il testimone televisivo di professione.

Alla fine andò in onda un servizio speciale su un uomo che aspettava di uscire di prigione. Dieci anni prima aveva violentato una giovane donna e poi, per sentirsi più gratificato, le aveva segato le braccia all'altezza del gomito. Proprio così. Il fatto era talmente scioccante, anche per la sensibilità indurita degli abitanti del Nevada, che si prevedeva una gran folla davanti all'uscita, il mattino seguente alle sei. L'inviata fornì quindi tutte le informazioni necessarie per permettere ai telespettatori di recarsi al carcere e di unirsi alla folla. La polizia, aggiunse, si rifiutava di garantire l'incolumità di quell'uomo. Il servizio terminava con l'inquadratura dell'inviata che parlava davanti al cancello della prigione. Dietro a lei un gruppetto di bambini saltellava su e giù, agitava la mano e faceva ciao alla mamma. Per i miei gusti, tutto stava diventando troppo strano. Mi alzai a fatica e trovai un canale che trasmetteva *Mr Ed.* E con *Mr Ed*, per lo meno, si ritrovano i punti fermi.

Il mattino successivo, per uscire da Las Vegas, presi l'Interstate 15 sud, un lungo rettilineo attraverso il deserto. È la strada principale tra Las Vegas e Los Angeles, 438 chilometri; sembra di passare in un forno a microonde. Dopo circa un'ora entrai in California, in una zona chiamata Devil's Playground, caratterizzata da terra stinta e macchie di cespugli di creosoto. Il sole picchiava. Le lontane Soda Mountains tremolavano e, a distanza, le auto che arrivavano in senso contrario parevano palle di fuoco, tanta era l'intensità del loro riflesso. Sulla strada davanti a me, c'era sempre la macchia liscia di un miraggio che si spostava più avanti, man mano che mi avvicinavo. Lungo il ciglio della strada, a volte proprio in mezzo al deserto, incontravo auto che non erano riuscite a portare a termine il loro viaggio. Pareva che alcune fossero lì da molto tempo.

Che posto orrendo per rimanere in panne! D'estate è uno dei punti più caldi della terra. Sulla destra, oltre le riarse Avawats Mountains, si trova la Death Valley (Valle della Morte) dove nel 1913 fu registrata la temperatura più alta d'America: 56 gradi (il record mondiale fu raggiunto in Libia nel 1922 con un grado di più). Ma si trattava della temperatura all'ombra. Un termometro a terra sotto il sole, ha raggiunto i 110°. Persino allora, nel mese di aprile, la temperatura si aggirava intorno ai 34 gradi ed era molto piacevole. Impossibile però immaginare il doppio di caldo. Eppure molta gente ci viveva, in orribili città come Baker e Barstow, dove per cento giorni l'anno la temperatura non scende al di sotto dei 34 gradi, e dove possono passare dieci anni senza una goccia di pioggia. Proseguii, desideroso di trovare acqua fresca e verdi colline.

Uno dei lati positivi della California è che ti basta poco per capire che è una terra di contrasti assoluti. Lo stato ha una situazione geografica stranissima. Il punto più basso d'America si trova nella Death Valley - 850 metri sotto il livello del mare - e al tempo stesso, su di essa si affaccia il punto più alto (senza contare l'Alaska) - il Mount Whitney, di 4553 metri. Volendo, prima si potrebbe friggere un uovo sul tettuccio dell'auto nella Death Valley, poi andare su un ghiacciaio a 50 chilometri di distanza e surgelarlo. Il mio progetto originario era quello di attraversare le Sierra Nevada passando per la Death Valley (fermandomi per effettuare l'esperimento delle uova), ma la signora delle previsioni del tempo alla radio mi informò che i passi montani erano ancora tutti chiusi a causa del recente maltempo. Allora fui costretto a fare una deviazione poco gratificante attraverso il Mojave Desert, percorrendo la vecchia Highway 58. La strada costeggia la Edwards Air Force Base: 70 chilometri di recinzione apparentemente interminabile. Era alla base di Edwards che una volta atterrava lo Space Shuttle e dove Chuck Yaeger infranse la barriera del suono. È un posto da duri, ma dall'autostrada non riuscii a vedere proprio un bel niente - né aerei, né hangar, ma solo chilometri e chilometri di recinzione.

Oltre la cittadina di Mojave il deserto finisce, e il panorama si apre su dolci colline e agrumeti. Attraversai l'acquedotto di Los Angeles che porta l'acqua dal nord della California fino a Los Angeles per 80 chilometri. Anche lo smog della città, attraversata la collina, era arrivato fin lì. La visibilità non superava il chilometro, si vedeva solo un banco di foschia grigiastra. Dall'altro lato della strada, il sole era un disco di luce pallida. Tutto sembrava stinto. Persino le colline, tondeggianti, coperte di massi e vegetazione bassa, sembravano itteriche. Tuttavia avevano qualcosa di stranamente familiare - poi capii la ragione. Erano i posti dove, nei telefilm degli anni Cinquanta andavano a cavalcare Lone Ranger, Zorro, Roy Roger e Cisco Kid. Fino ad allora non mi ero mai reso conto che il West dei film e quello della tivù sono due luoghi completamente diversi. Le troupe cinematografiche, ovviamente, si spingono nel vero West - quello dei canyon, delle rocce ripide e delle valli di fiumi dai riflessi rossi - mentre quelle televisive, lavorando in economia, si spostano di qualche chilometro all'interno delle colline a nord di Hollywood, e fanno le loro riprese dai margini degli agrumeti.

Si vedevano chiaramente gli stessi massi dietro ai quali si appostava Tonto, il fedele braccio destro di Lone Ranger. Ogni settimana Lone Ranger mandava Tonto ad appostarsi dietro questi massi per spiare l'accampamento dei cattivi e, immancabilmente, Tonto veniva catturato. Era proprio tonto. Ogni settimana Lone Ranger doveva salvare Tonto ma naturalmente non gli pesava perché lui e Tonto erano molto intimi. Lo si capiva dal modo in cui si guardavano.

Quelli sì che erano bei tempi. Ora i bambini se ne stanno a guardare gente che viene ridotta in poltiglia con una sega elettrica e non ne traggono alcun messaggio. Mi rendo conto che, agli occhi dei giovani, ciò mi fa sembrare molto vecchio e bisbetico, ma sono convinto che sia un peccato che non esistano più delle sane trasmissioni come quelle di quando ero ragazzo io, dove gli eroi indossavano maschera e mantello, avevano la frusta e amavano il prossimo. Davvero, vi siete mai soffermati a pensare che strani tipi di modelli ci hanno propinato quando eravamo bambini? Pensate a Superman. Un tipo che si cambia d'abito in pubblico. O a Davy Crockett, che conquistò il West, combatté valorosamente ad Alamo, senza accorgersi di avere in testa uno scoiattolo morto. Non mi meraviglia che la gente della mia età sia cresciuta confusa e che abbia fatto un uso smodato di droga. Fra tutti, il personaggio che preferivo era Zorro. Ogni volta che era irritato con qualcuno sguainava la spada e con tre colpi veloci, zac zac zac, incideva una Z sulla camicia del marrano. Chi non morirebbe dalla voglia di farlo?

"Cameriere, avevo chiesto una bistecca al sangue."
"Zac, zac, zac!"
"Guardi che c'ero prima io!"
"Zac, zac, zac!"
"Intende dire che non ha nulla della mia taglia?"
"Zac, zac, zac!"

Per intere settimane, io e il mio amico Robert Swanson ci esercitammo coi coltelli da cucina di sua madre, per riuscire a fare la stessa cosa di Zorro, ma i nostri risultati si limitarono ad alcune camicie rovinate e a ferite profonde sul petto; dopo un po' rinunciammo perché era troppo difficile e doloroso, decisione della quale ancor oggi a volte mi rammarico.

Mentre mi avvicinavo a Los Angeles mi frullava in capo l'idea di entrare in città, ma rinunciai a causa dello smog, del traffico ma soprattutto per il pensiero di incontrare qualcuno che mi incidesse veramente una Z sul petto. Credo che sia sacrosanto che i pazzi abbiano una città tutta per loro, ma non capisco perché una persona sana di mente, che tenga alla sua incolumità fisica, provi il desiderio di andarci. Inoltre Los Angeles ormai è *passè* e non riserva sorprese. Intendevo attraversare il cuore segreto della California, e passare per la fertile San Joaquin Valley. Nessuno ci va mai. Il motivo è molto semplice e lo avrei scoperto di lì a poco. È un posto incredibilmente noioso!

25

Mi svegliai tranquillamente eccitato. Era una mattina limpida, soleggiata, un'ora dopo sarei partito per il Sequoia National Park e passato attraverso un albero. Ero pervaso da una sorta di calma eccitazione interiore. Quando avevo cinque anni, mio zio Frank e sua moglie Fern di Winfield, andarono in vacanza in California – questo naturalmente prima di scoprire che zio Frank era omosessuale (quel vecchio demonio!) e scappasse a Key West col suo parrucchiere. La notizia scioccò e sconvolse molte persone a Winfield, soprattutto quando si resero conto che per tagliarsi i capelli avrebbero dovuto andare fino a Mount Pleasant – e ci mandarono la cartolina di una sequoia che aveva un diametro talmente enorme che ci passava in mezzo una strada. L'immagine mostrava una giovane coppia su una Studebaker decappottabile che passava attraverso l'albero. Dall'espressione sembrava stessero sperimentando qualcosa che si avvicinava a un sano orgasmo. Ne rimasi immediatamente colpito. Allora andai da mio padre, gli chiesi se potevamo trascorrere le prossime vacanze in California e passare attraverso un albero. Mio padre guardò la cartolina e rispose: "Può darsi... magari un giorno". Sapevo di avere tante probabilità di passare attraverso un albero quanto di vedermi spuntare immediatamente i peli sul pube.

Ogni anno, mio padre faceva una riunione di famiglia (ci credete?) per discutere la destinazione delle vacanze e, ogni anno, io insistevo per andare in California e visitare l'albero con la strada che ci passa in mezzo. Allora mio fratello e mia sorella sghignazzavano crudelmente e dicevano che si trattava di un'idea veramente cretina. Mio fratello voleva sempre andare sulle Montagne Rocciose, mia sorella in Florida e mia madre, invece, ripeteva che a lei non importava la destinazione purché si andasse tutti assieme. Poi mio padre tirava fuori degli opuscoli dai titoli tipo *Arkansas – La terra dei sogni* e *Arkansas – lo stato delle meraviglie* e *Attrattive turistiche dell'Arkansas* (con la premessa del Governatore Luther T. Smiley) e quell'anno improvvisamente si prospettava la possibilità concreta di andare in Arkansas, indipendentemente dai nostri desideri sull'argomento vacanze. Quando avevo undici anni andammo in California, proprio nello stato che ospitava l'albero dei miei sogni, ma visitammo solamente posti come Disneyland, l'Hollywood Boulevard e Beverly Hills. (Il babbo era troppo spilorcio per comprare una cartina che indicasse le ville delle star, così facemmo un giro tirando a indovinare.) A colazione, un paio di volte, domandai se fosse possibile andare a vedere l'albero con la strada che ci passa in mezzo, ma tutti si mostrarono riluttanti – troppo lontano, incredibilmente noioso, troppo dispendioso – così mi persi d'animo e non lo proposi più. Infatti non risollevai più la questione. Il desiderio rimase nei meandri della mia mente, uno dei cinque grandi desideri insoddisfatti della mia giovinezza. (Gli altri, ovviamente, erano: poter fermare il tempo, avere il dono degli occhi a raggi X, poter ipnotizzare mio fratello e farlo diventare il mio schiavetto, e vedere Sally Ann Summerfield come mamma l'aveva fatta.)

Non mi sorprende che non se ne sia avverato neanche uno. (E forse, meglio così. Ora Sally Ann Summerfield è grossa come un baule. Due anni fa si presentò a una riunione della mia scuola ed era proprio un barile.) Per lo meno uno era sul punto di concretizzarsi. Provai un brivido d'eccitazione mentre mettevo la valigia nel baule e imboccavo la Highway 63 per il Sequoia National Park.

Avevo passato la notte a Tulare, nel cuore della San Joaquin Valley. È la zona più ricca e fertile del mondo. Coltivano oltre duecento tipi di prodotti. Quella stessa mattina, al notiziario della televisione locale, dissero che il giro d'affari agricolo nella Contea di Tulare dell'anno precedente ammontava a 1600 milioni di dollari – corrisponde al fatturato dell'Austin Rover – e tuttavia che era al secondo posto nello stato. La Contea di Fresno, a un tiro di schioppo da lì, era ancora più ricca. Eppure, il paesaggio non appariva altrettanto brillante. La valle è piatta come un campo da tennis. Si allunga per chilometri e chilometri in ogni direzione, monotona, scura e polverosa, e l'orizzonte è sempre coperto da foschia, come una finestra sporca. Sarà stata la stagione, o forse la siccità che iniziava a soffocare la California centrale, ma non aveva l'aria di essere né ricca né fertile. Inoltre le città disseminate sulla pianura sono ugualmente monotone. Sembrano città qualsiasi.

Non sembrano né ricche né moderne e nemmeno interessanti. Se non ci fossero state arance grosse come pompelmi sugli alberi dei giardini davanti alle case, avrei potuto trovarmi nell'Indiana o nell'Illinois o da una qualsiasi altra parte. Ciò mi sorprese. Quando ero andato in California in vacanza coi miei genitori, era stato come fare un viaggio nel futuro. Tutto sembrava moderno e nuovo di zecca. Quelle che nell'Iowa erano ancora novità – i centri commerciali, le banche drive-in, i fast-food di McDonald, i campi da minigolf, i ragazzi sullo skate-board – in California erano già passate di moda. Ora sembrano ancora più datate. Il resto del paese ha raggiunto lo stesso livello. La California del 1988 non ha nulla che l'Iowa non abbia, eccetto lo smog. E le spiagge. E le arance nel giardino davanti a casa. E gli alberi dove ci passa la strada in mezzo.

A Visalia mi inserii nell'Highway 198 e attraversai un paesaggio di limoneti dal profumo fragrante; costeggiai la riva del lago Kaweah e salii sulle pendici delle montagne della Sierra Nevada. Poco dopo Three Rivers, entrai nel parco, dove un ranger in una casetta di legno mi fece pagare un biglietto di 5 dollari e mi diede un opuscolo con elencati i punti di maggior interesse. Lo sfogliai velocemente in cerca della strada che passava attraverso l'albero, ma non c'erano fotografie, solo parole e una cartina con segnati nomi coloriti e allettanti del tipo: Avalanche Pass, Mist Falls, Farewell Gap, Onion Valley, Giant Forest[1]. Mi diressi vero Giant Forest.

Il Sequoia National Park e il Kings Canyon National Park sono contigui. In effetti formano un unico parco nazionale e, come tutti i parchi nazionali del West, sono di notevoli dimensioni – 120 chilometri di lunghezza e 45 di larghezza. A causa dei tornanti sulla strada che si inerpicava sulla montagna, avanzavo molto lentamente anche se dilettato da uno splendido scenario.

Guidai due ore su strade a picco, passando in mezzo a dei massi sospesi. Qua e là c'erano ancora ampie chiazze di neve. Finalmente entrai in un bosco buio e misterioso di sequoie giganti

[1] Passo Valanga, Cascate Foschia, Orrido dell'Addio, Valle Cipolla, Foresta Gigante [*N.d.T.*].

(*Sequoiadendron Giganteum*, secondo il mio opuscolo). Gli alberi erano, senza alcun dubbio, alti e con una base enorme, ma non tanto quanto una Highway. Forse sarebbero diventati più grandi man mano che mi fossi spinto all'interno. Le sequoie sono alberi orrendi, svettano alti alti, con i rami radi e mozzi, e hanno un'aria stupida, come i disegni degli alberi che fanno i bambini di tre anni. In mezzo alla foresta c'è l'albero del Generale Sherman – la cosa vivente più vecchia del mondo. Forse era proprio quello l'albero che stavo cercando. "Caspita Chevette! C'è qualcuno che ti fa concorrenza!" esclamai, battendo degli affettuosi colpetti sul volante.

Quando poi mi avvicinai alla sequoia, trovai un piccolo parcheggio e un sentiero che conduceva nel bosco. Evidentemente non era più possibile passare con l'auto attraverso l'albero. Fu una delusione – ditemi qualcosa che non lo sia nella vita – ma pazienza, pensai. Ci passerò a piedi; il piacere durerà più a lungo. Ci passerò attraverso molte volte. Raggiante, ci farò sotto un bel giretto e, se non c'è troppa gente, può darsi che mi metta a ballarci intorno, leggero come una piuma, come Gene Kelly quando ballava tra le pozzanghere in *Cantando sotto la pioggia*.

Sbattei la portiera dell'auto, seguii il sentiero e vidi la sequoia dinanzi a me, protetta da una piccola recinzione per impedire alla gente di avvicinarsi troppo. Come grandezza andava bene – grande e grossa – ma non *così* alta e nemmeno *così* grande. E non c'era nessun buco alla base. Forse si sarebbe potuto far passare una strada di modestissime dimensioni, ma – e qui è la cosa importante – nessuno l'aveva mai fatto. Accanto all'albero un enorme cartello riportava una serie di informazioni. C'era scritto: 'La sequoia gigante del Generale Sherman non solo è l'albero più grande del mondo, ma anche la cosa vivente più vecchia del mondo. Ha almeno 2500 anni ed è perciò una delle cose viventi più vecchie. E anche se è così la cosa non è incredibilmente noiosa? Non è poi così grande e nemmeno così grossa. Ciò che la distingue dalle altre è il fatto di non essere tanto affusolata. Rimane tozza fino in cima. Perciò ha un tronco più massiccio rispetto agli altri esemplari. Se volete vedere sequoie molto più impressionanti – quelle con strade scavate alla base del tronco – dovete andare al Redwood National Park, su a nord, vicino al confine con l'Oregon. Di proposito abbiamo posto una recinzione attorno all'albero per tenervi a una distanza di sicurezza e intensificare il vostro disappunto. Come se questo non fosse abbastanza, sul sentiero dietro di voi sta arrivando un gruppo di ragazzi tedeschi chiassosi. La vita non è una schifezza?'

Se vi fa piacere, questo era il succo parafrasato del discorso. I tedeschi arrivarono; si mostrarono protervi e irriguardosi, come tendono a essere gli adolescenti, e mi rubarono l'albero. Si appollaiarono sulla recinzione e iniziarono a scattare fotografie. Mi tolsi qualche piccola soddisfazione passando davanti a chi stava scattando, ma si tratta di un'azione dalla quale è difficile trarne un divertimento prolungato, perfino contro i tedeschi, così dopo un paio di minuti mi allontanai, lasciandoli nelle loro discussioni su *die Pop Music* e *das Drugs Scene* e altri problemi adolescenziali.

Tornato all'auto, guardai la cartina stradale. Fui scoraggiato di scoprire che il Redwood National Park era a quasi 800 chilometri di distanza. Non riuscivo quasi a crederci. Mi trovavo a 450 chilometri a nord di Los Angeles e anche percorrendone altri 800 mi sarei trovato *ancora* in California. Da nord a sud si allunga per 1300 chilometri – pressappoco la stessa distanza tra Londra e Milano. Mi ci sarebbe voluto un giorno e mezzo per arrivare al Redwood National Park, più un giorno e mezzo per ritornare al punto di partenza. Non avevo tutto quel tempo a disposizione. Tristemente, accesi il motore e guidai verso lo Yosemite National Park, a 120 chilometri di strada.

Risultò essere proprio una bella delusione. Mi dispiace lamentarmi, veramente, ma Yosemite è una delusione di gigantesche proporzioni. È di incredibile bellezza. Prima si passa dalla valle di El Captain che, con le sue maestose montagne e le immacolate cascate che cadono da centinaia di metri d'altezza sui campi in fondo alla valle, dà l'impressione di trovarsi in paradiso. Poi si prosegue fino al paese di Yosemite e ci si rende conto che se quello è il paradiso, si passerà il resto dell'eternità in mezzo a un sacco di persone obese in bermuda. Yosemite è un caos. Il servizio dei parchi nazionali americani – e qui bisogna essere onesti – ne gestisce in modo pietoso la maggior parte. Questo è sorprendente perché in America le attività del tempo libero sono circa un milione di volte meglio che da qualsiasi altra parte. Ma non i parchi nazionali. Gli uffici turistici sono generalmente squallidi, il cibo è sempre pessimo e caro, e di solito si riparte senza aver imparato niente della vita degli animali, della geologia e della storia di quei luoghi che, per visitarli, si sono percorsi centinaia e centinaia di chilometri. I parchi nazionali dovrebbero conservare la parte selvaggia dell'America ma, in molti di essi, il numero di animali è effettivamente diminuito. A Yellowstone non ci sono più né lupi, né puma, né cervi dalla coda bianca, e il numero di castori e di stambecchi si è notevolmente ridotto. Queste specie di animali prosperano fuori da Yellowstone, ma per quanto riguarda le autorità forestali del parco, esse sono estinte.

Non so perché, ma il Servizio dei Parchi Nazionali ha una lunga tradizione di incompetenza. Negli anni Sessanta, e questo è incredibile, invitò la Walt Disney Corporation a costruire un parco dei divertimenti nel Sequoia National Park. Grazie a Dio, del progetto non ne fecero più nulla. Altri però sono andati in porto: nel 1923, dopo una lunga battaglia tra conservatori e uomini d'affari, la Hetch Hetchey Valley, situata nella parte settentrionale di Yosemite – e si diceva fosse ancor più bella e spettacolare della Yosemite Valley stessa – fu allagata per creare un bacino d'acqua potabile per San Francisco, a 230 chilometri più a ovest. Così da sessant'anni, uno dei pochissimi tratti di paesaggio più mozzafiato del pianeta, è coperto d'acqua per ragioni commerciali. Che Dio ci aiuti se un giorno scopriranno il petrolio in quel punto.

Oggi il grande problema a Yosemite è semplicemente quello di non perdersi. Non ho mai visto un posto con una segnaletica così malfatta. È come se volessero nascondere il parco. Nella maggior parte dei parchi, la prima cosa che si ha voglia di fare è di andare all'ufficio del turismo per dare uno sguardo alla piantina gigante, farsi un'idea generale e decidere cosa vedere. A Yosemite però l'ufficio del turismo è praticamente introvabile. Per circa 25 minuti dovetti vagare in auto per il paesino prima di trovare il parcheggio. Poi persi altri venti minuti sbagliando strada per scovare l'ufficio. Quando lo trovai, ormai conoscevo la strada e non avevo più bisogno di andarci.

E tutto è così incredibilmente e desolantemente affollato – i self-service, l'ufficio postale, i negozi. Era aprile; non posso immaginare cosa dev'essere in agosto. Non sono mai stato in un posto che al tempo stesso è fantastico e orrendo. Alla fine, feci una bella passeggiata e andai a vedere le cascate. Il paesaggio era straordinario. Credo però che possa essere gestito meglio.

Alla sera guidai fino a Sonora, lungo sinuose strade di montagna, alla luce cadente di un tranquillo tramonto. Arrivai in città col buio e feci fatica a trovare una stanza. Era un giorno infrasettimanale, ma tutto era pieno. Alla fine trovai un motel scandalosamente caro e con una pessima ricezione televisiva. Era come vedere persone davanti a uno specchio deformante. Prima si spostavano i corpi e, un secondo dopo, venivano seguiti dalle teste, come se tirate da un elastico. E mi era costato 42 dollari. Il letto era come un tavolo da biliardo con le lenzuola. E l'asse del gabinetto non aveva la striscia di carta con la scritta GARANZIA D'IGIENE, privandomi del mio rito quotidiano di tagliarla con una forbice e dire: "Dichiaro questo gabinetto aperto". Sono cose che diventano importanti dopo una giornata passata da soli in auto. D'umore perfido, presi l'auto e andai a cena in città in un ristorante da poco. Dopo un bel po' arrivò la cameriera a prendere l'ordinazione. Aveva un'aria volgare e la fastidiosa abitudine di ripetere tutto ciò che le dicevo.

"Vorrei un petto di pollo impanato", dissi.

"Desidera un petto di pollo impanato?"

"Sì. E un contorno di patatine fritte."

"Desidera un contorno di patatine fritte?"

"Sì. E desidererei anche un'insalata ben condita."

"Desidera anche un'insalata ben condita?"

"Sì, e una Coca Cola."

"Desidera una Coca Cola?"

"Mi scusi signorina, ma ho avuto una brutta giornata e se non la smette di ripetere tutto ciò che dico, prendo la bottiglia di ketchup e gliela rovescio tutta sulla camicetta."

"Prende quella bottiglia di ketchup e me la rovescia tutta sulla camicetta?"

A dir la verità non la minacciai col ketchup; per il semplice fatto che la signorina poteva sempre avere un fidanzato grande e grosso che mi avrebbe picchiato. Inoltre, una volta conobbi una cameriera che mi disse che quando un cliente era maleducato con lei, andava in cucina e gli sputava nel piatto. Da allora non sono più stato sgarbato con una cameriera e non ho più mandato indietro un piatto poco cotto (perché in questo caso è il cuoco a sputare) – ma ero così di malumore che appiccicai immediatamente la gomma da masticare nel posacenere, senza incartarla in un tovagliolino come mi ha sempre insegnato mia mamma, e la schiacciai col pollice cosicché non sarebbe caduta svuotando il posacenere, ma avrebbero dovuto staccarla con una forchetta. E sapete una cosa – che Dio mi perdoni – mi tolsi una piccola soddisfazione.

Il mattino seguente, mi diressi a nord di Sonora, sulla Highway 49, chiedendomi come sarebbe andata la giornata. Volevo proseguire a est, attraverso le Sierra Nevada, ma molti passi erano ancora chiusi. La Highway 49 in realtà mi portò a percorrere una strada serpeggiante attraverso un paesaggio collinare. Boschetti e praterie si affacciavano sulla strada e, di tanto in tanto, passavo accanto a una vecchia fattoria, ma non c'era segno di coltivazioni. Le città che attraversai – Tuttle Town, Melones, Angel's Camp – erano i posti dove ebbe luogo la corsa all'oro in California. Nel 1848, un uomo di nome James Marshall, trovò una pepita d'oro a Sutter Creek, poco distante da lì, e la gente impazzì. Nel giro di circa ventiquattro ore, 40.000 cercatori d'oro si riversarono nello stato e in poco più di un decennio, tra il 1847 e il 1860, la popolazione della California passò da 15.000 a quasi 400.000 persone. Alcune delle città sono state conservate allo stato originale – Sonora non è poi così male da questo punto di vista – ma in realtà non c'è molto da vedere se si pensa che una volta quella fu la scena della più grande corsa all'oro della storia. Credo che ciò sia largamente dovuto al fatto che molte persone vivevano in tende e, quando l'oro si esaurì, se ne andarono anche loro. Oggi quasi tutte le cittadine offrono il solito carosello di stazioni di servizio, motel e fast-food. È dappertutto, U.S.A.

A Jackson scoprii che avevano riaperto il tratto montano della Highway 88 – il primo passo aperto nella Sierra in quasi 500 chilometri – e ci andai. Mi ero aspettato di prendere il passo successivo, l'infame Donner Pass dove, nel 1846, un gruppo di coloni era rimasto intrappolato da una tempesta per parecchie settimane. I coloni sopravvissero mangiandosi l'un l'altro; e l'avvenimento allora aveva fatto molto scalpore. Il capo del gruppo si chiamava Donner. Non so cosa ne fu di lui, ma scommetto che, dopo l'accaduto, al ristorante ordinasse sempre costolette. In ogni modo, si guadagnò il nome sulla cartina. Il Donner Pass è anche sul percorso della prima ferrovia transcontinentale, della Southern Pacific, della prima autostrada transcontinentale, cioè della vecchia Route 40, della Lincoln Highway, per 5000 chilometri da New York a San Francisco. Proprio come la Route 66 situata molto più a sud, la Route 40 era stata brutalmente trasformata in una monotona Interstate; così fui contento di trovare una strada secondaria attraverso le montagne. Era molto piacevole. Guidai attraverso uno scenario di foreste di pini, con occasionali squarci su valli non popolate e sul lontano Mokelumme Peak (2842 metri), ero diretto verso il Lago Tahoe e Carson City. La strada era ripida e lenta, e mi ci volle quasi tutto il pomeriggio per fare un centinaio di chilometri, fino al confine col Nevada.

Vicino a Woodfords entrai nella Toiyabe National Forest, o almeno in quella che una volta era stata la Toiyabe National Forest. Per chilometri e chilometri si incontravano solo terra bruciata, montagne di terra arida e tronchi d'albero carbonizzati. Di tanto in tanto di vedeva una casa intatta attorno alla quale era stato costruito un fossato frangifuoco. Era una strana visione, una casa con altalene e piscina in mezzo a un mare di alberi bruciati. Un anno o due prima i proprietari avranno creduto di essere le persone più fortunate del pianeta, a vivere in mezzo ai boschi e le montagne, tra i pini freschi e fragranti. Ora vivono sulla superficie della luna. Presto la foresta sarà rimboschita e per il resto della loro vita potranno osservarla crescere di pochi centimetri l'anno. Non mi era mai capitato di vedere una tale devastazione – chilometri e chilometri – e tuttavia non ricordo di aver letto niente in merito. È tipico dell'America. La sua grandezza semplicemente assorbe i disastri, li mimetizza con la sua vastità. A volte in questo viaggio avevo letto storie che altrove sarebbero state considerate tragedie colossali – una dozzina di persone uccise da un'inondazione a sud, dieci persone schiacciate dal tetto di un magazzino in Texas, venti morti in una tempesta di neve all'est – e ognuna di queste era in un trafiletto qualunque, tra pubblicità di unguenti per le emorroidi e formaggi dietetici. In parte questo è la conseguenza di quell'allegria vacua tipica dei giornalisti dei notiziari americani, ma soprattutto è determinato dalla proporzione del paese. Un disastro avvenuto in Florida, viene considerato in California alla stessa stregua di quanto in Gran Bretagna si considera un disastro avvenuto in Italia – cioè come una breve notizia triste, ma in ogni modo troppo lontana per coinvolgerti personalmente.

Entrai in Nevada, a circa 16 chilometri a sud del Lago Tahoe. Las Vegas mi aveva talmente deluso che non desideravo entrare in un'altra sacca di sperequazione sociale; in seguito però mi è stato detto che Tahoe è veramente un posto splendido e completamente diverso da Las Vegas. In ogni modo, non potrò mai saperlo. Posso dire invece che Carson City è forse la città più insignificante che si possa sperare di incontrare. È la capitale dello stato ma è composta essenzialmente di Pizza Huts, stazioni di servizio e casinò di infimo ordine. Proseguii, uscendo dalla città sulla US 50, passai Virginia City e presi la strada per Silver Streams. Questo è più o meno il punto dove iniziava a bruciare la carta geografica di Bonanza, nei titoli di testa. Ve lo ricordate? Sono passati molti anni da quando vidi per l'ultima volta il telefilm, ma ricordo Pa, Hoss, Little Joe e il cattivo di cui non ricordo il nome, che vivevano tutti in un paesaggio fertile e lussureggiante, nel tipico stile di vita dei film western. Ma qui non vidi nulla se non distese color cemento e colline aride scarsamente abitate. Tutto era grigio, dal cielo alla terra. Quello sarebbe stato il panorama dei due giorni seguenti.

Sarebbe difficile pensare a uno stato più infelice e isolato del Nevada. Conta una popolazione di sole 800.000 persone, su una superficie vasta più o meno come la Gran Bretagna e l'Irlanda messe insieme. La metà degli abitanti sono concentrati a Las Vegas e Reno, tanto che il resto dello stato è quasi vuoto. In totale ci sono soltanto 70 città – le isole britanniche contano 40.000 città, questo solo per dare un termine di paragone – e alcune di queste sono incredibilmente isolate. Per esempio, Eureka, una città di 1200 persone situata nel cuore dello stato, dista 160 chilometri in qualsiasi direzione dalla città più vicina. Inoltre, l'intera Contea di Eureka ha solo tre città e una popolazione totale che non raggiunge le 2500 persone – e si parla di un territorio di un paio di migliaia di chilometri quadrati.

Guidai per un po' attraverso quella spaventosa desolazione, seguendo una strada secondaria, tra Fallon e un punto sulla cartina chiamato Humboldt Sink, dove ringraziai il cielo di imboccare l'Interstate 80. Fu una mossa da codardo, ma da un paio di giorni l'auto emetteva a intermittenza strani rumori, che non erano contemplati dal capitolo *guasti* del manuale dell'auto. Non potevo affrontare la prospettiva di rimanere in panne e isolato per giorni e giorni, in qualche buco polveroso dimenticato da Dio, aspettando un pezzo di ricambio da Reno sul Greyhound settimanale. In ogni modo la Highway 50, la strada alternativa più vicina, mi avrebbe portato fuori strada di 230 chilometri, fino allo Utah. Volevo seguire la strada più a nord che passava dal Montana e dal Wyoming, – il paese del *Grande Cielo* – così, con sollievo, entrai nell'Interstate sebbene anche questa fosse incredibilmente deserta – solo un'auto molto distante davanti a me e una molto distante dietro – tenuto conto che era l'arteria principale che attraversava lo stato. Comunque con un serbatoio e una vescica sufficientemente capaci, si potrebbe far tutta la strada da New York a San Francisco senza fermarsi.

A Winnemucca mi fermai a far benzina, prendere un caffè e chiamare mia madre per farle sapere che non mi avevano ancora ammazzato e che avevo abbastanza mutande di ricambio – una sua preoccupazione perenne. Così potei rassicurarla su questo argomento e lei, in cambio, mi rassicurò che non aveva messo tutti i suoi risparmi nell'International Guppy Institute o qualcosa di simile (sarei proprio curioso di controllare!) così entrambi fummo in grado di proseguire a cuor leggero.

Nella cabina telefonica c'era un poster con la foto di una giovane signora con la scritta: "Avete visto questa ragazza?". Era bella, sana e allegra. Il poster diceva che aveva 19 anni e che stava guidando da Boston a San Francisco per tornare a casa per Natale quando era scomparsa. Aveva chiamato i genitori da Winnemucca per avvisare che sarebbe arrivata il pomeriggio successivo, da allora non si ebbero più sue notizie. Quasi certamente il cadavere si trovava da qualche parte in mezzo a quel grande deserto desolato. In America l'omicidio è straordinariamente facile. Si può uccidere un forestiero, scaricare il corpo in un posto dove non sarà mai trovato ed essere a 3000 chilometri di distanza prima che inizino a cercarlo. Si calcola che ci siano sempre da 12 a 15 maniaci omicidi liberi per il paese, che arrivano, mietono vittime a caso e se ne vanno, lasciando dietro di sé pochi indizi e nessun movente. A Des Moines, un paio di anni prima, un gruppo di ragazzini stava pulendo un ufficio in centro, per conto del padre di uno di questi. Entrò uno sconosciuto, li portò in una stanzetta sul retro all'interno e sparò a ognuno un colpo alla nuca. Senza ragione. Il colpevole quella volta fu arrestato, ma avrebbe facilmente potuto scappare in un altro stato e ripetere la stessa cosa. Ogni anno in America 5000 omicidi rimangono impuniti. Che numero incredibile!

Passai la notte a Wells, Nevada, la città più triste, più trasandata e più malconcia che abbia mai visto. Le strade sono per lo più non asfaltate e fiancheggiate da case mobili scassate. In città sembrava che la gente collezionasse vecchie auto. Si vedevano, completamente arrugginite e senza finestrini, in ogni cortile. Tutto era sull'orlo dello sfascio. La vita economica di questi posti può solo sperare nel traffico passeggero dell'Interstate 80. Disseminati qua e là, numerosi locali per camionisti e motel, sebbene alcuni fossero già chiusi e gli altri sull'orlo del fallimento. La maggior parte delle insegne dei motel mancavano di qualche lettera o erano bruciate, e capitava di leggere LONE ST R MOT L C AMERE IBERE. Prima di cena feci due passi nel distretto commerciale. Consisteva principalmente di negozi falliti, anche se alcuni avevano l'aria di funzionare ancora: un emporio, una stazione di servizio, un terminal della Trailways Bus, l'Overland Hotel – scusatemi H tel – e un cinema chiamato The Nevada, ma anche questo risultò fallito dopo un'ispezione più attenta. C'erano cani ovunque, che annusavano alle porte e facevano pipì su qualsiasi cosa incontravano. Tirava un'aria gelida. Il sole stava calando dietro le cime frastagliate e lontane delle Jackson Mountains e faceva un freddo del diavolo. Alzai il bavero e faticosamente percorsi il mezzo chilometro di strada dalla città all'imbocco della US 93, dove sono concentrati i migliori locali per camionisti, un'oasi di luce nell'oscurità purpurea.

Entrai in quello che sembrava il più invitante, una grande cafeteria con negozio di souvenir, ristorante, casinò e bar. Il casinò era piccolo, solamente una stanza con una trentina di slot machine che funzionavano a nichelini e il negozio di souvenir era poco più grande che un armadio. La cafeteria era affollata, chiassosa e densa di fumo. Dal juke-box usciva una musica di chitarra elettrica. Ero l'unico a non portare il cappello da cow-boy, a parte un paio di donne.

Mi sedetti in un separé e ordinai del pollo fritto. La cameriera era veramente cordiale, ma aveva delle piccole piaghe aperte su mani e braccia, e solamente tre denti in bocca. Dal grembiule sembrava avesse passato il pomeriggio a macellare maialini. Questo in verità mi fece un po' passare la fame, che, quando mi portò il pollo, passò del tutto.

Era in assoluto il cibo peggiore che avessi mai mangiato in America, in qualsiasi momento e circostanza, compreso il cibo degli ospedali, delle stazioni di servizio e degli snack dell'aeroporto. Persino peggiore del cibo che servono nelle stazioni dei Greyhound e nei magazzini Woolworth. Era persino peggiore delle paste dei distributori automatici nel Register and Tribune Building di Des Moines, che sapevano di vomito. Il cibo qui era semplicemente immangiabile, ma nonostante ciò tutti si abboffavano come se non ci fosse stato domani. Cercai di assaggiarlo – pezzi di pollo mal spiumato e fritto, lattuga con venature annerite, patatine fritte che sembravano lumaconi albini – e, abbattuto, rinunziai. Allontanai il piatto e desiderai non aver smesso di fumare. La cameriera, vedendo quanto avevo avanzato, mi chiese se volevo una doggie-bag[2].

[2] Nei ristoranti viene distribuito un sacchetto per mettere gli avanzi del pasto da portare al proprio cane [*N.d.T.*].

“No, grazie”, dissi con un lieve sorriso, “non credo di trovare un cane disposto a mangiare questa roba.”

Pensandoci bene, un’esperienza ancor più avvilente mi viene in mente: la Callanan Junior High School di Des Moines. Era simile al refettorio di una prigione in un film. Si avanzava lentamente in una coda lunga e silenziosa. Il cibo, a masse informi, veniva scodellato sul vassoio da signore informi – signore che sembravano in permesso da un manicomio, dove erano state rinchiuse per aver avvelenato il cibo nei locali pubblici. Non solo quello che davano era repellente, ma anche non identificabile. Oltre a questo dispiacere, si aggiungeva la presenza del direttore della scuola, Mr Snoyd, che si piazzava sempre dietro di te, pronto a prenderti per il collo e portarti di filato nel suo ufficio, se ti beccava a emettere conati di vomito o se ti pescava mentre chiedevi a quello davanti a te cose del tipo: “Ma che cos’è questa schifezza?”. Mangiare alla Callanan voleva dire voltastomaco garantito.

Insoddisfatto, tornai al motel, con una fame da lupo. Guardai un po’ di tivù e lessi un libro, poi mi addormentai malamente, come quando il corpo è immobile e a riposo tranne lo stomaco che urla: DOVE CAZZO È LA MIA CENA? EHI! BILL MI STAI ASCOLTANDO O NO? DOVE CA-Z-Z-O È IL MIO NUTRIMENTO SERALE?

26

A proposito di nulla, eccovi una storia vera. Nel 1958, a mia nonna venne un cancro al colon e si trasferì a casa nostra per morire. Mia madre, allora, aveva una domestica di nome Mrs. Goodman, un po' svitata ma una buona cattolica. Dopo l'arrivo della nonna, Mrs. Goodman divenne stranamente scontrosa. Poi, un pomeriggio alla fine della giornata di lavoro, disse a mia madre che era obbligata a licenziarsi perché non voleva prendersi il cancro dalla nonna. Mia madre la rassicurò dicendole che il cancro non si poteva *attaccare*, e le diede un piccolo extra per compensare il lavoro dovuto alla presenza impegnativa della nonna. Così, con riluttanza mal celata, Mrs. Goodman rimase. Dopo circa tre mesi anche a lei venne il cancro e morì con una velocità allarmante.

Dal momento che fu la mia famiglia a uccidere quella povera donna e che avevo sempre desiderato dedicarle un piccolo pensiero, allora pensai che un posto vale l'altro e non avendo nulla di interessante da raccontarvi sul tratto di strada da Wells, Nevada, a Twin Falls, Idaho, ho deciso di parlarvi di lei.

Così, addio, Mrs. Goodman, è stato un piacere averla conosciuta. E siamo tutti profondamente spiacenti.

Twin Falls è un posto abbastanza decente – sono sicuro che sarebbe piaciuto a Mrs. Goodman; ma a ben pensarci, un morto probabilmente apprezzerebbe qualsiasi cambiamento di panorama – e il paesaggio nel sud dell'Idaho è più verde e fertile di qualsiasi altro del Nevada. L'Idaho è famoso per le patate sebbene il Maine, che è un terzo di quello, in realtà ne produca di più. La sua ricchezza viene dalle miniere e dal legname, soprattutto nel tratto più settentrionale delle Montagne Rocciose, su fino al Canada, a più di 800 chilometri di distanza da dove mi trovavo. Ero diretto alla Sun Valley, la famosa località in cima alle Sawtooth Mountains, e alla vicina città di Ketchum, dove Ernest Hemingway passò il suo ultimo anno di vita e dove si fece saltare le cervella. Ciò mi è sempre sembrato (attenzione, non che siano affari miei) un modo di suicidarsi particolarmente irriguardoso ed egoista. Intendo dire, la famiglia è già abbastanza sconvolta che tu sia morto senza che tu debba rovinare i mobili e far venire il voltastomaco a tutti.

In ogni modo, Ketchum è una località turistica, anche se Sun Valley risulta essere più gradevole. Fu costruita appositamente come località sciistica negli anni Trenta dalla Union Pacific Railroad per invogliare le persone a viaggiare in quella regione anche d'inverno. Indubbiamente la posizione è magnifica, circondata da montagne svettanti, e per lo sci pare sia uno dei posti migliori d'America. Persone come Clint Eastwood e Barbra Streisand hanno casa proprio lì. Guardai la vetrina di un'agenzia immobiliare senza trovare nulla in vendita a meno di 250.000 dollari.

La parte urbana di Sun Valley – costituita soltanto da un piccolo centro commerciale – è costruita a immagine e somiglianza di un paesino bavarese. La trovai stranamente affascinante. Come spesso accade in America per cose del genere, è molto meglio di un vero paese bavarese. Per due motivi: 1) è meglio costruita e più pittoresca, e 2) gli abitanti di Sun Valley non hanno mai adottato Adolf Hitler come capo, né mandato i loro vicini nelle camere a gas. Ad esempio, se sciassi e fossi ricco, solo per questi due motivi, senza dubbio preferirei Sun Valley a Garmisch-Partenkirchen. Invece, essendo povero e non sapendo sciare, per me non rimaneva molto da fare se non andare in giro per negozi. La maggior parte di questi vende abbigliamento da sci alla moda e articoli da regalo costosi – tipo un'enorme alce di peltro a 200 dollari e dei *presse-papiers* di cristallo a 150 dollari – i proprietari sono persone con la puzza sotto il naso, e ti guardano con diffidenza pensando che avresti espresso pesanti apprezzamenti sul loro conto, appena voltato l'angolo. Logicamente ciò mi amareggiò subito, e rinunciai a fare qualsiasi acquisto. "Ci perdete voi e non io", mormorai sdegnosamente mentre me ne andavo.

L'Idaho è un altro grande stato – si estende per 880 chilometri da nord a sud, e per 450 da est a ovest – e mi ci volle tutto il resto della giornata per arrivare a Idaho Falls, vicino al confine col Wyoming. *En route* passai per la piccola città di Arco che, il 20 dicembre 1951, divenne la prima città del mondo illuminata con elettricità nucleare, fornita dal primo reattore a scopo pacifico situato a 16 chilometri a sud-ovest della città, nell'Idaho National Engeneering Laboratory. Il nome confonde in quanto il cosiddetto *laboratorio* si estende su parecchie centinaia di chilometri quadrati di macchia boschiva ma, in verità, è la più grossa discarica nucleare del paese. La strada tra Arco e Idaho Falls costeggia il complesso per 65 chilometri; questo è protetto da un'alta recinzione inframmezzata da garitte di stile militare. In lontananza si intravedono gli enormi edifici dove presumibilmente gli addetti, in tute spaziali bianche, si aggirano nelle stanze che sembrano uscite da un film di James Bond.

Al momento non me ne resi conto, ma il governo federale aveva recentemente ammesso che si era verificata una perdita di plutonio da uno dei magazzini e che l'infiltrazione stava penetrando nel terreno fino ad arrivare a un'enorme riserva idrica sotterranea, riserva che fornisce acqua a decine di migliaia di persone nell'Idaho meridionale. Il plutonio è la sostanza più letale che l'uomo conosca – un cucchiaino basta per far morire un'intera città. Una volta che si è trovato il plutonio, bisogna tenerlo in un luogo sicuro per 250.000 anni. Il governo degli Stati Uniti ci è riuscito per poco meno di 36. Questo mi sembra sia un argomento convincente per non permettere al proprio governo di combinare cazzate col plutonio.

E quella era soltanto una delle tante perdite. In un magazzino simile, nello stato di Washington, ci fu una perdita di 2.000.000 di litri di sostanze altamente radioattive prima che a qualcuno venisse in mente di riparare il serbatoio e di rendersi conto del suo funzionamento. Come si fa a perdere 2.000.000 di litri di qualche cosa? La risposta non la so, ma di certo non mi piacerebbe fare l'agente immobiliare e cercare di vendere case a Pocatello o a Idaho Falls nei prossimi cinque anni, quando la terra inizierà luccicare e le donne partoriranno mosche umane.

Per il momento, comunque, Idaho Falls rimane un posto gradevole. Il centro è bello e ancora decisamente ricco. Ci sono alberi e panchine. Un grande striscione appeso in una via annunciava: IDAHO FALLS DICE NO ALLA DROGA. Ciò sarà senza dubbio un mezzo efficace per tenere lontani i ragazzi dalla droga pesante, pensai. L'America della provincia è ossessionata dalla droga, tuttavia, se si perquisisse a fondo ogni ragazzo a Idaho Falls, credo che uno scoprirebbe al massimo qualche rivista pornografica, un pacchetto di preservativi e una mezza bottiglia di Jack Daniels. Personalmente penso che bisognerebbe incoraggiare i giovani di Idaho Falls a drogarsi. Sarebbe loro d'aiuto il giorno che scoprissero che c'è del plutonio nell'acqua che bevono.

Feci una cena eccellente all'Happy's Chinese Restaurant. La sala era vuota a eccezione di un gruppo, che in realtà consisteva di una coppia di mezza età, la loro figlia adolescente e una loro ospite, una studentessa svedese semplicemente radiosa: bionda, abbronzata, delicata, di una bellezza ipnotizzante. Non potevo fare a meno di fissarla. Non avevo mai visto nessuno così bello in un ristorante cinese nell'Idaho. Dopo un po' entrò un signore, evidentemente un amico di famiglia, che si fermò a chiacchierare al loro tavolo. Lo presentarono alla svedese, lui le fece delle domande sul suo soggiorno a Idaho Falls e le chiese se avesse visto le attrattive del luogo – le grotte laviche e le sorgenti calde. La ragazza rispose di sì, con un pesante accento scandinavo. Quindi l'uomo le pose la domanda fatidica: "Allora, Greta, preferisci gli Stati Uniti o la Svezia?". La ragazza arrossì. Non era ancora abbastanza ambientata per poter rispondere a una domanda del genere. Improvvisamente sembrò una bambina più che una donna. Muovendo con imbarazzo le mani rispose: "Oh, credo la Svezia". E una cappa di tetraggine scese sulla tavola. Tutti parvero a disagio. "Oh", esclamò l'uomo in tono piatto e deluso, e la conversazione si spostò sul prezzo delle patate.

La gente che vive nel mezzo degli Stati Uniti fa sempre questa domanda. Se cresci in America ti viene inculcata fin dall'infanzia la credenza – anzi, il razionale convincimento – che l'America è il paese più ricco e potente della terra in quanto Dio ci ama. Ha la forma di governo più perfetta, gli eventi sportivi più divertenti, il cibo più gustoso e le porzioni più abbondanti, le auto più grosse, la benzina più a buon mercato, le risorse naturali più ricche, le fattorie più produttive, l'arsenale nucleare più devastante e la gente più onesta, più amichevole e più patriottica che puoi trovare sulla faccia della terra. Non esistono paesi migliori. Allora, se qualcuno desidera vivere altrove, ciò risulta incomprensibile. Per uno straniero è sconcertante; per un americano è sovversivo. Anch'io la pensavo così. Al liceo, dividevo un armadietto con uno studente olandese, e ricordo che una volta mi chiese in tono stizzoso perché tutti, proprio tutti, volevano che preferisse l'America all'Olanda. "L'Olanda è la mia terra", disse, "perché la gente non capisce che è quello il posto dove voglio vivere?"

Cercai di mettermi nei suoi panni. "Sì", dissi. "Ma in fondo in fondo, Anton, non preferiresti vivere qui?" E la cosa più curiosa fu che alla fine decise proprio di viverci. Una volta ricevetti sue notizie: era diventato un agente immobiliare di successo in Florida, aveva una Porsche, indossava occhiali alla moda e usava espressioni tipicamente americane. Naturalmente lo ritengo un notevole passo avanti rispetto agli zoccoli di legno, ai secchi di latte sulla spalla e alle invasioni dei tedeschi ogni due generazioni.

Al mattino seguente andai in Wyoming passando attraverso un paesaggio simile a un'illustrazione presa da un fantastico libro per bambini sulle storie del West – montagne innevate, foreste di pini, fattorie accoglienti, un fiume dal corso sinuoso, una valle montana con un nome aggraziato come Swan Valley[1]. Questa è una cosa che dev'essere detta a favore degli uomini e delle donne che colonizzarono il West. Sicuramente sapevano come battezzare i luoghi. Proprio in questo angolo della cartina scoprivo nomi del tipo: Soda Springs, Massacre Rocks, Steamboat Mountain, Wind River, Flaming Gorge, Calamity Falls[2] – posti i cui nomi promettevano avventura ed eccitamento, anche se in realtà in ognuno di essi si trovavano una stazione di servizio DX e una gelateria drive-in.

La maggior parte dei primi colonizzatori americani era stranamente inadatta a scegliere i nomi per i luoghi. Essi sceglievano nomi senza fantasia o semiriciclati – New York, New Hampshire, New Jersey, New England – oppure nomi da servili leccaculo – Virginia, Georgia, Maryland e Jamestown – nel tentativo generalmente pietoso di assicurarsi favori di un monarca o di un potente aristocratico nella madrepatria. Oppure accettavano semplicemente i nomi che gli indiani dicevano loro, senza sapere che Squashan Insect significava 'Terra dei Laghi Scintillanti' oppure 'Posto dove si fermò a pisciare il grande Capo Thundelclap'.

Gli spagnoli erano ancora più negati, perché diedero tutti nomi religiosi, cosicché ogni località nel sud-ovest è chiamata 'San questo' o 'Santa quell'altra'. Guidare attraverso il sud-ovest è come andare in una processione lunga 1300 chilometri. Il nome peggiore dell'intero continente è quello delle montagne Sangre de Cristo nel New Mexico, che significa Montagne del Sangue di

[1] Valle del Cigno [*N.d.T.*].

[2] Cascate di Soda, Rocce del Massacro, Montagna della Nave a Vapore, Fiume Vento, Gola infiammata, Cascate della Calamità [*N.d.T.*].

Cristo. Avete mai sentito un nome più insulso per un punto geografico? Fu soltanto nel vero West, terra di cacciatori di castori e di uomini di montagna, che si iniziò a dare nomi con un briciolo di romanticismo e di colore. Stavo per entrare in uno dei posti più belli e più dichiaratamente romantici: Jackson Hole[3].

Jackson Hole, a dir la verità, non è esattamente un buco. È il nome che è stato dato a una valle pittoresca che si allunga da nord a sud attraverso le Grand Tetons, molto probabilmente il gruppo più maestoso delle Montagne Rocciose. Con le loro cime alte, innevate e le loro pendici azzurrognole, assomigliano a certe prelibatezze esotiche, come il *frappé* di mirtilli. All'estremità meridionale di Jackson Hole sorge la piccola città di Jackson dove mi fermai a colazione. Un posto anomalo, con una strana combinazione di agenti federali di Yosemite dalle gambe storte e di negozi eleganti come Benetton e Ralph Lauren, che sono lì a beneficio dei viziati che vengono a sciare l'inverno e dei turisti che passano le vacanze estive in un ranch. Ogni locale in città aveva un accenno al selvaggio West – l'Antler Motel, il Silver Dollar Saloon, l'Itching Post Lodge. Persino la banca di Jackson, dove andai a cambiare un traveller's cheque, aveva una testa di bufalo imbalsamata appesa a un muro, eppure non stonava. Il Wyoming è lo stato più fieramente Western di tutti gli stati del West. È ancora una terra di cow-boy, cavalli e praterie, un posto dove un uomo deve fare ciò che fa un uomo, il che superficialmente consiste nell'andare in giro con un camioncino e camminare in modo molleggiato. Non avevo mai visto tante persone vestite da cow-boy, e quasi tutte con la pistola. Soltanto un paio di settimane prima, il parlamento di Cheyenne aveva introdotto la regola che tutti i legislatori avrebbero dovuto lasciare le armi al banco centrale, prima di essere ammessi nell'edificio. Questo per darvi un'idea di che tipo di stato sia il Wyoming.

Andai al Grand Teton National Park, ecco un altro nome che sicuramente vi colpirà. *Tétons* significa 'tette' in francese. Questo è un argomento interessante, – una chicca topografica – che la signorina Mucus, la mia insegnante di geografia delle medie, non voleva condividere con noi all'ultimo anno. Perché a scuola non ci dicono mai le cose più interessanti? Se a scuola avessi saputo che Thomas Jefferson aveva una schiava nera per sfogare i suoi istinti sessuali o che Ulysses S. Grant era un ubriacone incallito che non

[3] Jackson Bucodiculo [*N.d.T.*].

riusciva ad abbottonarsi i pantaloni senza cadere per terra, avrei mostrato un interesse più vivo per le lezioni, posso assicurarvelo. A ogni modo i primi esploratori francesi che passarono per il nord-ovest del Wyoming diedero un'occhiata alle montagne e dissero, "*Zut, alors*! Ehi, Jacques, guarda quelle montagne, sembrano proprio le tétons di mia moglie". Non è tipico dei francesi ridurre tutto a un livello di volgarità sessuale? Grazie a Dio non scoprirono il Grand Canyon, è tutto ciò che posso dire. E la cosa più notevole è che le *Tetons* sembrano tette tanto quanto... quanto una pentola o un paio di stivali. In breve, non sembrano proprio delle tette, tranne forse agli occhi di uomini disperatamente soli, lontani da casa da molto tempo. Anche per me assomigliavano un po' a delle tette.

I parchi nazionali di Teton e di Yellowstone si uniscono e formano un'enorme area naturale che si estende per oltre 160 chilometri da nord a sud. Quell'anno, la strada che li collega, la Route 191, era appena stata aperta, al contrario degli uffici turistici di Teton. A mala pena si incontravano auto o persone, così guidai per 65 chilometri in uno splendido isolamento lungo i prati che costeggiano lo Snake River, dove gruppi di alci pascolavano a ridosso delle svettanti e frastagliate Teton. Mentre mi avvicinavo a Yellowstone, il cielo si coprì di nuvole cariche di neve. La strada che stavo percorrendo rimane chiusa per sei mesi all'anno, il che vi dà l'idea del tipo di inverno di questi posti. Persino allora, la neve sul ciglio della strada in alcuni tratti era ancora alta un paio di metri.

Yellowstone è il più vecchio parco nazionale del mondo (fu creato nel 1872) ed è enorme, quasi come il Connecticut. Guidai per più di un'ora senza vedere anima viva a eccezione del guardiano del parco, in una casetta di legno, che mi fece pagare 10 dollari d'entrata. Dev'essere un lavoro stimolante, per un laureato, starsene seduto in una capanna in mezzo al nulla e prendere 10 dollari da ogni turista ogni due o tre ore. Finalmente arrivai a un bivio con l'indicazione per Grant Village, e proseguii per un chilometro attraverso un bosco innevato. Il villaggio era di discrete dimensioni, con un ufficio turistico, un motel, alcuni negozi, un ufficio postale e un campeggio, ma tutto era chiuso e le vetrine sprangate. I cumuli di neve ammucchiati dal vento raggiungevano i tetti di alcuni edifici. Avevo percorso 100 chilometri senza vedere un solo negozio aperto, per cui ringraziai il cielo di aver fatto il pieno di benzina a Jackson.

Il Grant Village e il vicino villaggio di West Thumb si trovano sulle rive del lago Yellowstone, quello costeggiato dalla strada. Dalle fumarole in mezzo al lago si alzava il vapore e ribolliva nel fango sulla riva. Mi trovavo in quella parte del parco che chiamano la *caldera*. Un tempo in quel luogo c'era un'enorme montagna. Ma era esplosa 600.000 anni fa, a causa di una colossale eruzione vulcanica che mandò nell'atmosfera 500 chilometri cubici di detriti. I geyser, le fumarole e le conche di fango bollente, sono ciò che resta di quel cataclisma.

Subito dopo aver passato West Thumb la strada si biforcava. Da un lato si andava all'Old Faithful, il geyser più famoso, ma era stato chiuso con una catena e un cartello rosso con la scritta: STRADA CHIUSA. Old Faithful distava ancora 25 chilometri dalla catena, e 150 se uno percorreva la strada alternativa. Continuai per Hayden Valley dove ci si può fermare in uno dei numerosi belvedere e godere il panorama della pianura dello Yellowstone River. È lì che rugliano i grizzly e pascolano i bufali.

All'entrata del parco viene data una serie di ordini severi di non avvicinarsi agli animali, poiché essi possono uccidere o fare del male; in realtà mi capitò di leggere in seguito che nel parco è morta molta più gente a causa di altra gente, che per colpa di animali. Nonostante questa premessa, i grizzly costituiscono una vera minaccia per i campeggiatori perché, ogni anno, ne sbranano un paio.

Se campeggiate all'interno del parco, dovete, secondo le istruzioni, cambiarvi i vestiti dopo aver mangiato o cucinato e metterli, insieme alle scorte di cibo, in una borsa appesa a un ramo, almeno a 4 metri di altezza, a cento metri dalla tenda. Ci sono molti aneddoti su campeggiatori golosi che si mangiano una tavoletta di cioccolato prima di coricarsi; cinque minuti dopo, arriva un grizzly che infila la testa nella tenda e dice: "Ehi, amici! Avreste mica del cioccolato?". Secondo il materiale informativo distribuito dalle autorità del parco, si apprende che anche i rapporti sessuali e le mestruazioni richiamano quei bestioni. Ciò mi sembra assai azzardato.

Sbirciai attraverso il binocolo di mio padre e non vidi nessun orso, forse perché erano ancora in letargo o forse perché non ne erano rimasti molti. La maggior parte è stata indotta a uscire dal parco dalle masse di turisti nella stagione estiva. Per questo enormi tratti di Yellowstone sono stati chiusi al pubblico per incoraggiare gli orsi a non andarsene. A ogni modo c'erano mandrie di bufali ovunque. I bufali sono animali straordinari, con la testa e le spalle smisurate rispetto alle piccole zampe. Dev'essere stata un'esperienza unica vedere mandrie di milioni di bufali che riempivano le praterie. Andai fino a Geyser Basin. È il paesaggio più aereo e instabile del mondo. Alcuni chilometri più a est, la terra si alza di due centimetri l'anno, lasciando intendere che si sta preparando un'altra grande esplosione. Geyser Basin offre uno spettacolo stranissimo e misterioso, un paesaggio lunare di getti di vapore, geyser sibilanti e pozze di acqua bassa di un intenso colore blu acquamarina. Si può fare un giro approfittando delle passerelle. Se si finisce dentro, secondo i cartelli, si sprofonda nel suolo crustuto e si muore ustionati dall'acqua. Nell'aria c'è puzza di zolfo.

Mi incamminai allo Steamboat Geyser, il geyser più grande del mondo. Secondo i cartelli, il getto d'acqua raggiunge i 200 metri anche se ciò succede a intervalli di tempo molto lunghi. L'ultima grande eruzione era avvenuta tre anni e mezzo prima, il 26 settembre 1984.

Mentre lo stavo ammirando, si verificò un'eruzione – improvvisamente capii l'espressione *farsela addosso*. La pozza di fango davanti a me emise un potente *blop* come un enorme sfintere palpitante (vi garantisco che anche il mio modesto sfintere iniziò a reagire di conseguenza) poi, come una balena che sale in superficie, schizzò un potente getto d'acqua bollente. Raggiunse solo un'altezza di 15 o 20 metri ma durò per molti secondi. Poi si affievolì, poi ricominciò, e lo ripeté per quattro volte, riempiendo l'aria fredda di nuvole di vapore prima di addormentarsi nuovamente. Quando finì, mi portai una mano alla bocca e tornai all'auto, consapevole di aver assistito a uno degli spettacoli più sorprendenti della mia vita.

Non c'era alcun bisogno che percorressi altri 65 chilometri fino a Old Faithful. Mi diressi verso la strada ripida che conduce a Roaring Mountain, passando per Nymph Lake, Grizzly Lake e Sheepeater Cliff[4] – quanto mi piacciono quei nomi! – e giù a Mammoth Hot Springs, dove ci sono gli uffici centrali del parco. L'ufficio turistico era aperto, quindi andai a fare un giro, a fare la

[4] Lago della Ninfa, Lago del Grizzly, Picco del Mangiapecore [*N.d.T.*].

pipì e a bere un bicchiere d'acqua, prima di rimettermi in marcia. Quando uscii dal parco, dalla parte settentrionale, nei pressi della cittadina di Gardiner, ero ormai giunto in un altro stato, il Montana. Guidai ancora per circa un centinaio di chilometri per arrivare a Livingston, attraversando un paesaggio meno selvaggio ma più attraente di Yellowstone. In parte ciò era dovuto al sole che, spuntando tra le nubi, conferiva all'aria del tardo pomeriggio un tepore quasi primaverile. Ombre basse e piatte si allungavano sulla vallata. La neve non c'era più, e le prime sfumature di verde stavano iniziando a tingere le praterie lungo la strada, ancora bruciate dal freddo dell'inverno. Era quasi l'inizio di maggio, e la stagione fredda stava finendo.

A Livingston presi una camera al Del Mar Motel, cenai e andai a fare una passeggiata lungo la strada ai margini della città. Col sole che calava dietro le vicine montagne, la serata divenne subito più fredda. Un forte vento soffiava rabbiosamente dalle pianure del Canada, 480 chilometri a nord; quel vento che solleva le falde della giacca e scompiglia i capelli. Sibilava contro i cavi del telefono, come un uomo che fischia tra i denti, e faceva ondeggiare violentemente l'erba alta.

Da qualche parte un cancello cigolava e sbatteva, cigolava e sbatteva. La strada si srotolava piatta e diritta davanti a me, fino a scomparire in lontananza. Di tanto in tanto arrivava un'auto, e sembrava stranamente un jet in fase di decollo. Man mano che si avvicinava, per un attimo mi chiedevo se mi avrebbe travolto – a giudicare dal rumore – poi sfrecciava accanto mentre io me ne stavo a osservare i fanali posteriori che scomparivano nell'oscurità sempre più fitta.

A un tratto passò un treno merci su un binario parallelo alla strada. Dapprima si udirono brevi fischi lontani, poi il treno passò, lento e maestoso, nella sua processione notturna attraverso Livingston. Era enorme – i treni americani sono il doppio rispetto a quelli europei – e lungo almeno un chilometro. Arrivai a contare fino a 64 vagoni prima di perdere il conto, tutti avevano scritto dei nomi come Burlington & Northern, Rock Island, Santa Fe. Mi parve curioso che i vagoni fossero chiamati con nomi di città di importanza irrilevante. Pensai a quante persone, un secolo fa, avevano perso anche la camicia acquistando immobili in posti come Atchison e Topeka, convinte che sarebbero diventate città grandi come Chicago e San Francisco. Verso la coda del treno, c'era una carrozza con le porte aperte e si vedeva l'ombra di tre persone: tre hobo[5]. Fui stupito di constatare che quelle persone esistono ancora, e che è ancora possibile spostarsi in quel modo. Nel crepuscolo sembrava un modo molto romantico di passare la vita.

Tutto ciò che riuscii a fare fu evitare di rincorrere il treno, di saltarci sopra e di scomparire insieme a loro nella notte. Non c'è niente come un treno che passa nella sera che ti possa indurre all'abbandono. Ma invece feci dietrofront, ripercorsi il sentiero lungo la strada e arrivai in città, stranamente contento.

[5] Persona che si sposta da un luogo a un altro sui treni merci, facendo lavori occasionali. [N.d.T.].

27

Il giorno successivo ero dibattuto tra tornare nel Wyoming prendendo l'Interstate 90 est, e andare a visitare la piccola cittadina di Cody, oppure rimanere in Montana, per fare un giro nel Custer National Battlefield. Cody prende il nome da Buffalo Bill Cody, che lì si fece seppellire con l'accordo che il posto avrebbe preso il suo nome. Probabilmente ci furono altri due accordi: 1) che lo seppellissero quando era veramente morto, e 2) che riempissero la città di un'infinità di cianfrusaglie per turisti. Intravedendo la possibilità di racimolare un po' di soldi, la gente del paese acconsentì con gioia e da allora lucrano sulla fama di Cody. Oggi la città offre una dozzina di musei sui cow-boy e su altre variazioni intorno al tema e, come sempre, tante altre opportunità di acquistare orrendi souvenir. Agli abitanti di Cody piace pensare che Buffalo Bill fosse originario della loro città. Ma in realtà, e ne vado orgoglioso, era dell'Iowa, essendo nato nella piccola cittadina di Le Claire nel 1846. Gli abitanti di Cody, in uno dei tentativi commerciali più disperati del secolo, acquistarono la casa natale di Buffalo Bill e la ricostruirono nella loro città. Sono degli schifosi bugiardi quando sostengono questa tesi. Eppure sanno che la loro città ha dato i natali a un vero personaggio di talento. Jackson Pollock, il grande artista, era infatti nato a Cody. Evidentemente non se ne fanno nulla, forse perché Pollock era negato a sparare ai bufali.

Quella era l'ipotesi numero uno. Altrimenti, come dico, avevo la possibilità di attraversare il Montana e andare a Little Bighorn, dove Custer ci aveva lasciato le penne. A essere veramente onesti nessuna delle due ipotesi mi faceva impazzire – avrei preferito trovarmi in una terrazza sul mare davanti a un drink gigante – ma in Wyoming e in Montana non si hanno molte scelte. Alla fine optai per l'ultimo avamposto di Custer. Fui sorpreso di me stesso perché di norma non amo i campi di battaglia. Non ne riesco a capire il fascino che si può trovare, una volta rimossi i cadaveri e le armi. Mio padre invece amava molto i campi di battaglia. Partiva con guida e piantina alla mano e ricostruiva con entusiasmo le fasi della Battaglia di Vattelapesca o di altri nomi del genere.

Una volta ebbi la possibilità di scegliere se andare con mia madre a un museo per vedere i vestiti delle mogli dei Presidenti oppure se stare con mio padre; sventatamente scelsi la seconda. Passai un lungo pomeriggio camminando dietro a lui convinto che avesse perso il lume della ragione. "Questo dovrebbe essere il punto in cui il Generale Gobber si sparò accidentalmente un colpo nell'ascella e dovette essere sostituito dal Lt-Col. Bowlingalley", diceva, mentre faticosamente arrancavamo verso la cima di una montagna scoscesa. "Ciò significa che gli uomini di Pillock devono essersi raggruppati fra quegli alberi" – e indicava un boschetto a tre colline di distanza. Poi ripartiva con le sue cartine svolazzanti, e io pensavo: "Dove diavolo sta andando *adesso*?". Alla fine, con mio grande disgusto, scoprii che la visita al museo degli abiti delle First Ladies era durata una ventina di minuti e che mia madre, mio fratello e mia sorella avevano passato il resto del pomeriggio in un ristorante Howard Johnson, ingozzandosi di gelati ricoperti di cioccolata calda.

A parte ciò il Custer Battlefield National Museum risultò una piacevole sorpresa. Non c'è un gran che da vedere, ma è pur vero che non ci fu una vera e propria battaglia. L'ufficio turistico ospitava un piccolo ma esauriente museo, ricco di testimonianze che provenivano da entrambe le fazioni – indiani e soldati – con un plastico del campo dove alcune piccole lampadine mostravano le fasi della battaglia. Il tutto consisteva in una fila di lucine blu che scendevano dalla collina con andatura sicura, e che poi si ritiravano sulla collina inseguite da un numero ben più consistente di lucine rosse. Le luci blu si raggruppavano sul cucuzzolo della collina e lampeggiavano furiosamente per qualche minuto, poi una dopo l'altra si spegnevano mentre le luci rosse si avventavano contro. Sul plastico lo scontro durava in tutto un paio di minuti; ma anche nella realtà esso non fu molto più lungo. Custer era idiota e spietato e si meritava una fine del genere. Il suo piano era di massacrare uomini, donne e bambini delle tribù dei Sioux e dei Cheyenne mentre spostavano gli accampamenti oltre il fiume Bighorn; e fu solo per sua sfortuna che i nemici fossero più numerosi e meglio armati di quanto avesse calcolato. Custer e i suoi uomini si ritirarono sul cucuzzolo della collina, proprio dove ora si trova l'ufficio turistico, ma non trovarono nessun posto per nascondersi, e così furono presto sconfitti. Uscii e percorsi un breve tratto in salita per vedere il punto preciso in cui Custer aveva esalato l'ultimo respiro. Quindi mi guardai attorno.

Il punto è situato su di una cupa altura brulla, battuta perennemente da un vento incessante. Dalla sommità della collina si riesce a vedere a una distanza di 80 o 90 chilometri; non c'era un solo albero in vista, soltanto un paesaggio collinare coperto da praterie fino a lambire l'orizzonte. È un posto talmente isolato e solitario che riuscivo persino a vedere le folate di vento prima che mi colpissero. L'erba sulla costa della collina iniziava a incurvarsi e dopo un attimo una raffica di vento mi turbinava attorno, poi se ne andava.

Il luogo dell'ultimo avamposto di Custer è circondato da una recinzione nera in ferro battuto. All'interno della recinzione, larga una cinquantina di metri in tutto, sono state poste alcune lapidi bianche, nel punto in cui erano caduti i soldati. Dietro di me, una cinquantina di metri più in basso, si vedono due lapidi, una accanto all'altra, nel punto in cui erano stati falciati due soldati che tentavano di mettersi in salvo. Nessuno sa quanti indiani morirono perché essi portarono via tutti i loro morti e feriti. Nessuno sa di preciso ciò che accadde, in quel giorno del lontano giugno 1876, perché gli indiani diedero versioni contrastanti e nessun bianco sopravvisse per raccontare l'evento. Tutto ciò che si sa per certo è che Custer fece una grande cazzata, e che morì insieme ad altri 260 soldati.

Disseminate in quel modo, in un posto così desolato e battuto dal vento, le lapidi paiono sorprendentemente pregnanti, sono quasi commoventi. È impossibile guardarle senza rivivere quel tipo di morte strana e spaventosa che affrontarono i soldati caduti. La visione mi lasciò ancora una volta pensieroso mentre me ne tornavo verso l'auto, scendendo giù dalla la collina, per riprendere l'interminabile Highway americana.

Mi diressi verso Buffalo, Wyoming, attraverso un paesaggio di colline coperte di muschio scuro. Il Montana è enormemente vasto e vuoto. È persino più esteso del Nevada, prima di tutto perché non esistono centri abitati nel vero senso del termine. Helena, la capitale, ha una popolazione di 24.000 abitanti. L'intero stato conta meno di 800.000 persone – e si parla di un'area di 375.550 chilometri quadrati. Tuttavia è dotato di affascinanti bellezze, con le sue deserte pianure sconfinate e il suo cielo immenso. Il Montana è conosciuto col nome di *Paese del Grande Cielo*, ed è proprio vero. Avevo sempre pensato che il cielo fosse qualcosa di fisso e immutabile, ma in quel luogo sembrava fosse dieci volte più grande. La mia Chevette era una particella infinitesimale sotto una colossale cupola bianca. Sotto quel cielo stupendo tutto sembra rimpicciolito.

La strada passava attraverso una grossa riserva di indiani Crow, ma non vidi alcun segno di indiani né sulla strada né altrove. Dopo aver superato Lodge Pass e Wyola rientrai nel Wyoming. Il paesaggio non mutò, benché qua e là vi fossero segni di ranch e la piantina segnasse ancora una volta un'infinità di nomi divertenti: Spotted Horse, Recluse, Crazy Woman Creek, Thunder Basin[1]. Entrai nella città di Buffalo. Nel 1892, essa offrì lo scenario nella famosa guerra della Johnson County, cui si ispirarono nel film *I cancelli del cielo*, anche se, in realtà, il termine guerra non è che una grossolana esagerazione dei fatti. Era successo che i proprietari dei ranch, riuniti sotto l'Associazione Allevatori Bestiame del Wyoming, avevano assoldato un gruppo di malviventi per andare nella Contea di Johnson a disturbare i nuovi pionieri, da poco insediatisi legalmente. Dopo che i prezzolati ebbero ucciso un uomo, i pionieri insorsero e li cacciarono in un ranch fuori città; qui li assediarono finché non arrivò la cavalleria e li mise in salvo fuori città. Tutto qui: un morto solo e senza quasi sparare un colpo. Quella era la vita del West in generale. C'erano solo contadini. Ecco tutto.

Entrai a Buffalo poco dopo le quattro del pomeriggio. La città ha un museo, dedicato alla guerra della Johnson County, che speravo di vedere; poi scoprii che era aperto solamente da giugno a settembre. Feci un giro nella zona commerciale, prendendo in considerazione l'idea di fermarmi per la notte, ma era una cittadina talmente tremenda che decisi di proseguire fino a Gillette, a 120 chilometri di strada. Gillette risultò ancor peggiore. Feci un giro nella città per alcuni minuti, senza riuscire ad affrontare la prospettiva di passare un sabato sera in quel posto, e così tornai in strada.

[1] Cavallo Pezzato, Recluso, Ruscello della Pazza, Bacino del Tuono [*N.d.T.*].

Ecco perché andai a Sundance, ad altri 50 chilometri di strada. Sundance è la città da cui prese il nome il Sundance Kid, e apparentemente era l'unica persona di cui valesse la pena di parlare. Non era nato a Sundance, ci era solo rimasto un po' di tempo in carcere. Era un piccolo posto senza fascino, con una sola strada che attraversava la città. Presi una camera nel Bear Lodge Motel sulla via principale; era gradevole, per quel poco che offriva. Il letto era morbido, la televisione aveva un unico canale H.B.O., il canale dei film, e sull'asse del water c'era la striscia di carta con la scritta: GARANZIA D'IGIENE. In fondo alla via c'era un ristorante che aveva l'aria di essere accettabile. Evidentemente non mi aspettavo di passare il più bel sabato della mia vita ma le cose avrebbero potuto andare molto peggio. Cosa che si verificò molto presto. Feci una doccia, poi mentre mi vestivo accesi la tivù e guardai il Reverendo Jimmy Swaggart, un evangelista televisivo che recentemente era stato pescato insieme a una prostituta, quel vecchio demonio! Naturalmente il fatto aveva in un certo modo minato la sua credibilità e, per quel che ne potevo sapere, egli si era affidato alle onde televisive con una certa frequenza, per implorare pietà. Stava nuovamente chiedendo soldi e perdono, in quest'ordine. Gli scendevano le lacrime dagli occhi, e gli luccicavano sulle guance. Stava dicendo che era un povero peccatore. "Puoi starne certo", commentai, e chiusi l'apparecchio.

Scesi sulla via principale. Erano dieci alle sette, come dicono in questa parte di mondo. La sera era tiepida, e nell'aria immobile il profumo di carne alla griglia mi faceva venire l'acquolina in bocca. Non avevo mangiato niente in tutta la giornata e il profumo di filetto mi fece realizzare quanto fossi affamato. Mi lisciai i capelli umidi, che si scompigliarono prima ancora che scendessi dal marciapiedi – tutto era immobile sulla strada per almeno 160 chilometri in entrambe le direzioni – e attraversai. Aprii la porta e fui preso alla sprovvista nello scoprire che il locale era gremito di Shriner.

Gli Shriner, se non li conoscete, sono un'organizzazione sociale che si compone di signori di mezza età di una certa autorità e mentalità – i tipi ai quali piace cimentarsi in scherzi pratici, come pizzicare il culo alle cameriere che passano. Si ubriacano un sacco e amano lanciare dalla finestra palloncini pieni d'acqua. Il loro sottile umorismo si esprime mettendosi una mano sotto l'ascella e producendo un rumore simile a una scoreggia. Gli Shriner si riconoscono sempre perché portano un fez rosso e i calzini scompagnati. Apparentemente, si ritrovano per raccogliere fondi a scopo benefico. Questo è ciò che dicono alle loro mogli. Tuttavia, vi darò un dato interessante che vi sarà utile per valutare la loro credibilità. Nel 1984, secondo lo *Harper's Magazine*, gli Shriner raccolsero la somma di 17.500.000 di dollari; la quota che donarono in beneficenza fu di 182.000 dollari. In breve, gli Shriner non fanno altro che trovarsi e fare cazzate. A questo punto potrete forse capire il mio sconcerto dinanzi alla prospettiva di mangiare in mezzo a un gruppo di 50 signori dalla testa pelata che si lanciano miniconfezioni di burro e si incendiano reciprocamente i menù.

Arrivò la cameriera. Masticava gomma e non aveva l'aria di essere molto cordiale. "Bisogno?", disse.

"Desidererei un tavolo per una persona, per favore."

Schioccò la gomma in modo poco attraente. "Siamo chiusi."

Per l'ennesima volta fui preso alla sprovvista. "Non mi pare proprio che siate chiusi."

"È una festa privata. Hanno riservato il ristorante per tutta la sera."

Sospirai. "Sono appena arrivato in città. Mi potrebbe indicare un altro posto dove si può mangiare qualcosa?"

La signorina sorrise, chiaramente contenta di potermi dare una cattiva notizia. "Siamo l'unico ristorante di Sundance", disse. Alcuni Shriner sorridenti, seduti a un tavolo vicino, osservarono il mio crescente disagio con l'aria da deficienti. "Può provare alla stazione di servizio in fondo alla via", aggiunse la signorina.

"Fanno da mangiare alla stazione di servizio?", replicai con un tono di tranquillo stupore.

"No, ma hanno patatine e dolciumi."

"Non posso credere che mi stia succedendo una cosa del genere", borbottai.

"Altrimenti può andare a circa un chilometro fuori dalla città sulla Highway 24 e troverà un Tastee-Freez drive-in."

Fantastico. Troppo incredibile per poterlo esprimere a parole. La signora mi stava dicendo che di sabato sera a Sundance, Wyoming, tutto ciò che potevo trovare per cena erano patatine fritte e gelato.

"E in un'altra città?" Domandai.

"Può tentare a Spearfish. A 50 chilometri di strada sulla Route 14 oltre il confine del Dakota. Ma non troverà molto nemmeno lì." Sorrise ancora e schioccò la gomma, come se fosse orgogliosa di vivere in un tale posto di merda.

“Beh, grazie mille per l’informazione”, dissi con elaborata falsità e me ne andai.

Signore e Signori, ecco a voi la differenza tra il Midwest e il West. Le persone del Midwest sono gentili. Nel Midwest la padrona di un ristorante si sarebbe sentita in colpa a pensarmi in giro affamato. Mi avrebbe trovato un tavolo in fondo a una sala o magari mi avrebbe fatto preparare un paio di sandwich al roastbeef e una fetta di torta di mela da portarmi in albergo. E gli Shriner, quella specie di imbecilli sottosviluppati, sarebbero stati contenti di aggiungere un posto a uno dei loro tavoli, e probabilmente mi avrebbero anche dato delle miniconfezioni di burro da lanciare. La gente del Midwest è buona e gentile verso gli estranei. Ma a Sundance la gentilezza era superata dalla piccolezza, solo da quel poco che misura il cervellino degli Shriner.

Arrancai faticosamente, in direzione del Tastee-Freez. Camminai per un po’, oltrepassate le ultime case mi spinsi lungo la strada vuota che pareva si allungasse per chilometri e chilometri, ma del Tastee-Freez nessun segno; così feci dietrofront e faticosamente tornai in città. Avrei voluto arrivare fino all’auto ma poi lasciai perdere. Strano che non sappiano nemmeno scrivere *freeze* correttamente, è una delle cose che mi fa scadere i posti. Che fiducia può ispirare una società che non sa nemmeno scrivere correttamente un monosillabo? Allora andai alla stazione di servizio e comprai circa 6 dollari di patatine e dolciumi, che riportai in camera e lanciai sul letto. Sdraiato, mi cacciavo in bocca le barrette di cioccolato, come tronchi in una segheria, guardando qualche scena violenta, senza senso, presa dai film di Hollywood trasmessi sulla H.B.O. Passai un’altra notte d’inferno, al buio, sazio e al tempo stesso insoddisfatto, fissando il soffitto e sentendo gli Shriner dall’altro lato della strada e i continui brontolii del mio stomaco. Così la notte passò.

Mi svegliai di buon’ora, tremante dal freddo, andai a sbirciare attraverso una fessura delle tende. Era una piovosa alba domenicale. In giro non c’era neanche un cane. Pensai che quella sarebbe stata l’ora migliore per far saltare in aria il ristorante. Presi un appunto mentale per ricordarmi di mettere in valigia della gelignite qualora fossi tornato nel Wyoming. E dei sandwich. Accesi la tivù, e mi rintanai a letto tirandomi le coperte fino a lasciare fuori solo gli occhi. Jimmy Swaggart stava ancora implorando perdono. Dio, quanto grida quell’uomo. È una valanga di parole. Lo guardai per un po’, poi mi alzai e cambiai canale. Sugli altri canali non c'erano che degli evangelisti, generalmente con le loro mogli, ben piazzate e sedute accanto. Si capisce perché tutti vadano a cercare il sesso altrove. In genere nella trasmissione interviene anche il genero del predicatore, un vaccaro laureato alla scuola di Pat Boone, che cantava canzoni dal titolo: "Hai un amico in Gesù e per favore mandaci tanti soldi". Ci sono poche esperienze più deprimenti che lo starsene sdraiati in una stanza buia di un motel in un posto come il Wyoming e guardare la televisione al mattino presto della domenica. Ricordo quando non avevamo nemmeno i programmi televisivi la domenica mattina: questo vi dice quanto sia vecchio. Ci si sintonizzava su W.O.I. e tutto ciò che si riceveva era una prova di trasmissione, e si rimaneva seduti a guardarla perché non c'era altro. Poi dopo un po', le prove finivano e andava in onda *Sky King*, era un programma interessante ed eccitante, per lo meno a confronto delle prove di trasmissione. Oggi alla tivù americana non fanno più le prove tecniche, peccato, perché se potessi scegliere tra queste e i predicatori televisivi, sceglierei senza esitare le prime. Erano in qualche modo riposanti e naturalmente non chiedevano soldi né ti facevano sentire le canzoni dei loro generi.

Quando lasciai il motel erano le otto passate da poco. Guidai sotto la sottile pioggia fino a Devils Tower, a circa 40 chilometri di strada. Devils Tower è la montagna usata da Steven Spielberg in *Incontri Ravvicinati del Terzo Tipo*, quella su cui atterrarono gli alieni. È talmente unica e straordinaria che non si può immaginare cosa avrebbe usato Steven Spielberg se non l'avessero trovata. La si vede molto prima di arrivarci ma, man mano che ci si avvicina, le proporzioni diventano veramente spaventose. Si tratta di un cono di roccia tagliato in punta, alto 2590 metri, che si protende verso il cielo da una pianura peraltro anonima. La spiegazione scientifica è che si tratta di una roccia vulcanica – una massa gigantesca di roccia calda, sparata fuori dalla terra, e poi raffreddatasi nella forma attuale. Dicono che risplenda alla luce della luna, ma anche allora, in una piovosa mattina domenicale con banchi di foschia attorno alla cima, sembrava decisamente soprannaturale, come se l'avessero adagiata lì nella notte dei tempi affinché gli alieni ne facessero uso. Spero soltanto che quando arriveranno, gli alieni non si aspettino di andare a cena fuori.

Mi fermai in un belvedere nei pressi della torre e uscii dall'auto per osservarla, stringendo gli occhi attraverso la pioggerellina. Un cartello di legno diceva che la torre era considerata sacra dagli indiani e che nel 1906 era stata dichiarata primo monumento nazionale d'America. La fissai a lungo, ipnotizzato sia dalla sua maestosità sia dal mio bisogno cieco di un caffè; poi mi resi conto che mi stavo inzuppando di pioggia per cui tornai in auto e proseguii. Avevo saltato la cena la sera precedente, e intendevo regalarmi uno dei più grandi piaceri culinari d'America: il tipico breakfast domenicale.

Tutti in America escono per il breakfast. È un passatempo così popolare che di solito bisogna fare la coda per un tavolo, comunque vale sempre la pena aspettare. A dir la verità, in America l'incapacità di raggiungere un'immediata gratificazione del palato è un'esperienza talmente fuori del comune che la coda, dopotutto, accresce il piacere. Con questo, non è che vi venga la voglia di stare in coda per qualsiasi cosa, non vorreste diventare inglesi né nulla di simile, ma una volta la settimana, per una ventina di minuti, è perfino sopportabile. Una ragione per la quale si rimane in coda è perché alla cameriera ci vogliono almeno 30 minuti per prendere ogni ordinazione. Per prima cosa bisogna specificare come si vogliono le uova – all'occhio di bue, poco cotte, strapazzate, in camicia, precotte, in una omelette, e se si vuole l'omelette semplice, col formaggio, con verdure, piccante e saporita, col cioccolato – poi si passa al pane tostato – bianco, di segale, integrale, a lievitazione naturale o di segale nero – poi al tipo di burro – montato a mano, di malga o a basso contenuto di colesterolo – poi segue un complicato momento di contrattazioni durante il quale si chiede se è possibile avere dei cornflakes invece del panino alla cannella e dei wurstel invece degli hamburger. Allora la cameriera, che di solito ha solo sedici anni e non è molto sveglia, va dal manager a chiedere se è possibile, poi torna e ti dice che non si possono avere i cornflakes al posto del panino di cannella, mentre si possono avere patate fritte dell'Idaho invece delle frittelle oppure una focaccina col bacon al posto di una fetta di pane integrale; tutto questo se si ordina a parte carne trita cotta e un grande bicchiere di succo d'arancia. Se non ti va bene e decidi di ordinare delle cialde, la signorina deve cancellare tutto con la gommina attaccata alla matita e riscrivere tutto da capo. E dall'altra parte della sala, la coda dietro il cartello PER FAVORE ASPETTATE CHE VI SI FACCIA ACCOMODARE aumenta sempre di più ma alla gente non importa, perché il cibo ha un profumo fantastico e tutta quell'attesa è una cosa quasi giusta. Percorsi la Highway 24 attraverso un paesaggio di dolci colline, in uno stato di stuzzicante attesa. Avrei incontrato tre piccoli paesi nei prossimi 30 chilometri ed ero sicuro che almeno in uno avrei trovato un ristorantino lungo la strada. Stavo quasi per raggiungere il confine del South Dakota. Abbandonavo la terra dei ranch per entrare in quella delle fattorie classiche. I contadini non vivono senza un ristorante ogni 3 o 4 chilometri di strada, così non avevo dubbi che ne avrei trovato uno dietro ogni curva. Attraversai i paesini uno dopo l'altro – Hulett, Alva, Aladdin – senza trovare nulla, solo case addormentate. Nessuno era sveglio. Che tipo di posto era? I contadini si alzano all'alba anche la domenica. Dopo Beulah, passai il grande centro di Belle Fourche e poi St Onge e Sturgis, ma invano. Non riuscii a trovare nemmeno una cafeteria aperta.

Alla fine arrivai a Deadwood[2], una città che viveva sotto l'influenza della prima parte del suo nome. Per alcuni anni intorno al 1870, dopo la scoperta dell'oro nelle Black Hills, Deadwood divenne uno dei posti più vivaci e famosi del West. Vi era nata Calamity Jane. Wild Bill Hickock fu freddato mentre giocava a carte nel saloon locale. Ora la città si regge spillando ai turisti enormi somme di denaro, offrendo in cambio delle cianfrusaglie orrende da portare a casa e appendere sopra al caminetto. Quasi tutti i negozi lungo la via principale vendevano souvenir; molti erano aperti nonostante fosse domenica mattina. C'erano persino un paio di cafeterie ma erano purtroppo chiuse.

Entrai nel Golden Nugget Trading Post e diedi un'occhiata in giro. Era una sala enorme dove si potevano acquistare esclusivamente souvenir: mocassini, borse indiane fatte di perline, punte di frecce, false pepite d'oro, bambole indiane. Ero l'unico cliente. Non trovai niente da comprare, così uscii e andai in un altro negozio un po' più avanti, il World Famous Prospectors Gift Shop, dove trovai gli stessi identici articoli agli stessi prezzi, e ancora una volta ero l'unico cliente. In nessuno dei due negozi i commessi mi dissero buon giorno né salutarono. Nel Midwest l'avrebbero fatto. Allora tornai fuori, nella triste pioggia, e feci un giro in cerca di un posto per mangiare, ma non c'era nulla. Così decisi di tornare all'auto e andare fino a Mount Rushmore, a 65 chilometri di distanza.

Mount Rushmore si trova appena fuori dalla città di Keystone, che è ancora più turistica di Deadwood, ma almeno lì c'erano dei ristoranti aperti. Entrai in uno e fui immediatamente accom-

[2] Bosco Morto [*N.d.T.*].

pagnato al tavolo, il che in un certo senso mi impressionò. La cameriera mi diede il menù e scomparve. Vi erano elencati almeno quaranta tipi di breakfast. Ero arrivato solo al numero diciassette ('Lonza di Maiale *in crosta*') quando la signorina tornò a prendere l'ordinazione, ma avevo una tale fame che decisi su due piedi di scegliere il numero tre. "Sarebbe possibile avere dei wurstel invece della carne trita?", chiesi. La signorina batté la matita sulla scritta del menù che diceva NON SI EFFETTUANO SOSTITUZIONI. Che bidone! Era la parte più divertente. Non mi meravigliai che il posto fosse mezzo vuoto. Iniziai a protestare, ma me la vidi formare un bolo di saliva sotto la lingua, così rinunciai. Mi limitai a sorridere e aggiunsi: "Non fa niente, grazie!", in tono allegro. "Per favore, non sputi nel mio piatto!", avrei voluto dirle mentre si allontanava, ma inspiegabilmente sentivo che ciò avrebbe potuto incoraggiarla.

Dopo di che andai a Mount Rushmore, a un paio di chilometri fuori dalla città attraverso una strada ripida. Da sempre avevo desiderato vedere Mount Rushmore, soprattutto dopo aver visto Cary Grant arrampicarsi sul naso di Thomas Jefferson nel film *Passaggio a Nordovest* (un film che mi lasciò uno strano bisogno di sparare a qualcuno in un campo di granturco da un aeroplano a bassa quota). Fui contento di scoprire che l'accesso al monte era gratuito. C'era un enorme spazio per il parcheggio, quasi del tutto vuoto. Parcheggiai e mi diressi all'ufficio turistico. Aveva un'intera parete di vetro e guardava direttamente sul monumento e sullo scenario montano circostante. Era avvolto nella nebbia. Non riuscivo a credere di essere così sfortunato. Era come sbirciare in un bagno turco. Credetti di aver riconosciuto Washington, ma non ne ero sicuro. Attesi per lungo tempo, non successe nulla. Poi, proprio mentre stavo per rinunciare e andarmene, la nebbia pietosamente si alzò e li vidi – Washington, Jefferson, Lincoln e Teddy Roosevelt, con lo sguardo fisso rivolto alle Black Hills.

Il monumento sembrava più piccolo di quanto mi aspettassi. Lo dicono tutti. Il fatto è che, dal punto in cui ci si trova, molto in basso e a una distanza di un quarto di chilometro, sembra più modesto di quanto non sia. In realtà Mount Rushmore è enorme. Il volto di Washington è alto 18 metri, gli occhi sono larghi 3. Se avessero i corpi, secondo un cartello sul muro, le sculture sarebbero alte 140 metri.

In una stanza accanto, proiettavano un ottimo film a ciclo

continuo sulla storia del Mount Rushmore, con un sacco di elementi statistici impressionanti, sulla quantità di roccia spostata, e l'incredibile ripresa muta che mostrava l'opera in lavorazione. La maggior parte delle scene riprendevano operai sorridenti che sistemavano cariche di dinamite nella roccia, seguite da grandiose esplosioni, e dopo un'enorme nuvola di polvere si capiva che, dove c'era stata roccia, ora si delineava il volto di Abraham Lincoln. Notevole! L'intero monumento costituisce un'impresa straordinaria, una delle glorie americane e sicuramente uno dei più grandi monumenti del secolo. La realizzazione del progetto durò dal 1927 al 1941. Prima del termine, Gutzon Borglum, l'ideatore, morì. Non è una tragedia? Fece tutto quel lavoro per tutti quegli anni e poi proprio quando stavano per rompere la bottiglia di champagne e mettere gli stuzzicadenti sulle olive, cadde secco e morì. Se dovessi dargli un voto, da zero a dieci, per la sua sfortuna, gli appioperei undici.

Ripresi a guidare verso est, attraverso il South Dakota, passai per Rapid City. Avevo in programma di fermarmi a vedere il Badlands National Park ma c'era talmente tanta nebbia e pioggia che mi sembrò insensato. Inoltre, secondo la radio, mi trovavo ancora una volta nel cuore di un'altra ondata di maltempo. Era prevista neve sulle pendici più alte delle Black Hills. Molte strade erano già state chiuse a causa delle recenti nevicate in Colorado, Wyoming e Montana, compresa la strada tra Jackson e Yellowstone. Se fossi andato a Yellowstone un giorno più tardi sarei rimasto bloccato, e se non avessi continuato a viaggiare sarei rimasto bloccato in South Dakota per un paio di giorni. Se dovessi dare un voto per la sfortuna, meriterei dodici.

Ottanta chilometri dopo Rapid City c'è la piccola cittadina di Wall, patria del più famoso drugstore del West, il Wall Drug. Si capisce che ci si sta avvicinando perché, per circa 80 chilometri, si passa davanti a un cartello ogni 100 metri con su scritto: BISTECCHE E TORTE WALL DRUG, PANINI CALDI DI MANZO A 75 CHILOMETRI – WALL DRUG, 57 CHILOMETRI, CAFFÈ A 5 CENTS – WALL DRUG, 40 CHILOMETRI, e così via. È l'equivalente pubblicitario della tortura cinese della goccia d'acqua. L'interminabile stillicidio di cartelloni plagia a tal punto la volontà che si è letteralmente obbligati a lasciare la strada per andare a dare un'occhiata.

È un posto tremendo, una delle trappole per turisti più grandi del mondo, ma mi è piaciuto così tanto che non darò nessun commento negativo. Nel 1931, un tizio di nome Ted Hustead acquistò il Wall Drug. Comprare un magazzino in una città del South Dakota con una popolazione di 300 persone, in un periodo al culmine della grande depressione, deve essere la decisione commerciale più stupida del mondo. Ma Hustead si rese conto che la gente che attraversava posti come il South Dakota doveva essere così mortalmente annoiata che si sarebbe fermata a guardare qualsiasi cosa. Così mise in atto una serie di stratagemmi, come un dinosauro a grandezza naturale, una Hupmobile del 1908, un bisonte imbalsamato, e un grande bersaglio con le frecce che riportava le distanze e le direzioni dei luoghi più disparati del globo riferite al Wall Drugstore, come Parigi, Hong Kong e Timbuktu. Soprattutto, eresse un gran numero di cartelloni pubblicitari lungo l'autostrada tra Sioux Falls e Black Hills, e riempì il magazzino della merce più esotica e dell'assortimento più vasto di stronzate per turisti che l'occhio umano avesse mai visto, per cui molto velocemente la gente incominciò ad arrivare, come formiche. Ora il Wall Drugstore occupa quasi tutta la città ed è circondato da parcheggi talmente grandi che ci si potrebbe atterrare con un jumbo. In estate arrivano fino a 20.000 turisti al giorno. Quando arrivai, la stagione era decisamente più quieta e riuscii persino a trovare parcheggio sulla via principale davanti all'entrata.

Rimasi enormemente deluso quando scoprii che il Wall Drugstore non era solo un magazzino di dimensioni sproporzionate come l'avevo sempre immaginato. Era più simile a un mini centro commerciale e all'interno c'erano una quarantina di piccoli negozi che vendevano le cose più disparate: cartoline, rullini, abbigliamento stile western, bigiotteria, stivali da cow-boy, alimentari, dipinti e infiniti souvenir. Comprai una simpatica lampada a kerosene con la forma del Mount Rushmore. Lo stoppino e il cappuccio di vetro fuoriuscivano direttamente dalla testa di Washington. Siccome è prodotta in Giappone i 4 statisti hanno gli occhi vagamente a mandorla. Trovai un'infinità di regali e ricordi di questo tipo, ma nessuno ugualmente bello e affascinante. Non c'erano i berretti da baseball con lo stronzo di plastica sulla visiera, peccato! Ma il Wall Drug è un magazzino per le famiglie. Mi dispiacque perché quello era l'ultimo negozio di souvenir che avrei probabilmente incontrato nel mio viaggio. Un altro sogno infranto.

28

Guidai per chilometri e chilometri attraverso il South Dakota. Dio che stato piatto e vuoto! Non si può immaginare quanto ci si senta isolati e soli in mezzo a quelle interminabili distese di erba gialla. Sembra di essere sotto l'effetto di un potente sedativo. L'auto continuava a emettere tremendi rumori di ferraglia, e il pensiero di rimanere in panne in quel posto mi agitava profondamente. Mi trovavo in una parte del mondo dove si possono percorrere centinaia di chilometri in qualsiasi direzione prima di trovare una traccia di civiltà, o per lo meno incontrare un'altra persona a cui non piaccia la fisarmonica. In uno strano tentativo di passare il tempo, sfogliai le mie *Guide Mobil* e le appoggiai al volante mentre l'auto sbandava dentro e fuori la corsia. Calcolai la popolazione e la grandezza dei quattro stati degli altipiani: North e South Dakota, Montana e Wyoming. In tutto occupano una superficie di 997.000 chilometri quadrati – una zona grande quanto Francia, Germania, Svizzera e Paesi Bassi messi insieme – ma con una popolazione di soli 2.600.000 abitanti. Parigi ha una popolazione 4 volte superiore. Non vi sembra un dato interessante? Eccovi un'altra chicca. La densità di popolazione del Wyoming è pari a 1,9 per chilometro quadrato; nel South Dakota è di poco superiore al 2. In Gran Bretagna invece, ce ne sono 236,2. Il numero di persone che si trovano su un aeroplano in qualsiasi momento negli Stati Uniti (136.000) è superiore all'insieme della popolazione delle quattro grandi città di ognuno di questi stati. E un'ultima notizia interessante: secondo uno studio condotto da *Current Health Magazine*, negli Stati Uniti 'la percentuale di persone che frequentano i *salad-bar*, e che toccano e fanno cadere il cibo o che si comportano in modo contrario alle norme igieniche', è del 60%. Mi rendo benissimo conto che ciò non ha nulla a che vedere con la popolazione dei quattro stati degli altipiani, ma ho pensato che una divagazione fra notizie irrilevanti sia un piccolo prezzo da pagare per un'informazione che ti può cambiare la vita. Sicuramente ha cambiato la mia.

La notte, mi fermai in un posto insignificante chiamato Murdo, presi una camera in un Motel 6, che dava sull'Interstate 90, e andai a cena in un grande locale per camionisti dall'altra parte della strada. Una pattuglia era parcheggiata vicino all'entrata del ristorante. Le auto di pattuglia sono sempre parcheggiate vicino alle porte dei ristoranti. Se ci si passa accanto, si sente il vociare indistinto della radio: "Attenzione. Attenzione! Zero, Tango, Charlie! Un Boeing 747 si è appena schiantato contro una centrale nucleare sulla Highway 69. La gente va in giro coi capelli in fiamme. Ricevuto?". All'interno, incuranti, ci sono due poliziotti seduti al banco che si mangiano torta di mele e gelato, e blaterano con la cameriera. Una volta ogni tanto – forse un paio di volte al giorno – si alzano dallo sgabello e fanno un giro sull'autostrada per multare qualcuno, come quelli che cercano di attraversare lo stato superando di 10 chilometri il limite di velocità. Poi tornano al bar e si mangiano altre torte di mele. Ecco cosa significa fare il poliziotto stradale.

Il mattino successivo continuai la traversata del South Dakota. Era come guidare su un interminabile foglio di carta vetrata. Le nuvole erano basse e il cielo scuro. La radio annunciò il pericolo di un tornado. Una cosa che fa sempre spaventare a morte gli stranieri di passaggio nel Midwest – le cameriere degli hotel trovano sempre qualcuno delle delegazioni commerciali giapponesi nascosto sotto al letto per la paura, dopo aver sentito la sirena d'allarme del tornado – tuttavia la gente del posto non fa attenzione a questi avvisi poiché, avendo vissuto per anni in un luogo a rischio, ciò fa parte della loro vita. Inoltre, le probabilità di essere colpiti da un tornado sono meno di una su un milione.

L'unica persona che ho conosciuto, che rischiò di essere colpito, fu mio nonno. Una notte, lui e la nonna (questa è una storia proprio vera) furono svegliati da un rombo impressionante, simile al frastuono di mille seghe elettriche. La casa tremò fino alle fondamenta. I quadri si staccarono dalle pareti. Nel soggiorno, un orologio cadde da una mensola sopra il caminetto. Mio nonno si trascinò alla finestra, guardò fuori ma non riuscì a vedere nulla, solo buio pesto. Allora tornò a letto, disse alla nonna che fuori c'era un po' di burrasca, e si riaddormentò. Non si era reso conto che il tornado, l'espressione più violenta della natura, gli era passato a un palmo di naso. Avrebbe potuto letteralmente allungare la mano e toccarlo – e se l'avesse fatto, probabilmente sarebbe stato risucchiato fuori e scagliato nella contea vicina.

Il mattino seguente, quando lui e la nonna si svegliarono, c'era un tempo meraviglioso. Furono stupiti di vedere tutti gli alberi sradicati e sparpagliati in giro. Uscirono di casa e scoprirono, emettendo strani borbottii di meraviglia, una striscia di paesaggio completamente distrutta, e questo poco distante dalla loro casa. Il garage non c'era più, ma la loro vecchia Chevy era ancora sulla base di cemento, senza nemmeno un graffio. Non ritrovarono nemmeno una vite di quel garage, sebbene nel tardo pomeriggio di quel giorno un contadino avesse riportato loro la cassetta della lettere ritrovata in un campo a tre chilometri di distanza. Aveva solo una piccola ammaccatura. Queste sono le cose che combinano i tornado. Tutte le storie che avete letto a proposito dei tornado – fili di paglia che si conficcano nei pali del telegrafo o mucche sollevate e depositate sane e salve ad alcuni chilometri di distanza – sono del tutto vere. Nel sud-ovest dell'Iowa c'è una mucca alla quale quest'avventura è già capitata due volte. La gente percorre chilometri e chilometri per vederla. Solamente questo vi dice già molto sulla misteriosa forza dei tornado. Vi dà anche l'idea delle poche cose divertenti che ci siano da fare nel sud-ovest dell'Iowa.

A metà del pomeriggio, poco dopo Sioux Falls, uscii finalmente dal South Dakota e varcai il confine del Minnesota. Era il 38° stato toccato nel mio viaggio, l'ultimo che avrei visitato, sebbene non contasse perché lo stavo percorrendo lungo la linea del confine meridionale. Sulla destra, a un paio di chilometri di distanza oltre ai campi, c'era l'Iowa. Era fantastico trovarmi di nuovo nel Midwest, coi suoi campi ondulati e la sua terra scura e fertile. Dopo intere settimane nel deserto del West, l'improvvisa ricchezza della campagna dava quasi le vertigini. Poco dopo Worthington, Minnesota, rientrai nell'Iowa. Come se fosse stato avvisato, il sole fece capolino tra le nubi. Un raggio di luce dorata passò sopra i campi e fece istantaneamente apparire ogni cosa tiepida e primaverile. Ogni fattoria sembrava ordinata e prosperosa. Ogni paesino lindo e cordiale. Proseguii incantato, quasi incredulo dinanzi alla bellezza del paesaggio. Nulla di particolare, solo campi ondulati, ma i colori erano vividi e intensi: il cielo blu, le nuvole bianche, i granai rossi, la terra color cioccolato. Non avevo idea che l'Iowa potesse essere così bello.

Andai a Storm Lake. Una volta qualcuno mi aveva detto che era un bel paesino pittoresco, così decisi di andare a dare un'occhiata. Effettivamente era fantastico. Costruita sulla riva del lago blu da cui prende il nome, questa è una città universitaria di 8000 persone. Forse era merito del periodo dell'anno, della primavera mite, della brezza fresca, non so, ma sembrava un posto perfetto. Il centro della cittadina era solido e per nulla pretenzioso, con tante case di mattoni rossi e tanti negozi a conduzione familiare. Dietro al paese si apriva una serie di vie ombreggiate, con eleganti case vittoriane che arrivavano fino a un parco in riva al lago. Parcheggiai e andai a fare due passi. C'erano molte chiese. La cittadina era immacolata. Dall'altra parte della strada un ragazzo in bicicletta distribuiva i giornali, lanciandoli sotto i portici, e quasi giurerei di aver visto due tizi vestiti come negli anni Quaranta che attraversavano la strada con passo cadenzato. Da una finestra aperta Deanna Durbin cantava.

Improvvisamente non volevo che il mio viaggio finisse. Non sopportavo l'idea che presto sarei tornato all'auto e che in un paio d'ore avrei superato l'ultima collina, percorso l'ultima curva e finito di vedere l'America, forse per sempre. Estrassi di tasca il portafoglio e sbirciai. Mi erano rimasti 75 dollari circa. Mi venne in mente che avrei potuto andare a Minneapolis e vedere un incontro di baseball dei Minnesota Twins. Mi sembrò un'ottima idea. Se avessi guidato come un pazzo ci sarei arrivato in tre ore – giusto in tempo per una partita notturna. Comprai una copia del *USA Today* da un distributore automatico all'angolo ed entrai in una cafeteria. Scivolai in un separé e con impazienza lo aprii alla pagina sportiva, proprio per vedere se i Twins giocavano in casa. Invece no. Erano a Baltimore, a 1500 chilometri di distanza. Mi sentii triste. Non potevo credere di essere stato tutto quel tempo in America senza che mi fosse venuto in mente, se non all'ultimo giorno del viaggio, di andare ad assistere un incontro di baseball. Che stupido!

Mio padre ci portava sempre a vedere le partite. Tutte le estati, io, lui e mio fratello andavamo in auto fino a Chicago o a Milwaukee o a St Louis, e rimanevamo tre o quattro giorni; andavamo al cinema di pomeriggio e alle partite di sera. Era una cuccagna. Andavamo sempre allo stadio alcune ore prima dell'inizio dell'incontro. Dato che mio padre era un giornalista sportivo di una certa importanza – anzi, al diavolo la modestia, era uno dei migliori giornalisti sportivi del paese e decisamente riconosciuto come tale – egli poteva andare nella tribuna stampa e in campo prima dell'inizio del gioco e, gliene faccio un merito eterno, lui ci portava sempre con sé. Io e mio fratello gli stavamo vicini nello spazio accanto alla porta, mentre lui intervistava gente come Willy Mays e Stan Musial. Per gli inglesi questo non ha nessun significato, lo so, ma credetemi, per noi era un vero privilegio. Potevamo sederci nella parte coperta (c'era sempre puzza di fumo e di pipì; non so che cosa succedesse di preciso), poi potevamo andare negli spogliatoi a vedere i giocatori che si preparavano. Ho perfino visto Ernie Banks nudo. Sono pochi quelli che lo possono dire, anche a Chicago.

La sensazione più bella era quella di camminare sul campo, sapendo che i bambini sulle gradinate ci stavano osservando con invidia. Con il mio berretto da baseball della Little League, con la visiera meticolosamente stazzonata e un paio di occhiali di plastica molto vistosi, mi sentivo un figo. E lo ero. Ricordo che una volta al Commiskey Park di Chicago alcuni ragazzi sulle gradinate, dall'altra parte della recinzione, mi chiamarono. Erano ragazzi grandi, di città. Sembrava facessero parte della Dead End Gang. Non so dove fosse mio fratello quella volta, in ogni modo non c'era. I ragazzi mi dissero: "Ehi tu, come fai a essere lì?", e poi "Ehi tu, fammi un favore. Fammi avere un autografo di Nellie Fox". Ma io feci finta di non sentire... facevo veramente il bullo.

Come ho detto poc'anzi, ero molto deluso di scoprire che i Twins erano sulla costa est, a 1500 chilometri di distanza, e di non poter andare a vedere la loro partita. Mi cadde l'occhio sui risultati delle partite del giorno prima e rimasi, in un certo senso, scioccato di non riconoscere nemmeno un nome dei giocatori. Mi resi conto che tutti quei ragazzi facevano ancora le medie quando io me n'ero andato dall'America. Come potevo andare a un incontro di baseball senza conoscere nemmeno un nome? L'essenza del baseball è sapere che cosa sta succedendo in campo, prevedere chi potrà intervenire in una determinata situazione. A chi credevo di darla a bere? Ormai, ero uno straniero.

Arrivò la cameriera, sistemò tovaglietta di carta e posate davanti a me. "Salve!", disse, con un tono di voce più simile a un grido che a un saluto. "Come le va oggi?" Sembrava fosse davvero interessata. E credo persino lo fosse. Caspita, la gente del Midwest è proprio fantastica. Aveva un paio di occhiali a farfalla e i capelli raccolti in una crocchia gigante.

"Benissimo, grazie", dissi. "E lei?"

La signorina mi guardò obliquamente con un'aria tra il sospettoso e l'amichevole. "Dica un po', lei non è di queste parti, vero?", mi chiese.

Non sapevo cosa rispondere. "No, mi spiace", risposi con aria un poco malinconica. "Ma sa, è così bello che talvolta mi spiace di non esserlo."

Ecco, più o meno questo è stato il mio viaggio. Ho visto tutti gli stati tranne i dieci del sud, e ho percorso 22.475 chilometri, ho visto tutto ciò che volevo vedere e un sacco di cose che non volevo. Sono molto soddisfatto. Non mi hanno né sparato né rapinato. L'auto non si è rotta. Non sono mai stato avvicinato da un testimone di Geova. Ho ancora 68 dollari e un paio di mutande pulite. Non sempre i viaggi finiscono così bene.

Proseguii fino a Des Moines che, nella luce del pomeriggio, mi sembrò molto grande e bella. La cupola dorata del municipio scintillava sotto il sole. Ogni centimetro era coperto di verde. La gente era nel prato a tagliare l'erba oppure fuori in bicicletta. Capii perché gli estranei che escono dall'autostrada e vanno a Des Moines, per un hamburger e per il pieno di benzina, ci rimangono per sempre. C'era qualcosa nell'aria che la faceva sembrare simpatica, pulita e bella. Potrei anche viverci, pensai, e mi diressi verso casa. Stranissimo, ma per la prima volta dopo tanto tempo mi sentii quasi sereno.

Stampa Grafica Sipiel
Milano, aprile 1996